D0363608

afgeschreven

WEEK 36

SOFIE SARENBRANT

Week 36

VERTAALD DOOR BART KRAAMER

Openbare Bibliotheek
Cinétol
Tolstraat160
1074 VM Amsterdam
Tel.: 020 – 662.31.84
Fax: 020 – 672.06.86

AMSTERDAM · ANTWERPEN
2012

Q is een imprint van Em. Querido's Uitgeverij BV, Amsterdam

Oorspronkelijke titel *Vecka 36*
Copyright © Sofie Sarenbrant 2010
This edition published by arrangement with PNLA/Piergiogio Nicolazzini Literary Agency
Copyright vertaling © 2012 Bart Kraamer /
Em. Querido's Uitgeverij BV, Singel 262, 1016 AC Amsterdam
Omslag Anders Timrén
Foto auteur Lars Trangius

ISBN 978 90 214 4208 2 / NUR 305
www.uitgeverijQ.nl

Voor Tommy

Met één oog gluurde ze door de smalle kier van de deur. Ze zag de witte randen van het ledikant en hield haar adem in. Zachtjes duwde ze de deur nog een paar centimeter verder open om beter te kunnen kijken. Ja, dit was precies zoals ze het wilde hebben. Eindelijk kon ze zich ontspannen. De nieuwe plaats van het bed bij het raam sprak haar meer aan dan de twee plekken die ze eerder had geprobeerd. Nu hoefde ze niet eens een voet in de kamer te zetten om alles in de gaten te kunnen houden.

Terwijl ze over de drempel stapte, voelde ze hoe de warmte zich door haar lichaam verspreidde. Het was nog maar een kwestie van tijd voordat er iemand in het bedje zou liggen en met zijn beentjes zou trappelen.

Maar voorlopig was het nog gapend leeg.

Ze trok aan het dunne koord van de speeldoos en de kleine teddybeer begon 'Twinkle, Twinkle Little Star' te spelen. Het koord werd centimeter voor centimeter in de beer gezogen. Zo direct zou het ophouden en de beer zou zwijgen. Er kwamen tranen in haar ogen, ze was zo gauw ontroerd.

De hormonen hadden negen maanden lang een spelletje met haar gespeeld. Al vanaf de eerste dag was ze bang geweest dat er iets mis zou gaan. Er mocht niets fout gaan, dat zou ze niet overleven. Zodra de baby was geboren, kon ze even bijkomen en blij zijn. Tot dat moment kon ze alleen maar proberen het vol te houden en volledig te vertrouwen op haar lichaam en de barmhartigheid van het lot.

Ze kon het niet laten een duwtje te geven tegen de vrolijk gekleurde speelgoeddieren die ze aan een touwtje aan het plafond boven het bed had gehangen. De vissen schommelden heen en weer en draaiden rond. De baby zou het prachtig vinden, het kon niet anders dan een succes worden.

Alles was zo goed als klaar, maar de baby mocht nog niet meteen komen, de kamer rook nog steeds naar verf. Vreemd, twee dagen geleden had ze de laatste laag aangebracht. Had ze misschien te veel verf gebruikt? Drie lagen waren nodig geweest voordat ze helemaal tevreden was met het resultaat. Na al dat gezwoeg zou het niet prettig zijn als je de plamuur er toch nog doorheen zag. Ze vroeg zich af of ze de verf wel lang genoeg had laten drogen tussen de lagen, en om het te controleren drukte ze haar wijsvinger tegen de muur. Haar vingertop bleef een klein beetje kleven en ze voelde met haar duim of hij plakkerig was.

Nee, nu was de eeuwigdurende voorbereiding aan het ontsporen.

Ze had zoveel tijd tot haar beschikking dat ze niet wist wat ze ermee moest doen. Natuurlijk zou je de muren niet meer kunnen ruiken als de kamer in gebruik was genomen, punt. Ze keek om zich heen en constateerde dat er eigenlijk nog maar twee dingen moesten gebeuren: het bedje opmaken en de fotolijsten ophangen.

Een gevoel in haar buik waarschuwde haar dat het ongeluk zou kunnen brengen wanneer alles tot in de puntjes was voorbereid, terwijl het kind er nog niet eens was. Stel je voor dat er iets mis zou gaan bij de bevalling. Ze keek om zich heen. Alles was perfect geregeld. De lakens lagen op een armlengte afstand in de kindercommode, pas gewassen met een parfumvrij wasmiddel. Vastberaden schudde ze het onbehaaglijke gevoel van zich af. Ze deed de commode open en haalde de lakens eruit. Op hetzelfde moment voelde ze een schop vanbinnen en ze kon dat niet anders opvatten dan als een aanmoediging. Ze boog zich over het bed en deed haar best om het lichtgekreukelde hoeslaken op het matras glad te strijken. Dat was niet gemakkelijk, haar buik zat in de weg. Zo, nu de matrasbeschermer nog. Ze begon weer opnieuw en duwde met haar hand tegen het matras. Was dat niet te hard voor een kleine, tere baby? Ze pakte het zachte, platte kussen op en trok aan de sloop. Alles was zo klein en lief dat ze weer tot tranen toe geroerd werd. Het dekbedovertrek lag zacht en volgzaam over de deken.

Ze opende de gereedschapskist en haalde de boormachine tevoorschijn. De drie lege lijsten legde ze zolang op het bedje en ze schoof het een stukje van de muur. Ze deed haar ogen dicht en stelde zich drie zwart-witfoto's van het kind voor: een portretfoto, een close-up van de voeten en een waar het helemaal op stond. Ze zouden recht boven het hoofd van het kind aan het eind van het bedje komen te hangen.

Ze mat de afstand, zette een kruisje en richtte de klopboor op de betonnen muur. Het eerste en tweede gat waren klaar. Net op het moment dat ze op de knop drukte om de boor voor de laatste keer krachtig in de muur te drukken, gleed ze uit en raakte haar linkerhand. Verbaasd liet ze de boormachine op de grond vallen, gelukkig niet op haar voeten. Ze voelde hoe er druppels van de gewonde hand vielen en ze dacht maar één ding: dat het bloed niets in de kamer mocht raken. Dat zou een slecht voorteken zijn. Op de vensterbank vond ze een dunne katoenen deken, die ze om haar hand wikkelde terwijl ze tegelijkertijd paniekerig om zich heen keek. Geen rode vlekken op het dekbed, godzijdank. Het tapijt was in orde. Ze wilde net opgelucht ademhalen toen ze opeens verstijfde. Er was iets met een van de lijsten op het bed, die met de gouden rand waar het portret in zou komen. Haar maag trok zich samen en ze moest voorover leunen om de pijn te kunnen verdragen. Verschrikt tilde ze de lijst op en veegde een grote bloedvlek van het glas.

De speeldoos was opgehouden te spelen.

Zaterdag 28 augustus

De chaos was compleet toen de deuren van de rommelmarkt van de Hammenhögse sportvereniging een minuut voor de vastgestelde tijd opengingen. De helden die achter de twee deuren werkten, werden bijna onder de voet gelopen door opgewonden koopjesjagers die wisten dat het erop aankwam de eerste te zijn wilde je iets goeds vinden. De Zweedse behoedzaamheid was totaal weggevaagd. De rommelmarkt was verspreid over drie verdiepingen en bij de eerste trap omhoog in het gebouw liep alles vast, omdat de mensen van twee kanten naar binnen stroomden. De verkeersopstoppingen op de toegangswegen naar Stockholm waren hiermee vergeleken een peulenschil. Een door adrenaline voortgedreven, oudere man wrong zich vastberaden langs de anderen in de rij, die er op zijn minst al een uur in hadden gestaan en hun territorium hadden afgebakend. Hij moest ten koste van alles als eerste naar boven en Johanna Winter had het gevoel dat ze de verkeerde persoon op de verkeerde plaats was.

Het ergerlijke was dat ze niet eens naar iets bijzonders op zoek was, ze wilde gewoon rustig rondneuzen. En nu was ze in een mijnenveld terechtgekomen. De rommelmarkt van de Hammenhögse sportvereniging leek altijd op een burgeroorlog.

Ze probeerde zich te beschermen tegen alle scherpe ellebogen. Een hoogzwangere buik op een binnenpandige rommelmarkt was niet iets om je gelukkig mee te prijzen, maar het had geen zin om spijt te hebben. Johanna stond vast en kon alleen meegaand de stroom volgen. Het claustrofobische gevoel kwam kruipend opzetten en haar gedachten gingen alle kanten uit. Ze kreeg plotseling de vreemde indruk dat iemand haar in de gaten hield. Toen ze haar blik op de hogere verdieping richtte, dacht ze dat ze een schim zag die om de hoek verdween.

Het was aan het slechte weer te wijten dat Johanna vastgeklemd stond op een gammele houten trap. En alsof dat niet erg genoeg was, bevond zich op drie centimeter van haar geurgevoelige neus de naar zweet stinkende oksel van een man in een bruin trainingspak. Ze kon zich niet bewegen en zocht wanhopig naar Eric, maar ze zag alleen driehonderd andere hoofden. Haar hormonen spoorden haar aan om de man in trainingspak in zijn arm te bijten, maar het verstand zegevierde. In plaats daarvan kreeg ze een zure oprisping waar ze haar aandacht op moest richten. Wat moest ze ermee? Gewoon maar doorslikken.

De week in Skåne was allesbehalve rustgevend geweest, maar ze had ook niet anders verwacht, aangezien ze met de familie Malm reisden, inclusief hun drukke dochter Nicole, die twee was. Ze hadden zich toch nog wel vermaakt. Helaas voornamelijk onder regenwolken, maar de zon kwam af en toe tevoorschijn als een kleine herinnering aan het feit dat hij daadwerkelijk bestond.

Österlen was voor hen allemaal nieuw. Waarschijnlijk waren ze er nooit terechtgekomen als Johanna's ouders geen huis hadden gekocht in het vissersdorpje Brantevik, vijf kilometer ten zuiden van Simrishamn. De locatie was perfect, op een steenworp afstand van de twee havens van het dorpje. Een nadeel was dat het huis klein was, ongeveer vijftig vierkante meter. Als je door de entree binnenkwam, stond je direct in een gecombineerde keuken en huiskamer met een hoog plafond en nieuwe, witgeverfde houten balken. Alles was wit, in elk geval totdat Nicole aan de slag was gegaan met de verf. Links van de huiskamer waren de badkamer en een kleine slaapkamer. Boven was er een knusse slaapzolder met een schuin dak waar zij en Eric comfortabel sliepen onder begeleiding van de neerkletterende regen op het zinken dak.

De crux was zoals gezegd de grootte. Agnes en Tobbe waren

eerst van plan met Nicole in de huiskamer te logeren. Tot ze erachter kwamen hoe klein die was. Godzijdank hadden ze toen besloten de enige lege kamer van de Lapphörnan te nemen, een bed & breakfast dat er precies naast lag.

Brantevik was een toevluchtsoord voor kunstenaars. Het krioelde ervan, trouwe gasten die elke zomer terugkeerden, maar ze had niet verwacht dat Agnes tot een van die bekeerden zou behoren. De houding van haar beste vriendin deze week had haar geïrriteerd. Agnes werd kwaad over kleinigheden en zeurde meer dan gewoonlijk. Ze had geen zin gehad in een rommelmarkt en lag nu thuis te mokken.

Maandag was de vakantie voorbij. Johanna zuchtte terwijl ze vastgeklemd op de trap stond. Haar Eric zou dan achter de computer gaan zitten en SGA- en PGA-geheugenparameters in Oracle-10g-databases afstellen. Dat was zijn werk. Wanneer er een ORA-600-fout opdook in de *alert log* ging Eric zoeken op Metalink. De spannendste werkgebeurtenis van het jaar was wanneer hij een dataguardoplossing met een asynchronieoverdracht moest opzetten. Dan was zijn adrenalinegehalte even hoog als het hare wanneer een artikel van haar werd bediscussieerd in de ochtendprogramma's op de televisie.

Ze zocht Eric met haar blik, maar kon nog steeds geen glimp van hem opvangen. Ze verlangde naar zijn grote, warme handen die haar gespannen schouders en pijnlijke onderrug masseerden. Het kostte haar moeite om te staan. Het onbehaaglijke gevoel wilde ook niet weggaan. Ze had sterk de indruk dat iemand haar vanaf dezelfde plek als daarnet op de hogere verdieping stond te bekijken. Voorzichtig keek ze omhoog en ze zag nu een hoofd achter de boekenkasten verdwijnen. Er was werkelijk iemand die haar in de gaten hield. En haar mobieltje lag in het huis. Het kon natuurlijk een kind zijn dat een grap met haar uithaalde, maar ze kreeg steeds sterker het gevoel dat ze moest maken dat ze hier wegkwam.

Nog maar één dag in Skåne en dan gaan we naar huis, probeerde ze zichzelf in te prenten. Ze verlangde ernaar om vrij te zijn en het lekker rustig aan te doen voor de bevalling. Als freelancejournalist was ze weliswaar bijna altijd aan het werk, maar ze had geen plannen om weer in vaste dienst te treden. Toen ze als verslaggeefster voor de avondkrant *Pressen* werkte, had ze zich een lijfeigene gevoeld, nu was ze tenminste vrij. Werken bij een avondkrant was bovendien moeilijk te combineren met een gezinsleven. Het gebrek aan respect voor mensen waar bepaalde collega's blijk van gaven, was de andere reden dat ze er niet wilde blijven. De beperkte empathie was aan de sfeer te merken en ze voelde zich er niet prettig bij. En ze was ook zeker niet de juiste persoon voor zo'n redactie. Ze had nooit spijt gehad van haar vertrek bij *Pressen*, maar soms miste ze haar collega's en het tempo.

Op het ogenblik was ze om natuurlijke redenen helemaal niet met haar carrière bezig. Ze zou binnenkort haar eerste kind krijgen. Het was nog maar een kwestie van weken, misschien dagen. Ze keek met angstige verrukking uit naar de bevalling. Ze was niet de enige die dat gevoel had. Onwaarschijnlijk genoeg waren zij en haar beste vriendin bijna gelijktijdig zwanger geworden. Allebei waren ze in hun derde trimester, Johanna zou binnen enkele weken haar kind krijgen en Agnes iets later. Hun gemeenschappelijke vrienden waren ervan overtuigd dat ze samen hadden overlegd, maar dat was niet zo.

Ze rilde van onbehagen en had het gevoel dat ze voor eeuwig in deze rommelmarkthel zou moeten blijven. Troostend klopte ze op haar uitpuilende navel en ze vroeg zich af wat voor kleine schelm zich erachter verborg. De baby drukte met een hiel terug. Er was geen sprake meer van schoppen of van koprollen, er was geen millimeter meer over in de op barsten staande buik. In tegenstelling tot Agnes had ze niet willen weten wat het geslacht was, maar diep van binnen hoopte ze dat het een meisje zou zijn, iets wat ze niet eens tegen haar beste vriendin had gezegd. Ze wist dat je geen voorkeur voor een bepaald geslacht mocht hebben en begreep de logica ervan.

De drukte op de gammele trap begon minder te worden en ze haalde opgelucht adem toen ze boven was en zich tussen de tweedehands boeken kon verbergen. De prijzen waren verschrikkelijk hoog, dus ze kocht niets. Ze had niet meer het gevoel dat ze bekeken werd, maar ze wachtte toch nog even voordat ze tegen de stroom in naar de uitgang durfde te gaan. Ze wilde hier alleen maar weg.

Toen ze er eindelijk in geslaagd was om de gevangenis uit te komen, stelde ze vast dat het haar gelukt was zonder in te storten. Het onbehaaglijke gevoel verdween met de wind. Het weer was omgeslagen; de hemel was donkerder en er stond een koude wind. Het alledaagse leven in Stockholm leek plotseling weer aanlokkelijk. Ze wilde naar huis om zich voor te bereiden op de bevalling. Ze moest nog maar één dag door zien te komen.

'Hé, ben je hier?'

Johanna schrok en draaide zich om.

'Laat me niet zo schrikken, Tobbe,' zei ze en ze lachte opgelucht toen ze besefte dat het geen gek was. 'Ik dacht dat jij en Agnes in Brantevik zouden blijven.'

Tobbes blik werd iets donkerder.

'Ik hou het niet vol om de hele dag alleen maar thuis te zitten, dus ben ik jullie achternagereden. Zij blijft thuis met Nicole. Waar is Eric?'

'Hier,' antwoordde Eric, die net op dat moment naar hen toe kwam lopen met een onidentificeerbare bal in zijn rechterhand. 'Ik heb een kogel gevonden voor tien kronen.'

Johanna glimlachte. Alle prullen van Eric zouden binnenkort opgeslagen moeten worden bij Shurgard en dat zou nóg een maandelijkse uitgave voor hen worden. Ze zuchtte en liep met zware stappen naar de auto.

Ze keek naar zichzelf in de badkamerspiegel en drukte de krultang vastbesloten tegen haar wimpers. Vandaag zou ze zich extra mooi maken. Het was per slot van rekening de laatste avond op haar werk. Het was een weemoedig maar ook bevrijdend gevoel na al die intensieve dagen op het drukbezochte terras van Branterögen. Rosita Andersson zou het groepje missen waarmee ze de hele zomer gewerkt had. Ze waren ondanks alle stress redelijk goed bevriend geraakt. De minuten waarin ze samen koffie konden drinken waren zeldzaam geweest. Haar voeten hadden het zwaar te verduren gehad, ze had nog nooit zoveel gestaan in haar leven. Zelfs Crocs hielpen niet.

De eenentwintigjarige Rosita had een eigen appartement aan de Tullhusgatan in Simrishamn, bij de haven. Ze pendelde naar haar werk in haar tweedehands Audi, klein maar in een prima staat. Jongens waren haar grootste passie, maar ze slaagde er nooit in hun aandacht lang vast te houden. Ze was in een negatieve spiraal terechtgekomen, waarbij ze elke keer weer werd gebruikt. Of misschien niet meteen gebruikt, maar het probleem was dat ze telkens meer wilde dan alleen maar met iemand voor één nacht naar huis gaan. Ze zocht naar een vriendje om op de bank voor de tv een zak chips mee te delen, maar ze had niet veel hoop dat hij juist vanavond zijn entree zou maken. Haar beste vriendin, Andrea, lachte haar uit en zei dat ze wanhopig was. Dat was helemaal niet zo, Rosita weigerde dat te geloven. Een beetje bevestiging kon geen kwaad.

Helaas was geen van de koks met wie ze werkte single, anders had ze zeker geprobeerd haar tanden in een van hen te zetten. In elk geval in Ante, hij was het knapst en het leukst en rook het lekkerst. Ze kreeg honger als ze hem zag.

Het nadeel van een havenkroeg was dat er altijd hetzelfde soort bezoekers kwamen. Elke keer als er een leuke man opdook duurde het maar een minuut voordat zijn drie suikerzoete kindertjes eraan kwamen rennen, met een uitzonderlijk mooie moeder in hun kielzog. Als in de eerste de beste kleffe tv-reclame. Alleen de velden met koolzaad ontbraken nog. Nee, naar liefde dorstende mannen die single waren, brachten hun vakantie niet in Brantevik door, die gingen naar Båstad of Visby. Hier moest ze het doen met introverte kunstenaars en andere softies die niets te betekenen hadden.

Ze moest zich alleen nog opmaken voor vanavond voordat ze zou vertrekken. Het was tenslotte toch *la grande finale* en die wilde ze gedenkwaardig maken. Kleren konden haar daarbij niet helpen, want het strakke zwarte T-shirt was verplicht. Maar ze kon haar gang gaan wat haar en make-up betrof. Ze kamde haar blonde extensions en stak haar haar op in een nonchalante knot. Ze wilde de indruk wekken dat ze er geen moeite voor had gedaan, ook al was er in werkelijkheid over elke pluk nagedacht. De hele badkamer stond vol make-upproducten. Zorgvuldig had ze de potjes gerangschikt op merk. Ze bracht foundation aan met poeder erop en voegde er daarna nog een klein beetje van alles aan toe, vooral glitterige highlights. Misschien betaalde het zichzelf uit in de vorm van extra drankjes of wellustige blikken. Ze werd verwend met flirterige blikken van mannen die van de gelegenheid gebruikmaakten als hun vrouw niet keek. Getrouwde mannen waren niet zo onschuldig als ze had gedacht.

Het opmaken had lang geduurd en ze moest zich haasten als ze nog op tijd wilde komen. Ze deed het licht uit in de badkamer, liep naar de hal, schoot in haar schoenen, deed de deur op slot en rende naar haar auto. Deze dag was bijzonder en er moest veel worden voorbereid, dus te laat komen zou niet op prijs worden gesteld.

Toen ze afsloeg en voor de kroeg parkeerde, begreep ze meteen dat het er een complete chaos was. Haar chef Hasse Ahl rende in het rond als een stuk vuurwerk. Ze werd verwelkomd door Hasses paniekerige ogen en een 'verdomme, verdomme, verdomme' in plaats van de traditionele begroeting 'hé, hé, hé', die hij anders gebruikte, zonder door te hebben dat hij sprekend op een Duracellkonijn leek. Rosita dacht dat het niet gepast zou zijn om dat op dit moment te zeggen.

De band die zou spelen had op het laatste moment afgezegd, hoorde ze. Dat was de oorzaak van Hasses gestreste blik.

'Hebben we geen plan B voor dit soort gevallen?' vroeg ze voorzichtig en ze deed een wimper goed die aan het loslaten was en in haar oog prikte, dat in geen geval mocht gaan tranen.

'Plan B is karaoke. Dezelfde oude troep weer.'

'Oké, dan hoeven we alleen de karaokehulplijn maar te bellen.'

'Dat hebben we al gedaan.'

'Maar wat is dan het probleem?'

'De band was leuker geweest. Dit is alsof je Springsteen en verse garnalen belooft en dan met Kikki Danielsson en supermarktworst komt.'

'Dat is gemeen. Ik denk niet dat iemand die karaoke zingt hetzelfde niveau kan halen als Kikki,' merkte Rosita oprecht op.

Hasse zuchtte. 'Je snapt wel wat ik bedoel.'

'Ja, maar ik denk niet dat het de mensen veel uitmaakt. Hoe heette de band? Christer & Co.? Ik had in elk geval nog nooit van hen gehoord.'

'Karlssons Weerhaken,' verbeterde hij haar gepikeerd. 'Ja, ja, maar we moeten nu de tafels gaan dekken en het eten voorbereiden.'

'Ga ik doen!' zei Rosita, maar ze was toch geïrriteerd. Wat Hasse ook zei, karaoke was vaak hartstikke leuk, want je wist van tevoren nooit wat er zou gebeuren.

Het nadeel was dat het altijd dezelfde lapzwansen waren die het podium beklommen en dat ze nooit doorhadden wanneer het tijd was om de microfoon af te staan. Ze hoopte dat Kenny-fucking-Kjol ziek of op reis was, al was dat niet erg waarschijnlijk. Bij de laatste karaokeavond hadden ze hem van het podium af moeten dragen. Rosita had zich deze zomer al meer dan genoeg aan hem geërgerd. Van zelfkennis had hij waarschijnlijk nooit gehoord. Hij leek zelfs te denken dat Rosita en hij vrienden waren. Elke dag kwam hij aanstormen op zijn belachelijke damesfiets en stopte recht voor het terras om met haar te praten. Zonder in te zien dat ze gek van hem werd. Treurig type.

De maaltijd bestond uit entrecote, aardappelen au gratin en een sausje op basis van balsamico. Johanna vond dat het goed smaakte, maar ze keek met een schuin oog naar de rode wijn waar zij en Agnes niet van konden drinken. Nicole ook niet, constateerde het meisje teleurgesteld. Johanna moest onwillekeurig glimlachen. Nicole was zo'n schatje met haar door de zomer gebleekte lokken die haar gezicht omringden. Ze was een kopie van haar moeder als je de lokken wegdacht. Johanna had een bed voor het meisje gemaakt in de logeerkamer omdat ze vannacht bij hen zou slapen. Het voelde veiliger om haar in het huis te hebben dan in de Lapphörnan. Het plan was dat ze de babyfoon aan zouden zetten om dan de honderd meter af te leggen naar de kroeg waar ze na het eten karaoke gingen zingen. Of tenminste toe gingen kijken hoe anderen zongen. Johanna was in de namiddag langs de plek gelopen en hoorde toen dat de band niet zou spelen en dat het in plaats daarvan karaoke werd.

Dat Nicole bij hen zou slapen was geen probleem, integendeel. Het deed Johanna plezier dat ze Tobbe en Agnes een nacht met hun tweeën kon geven. Ze waren de hele week nogal chagrijnig tegen elkaar geweest en moesten even alleen zijn. Nu Johanna erover nadacht besefte ze dat de gespannen stemming tussen hen elke dag erger was geworden. Maar Agnes had niet verteld waar het nu eigenlijk om ging. Ze weet alles aan vermoeidheid.

Na het eten zette Johanna verse aardbeien en vanille-ijs op tafel, en Nicole had haar portie in minder dan vijf minuten naar binnen gepropt.

Tobbe bedankte en stond op. 'Ik ga Nicole naar bed brengen,' verontschuldigde hij zich en hij tilde zijn dochter uit de stoel.

'Welterusten en tot morgen!' zei iedereen, en Nicole en Tobbe verdwenen in de richting van de logeerkamer.

Maar het instoppen duurde lang en Agnes begon onrustig heen en weer te schuiven op haar stoel. Johanna begreep niet waarom haar vriendin niet van de gelegenheid gebruikmaakte om zich te ontspannen nu ze een keer niet verantwoordelijk was voor het naar bed brengen.

'Hou daar toch mee op, Agnes. Ik zie dat je je ongerust zit te maken. Je zult zien dat Tobbe het heel goed kan,' zei Johanna en ze zag meteen aan Agnes dat ze niets had moeten zeggen.

Agnes ging van tafel en het leek alsof ze iets mompelde in de trant van 'je begrijpt er niets van'. Johanna keek naar Eric, die zijn schouders ophaalde en ging afruimen. Zelf bleef ze zitten en keek door het raam naar buiten.

Er had altijd competitie tussen hen bestaan. Agnes was haar met alles voor geweest: vriendje, huwelijk en kinderen. Voordat Johanna de Zweeds-Amerikaanse Eric zelfs maar had ontmoet, was Agnes al getrouwd. Bovendien met de liefste en aardigste man van de wereld, Tobbe, afgestudeerd biomedicus en aankomend promovendus bij de afdeling oncologische pathologie van het Karolinkska-instituut. Op het moment dat Johanna trouwde had Agnes al een fantastisch, snoezig dochtertje. Toen Johanna zwanger probeerde te worden, was Agnes in verwachting van haar tweede kind, een jongen bovendien. Een van elk, als in een sprookje. En alsof dat nog niet genoeg was, was Agnes ook overduidelijk de mooiste met haar brede, witte glimlach, helderblauwe ogen en de wilde blonde haardos. Zelf voelde ze zich donker en saai met haar sprieterige haarslierten, bruine ogen en overdosis aan sproeten. Johanna was nooit verkozen tot de Lucia van de school. Die eer viel Agnes ten deel.

Eric zette een kopje koffie voor haar neer en ze werd uit haar gedachten gerukt. Vanuit de logeerkamer hoorde ze Tobbes geïrriteerde stem.

'Waarom kom je nu binnen, ze was net in slaap aan het vallen. Nu zullen we allebei weg moeten gaan zodat ze zelf kan proberen tot rust te komen.'

Johanna kon Agnes horen zuchten.

'Nee, want ze heeft hier nog nooit geslapen en ik wil dat ze zich veilig voelt. Ik blijf hier bij haar zitten,' antwoordde Agnes.

'Ga hier verdomme weg! Ze mag best even huilen, daar gaat ze niet dood van,' onderbrak Tobbe haar. 'Ga maar even met Johanna en Eric praten, dat kan geen kwaad als je bedenkt hoe vreselijk chagrijnig je de laatste dagen bent geweest!'

'Wat bedoel je daarmee?'

'Wat bedoel je daarmee?' deed Tobbe haar met een overdreven stem na. 'Als je dat niet eens snapt, ben je helemaal van de pot gerukt!'

Dat laatste fluisterde hij bijna, maar niet zo zacht dat Johanna en Eric het niet konden horen.

Eric en Johanna keken elkaar aan, maar kregen niet de tijd om iets te zeggen voordat Agnes met omlaag gerichte blik in de deuropening stond.

'Kom, neem de laatste aardbeien, ze zijn voor jou!' zei Johanna in een poging om te doen alsof er niets gebeurd was.

'Nee, dank je,' antwoordde Agnes met tranen in haar ogen, maar ze ging toch aan tafel zitten.

Johanna begreep dat ze niets kon doen om haar op te monteren.

Tobbe kwam vlak na Agnes terug en opende een biertje, dat hij in één teug achteroversloeg.

'Ik begrijp dat kinderen nemen jullie nu afschrikwekkend voorkomt, maar het is lastig om er nu spijt van te hebben,' grijnsde hij en hij knikte veelbetekenend naar Johanna's dikke buik.

Ze vond hem helemaal niet grappig. Eric was de enige die slijmerig om zijn lompe grap lachte, maar hij hield meteen op toen Johanna hem een waarschuwende blik toewierp. De enige manier om de avond te redden was de jassen aan te trekken en op weg naar de kroeg te gaan.

'Denken jullie dat ze nu slaapt, zodat we kunnen gaan?' probeerde ze weifelend en ze kreeg vermoeide knikken als antwoord van iedereen behalve Agnes, die overeind kwam.

'Ik ga het nog even controleren,' zei ze en Tobbe zuchtte diep.

Toen Agnes terugkwam, trokken ze hun schoenen aan en Johanna sloot de deur achter hen.

'Ik leg de sleutel hier voor als iemand naar binnen wil,' zei ze en ze verborg de sleutel onder een grote steen voor de deur. 'Daarna hoef je hem alleen maar terug te leggen voordat je de deur sluit.'

Het knarste onder hun voeten terwijl ze over het grindpad naar het houten hek aan de straat liepen. Agnes hield de babyfoon tegen haar oor. In een stilte die af en toe werd onderbroken door wat gekraak van de babyfoon wandelden ze naar de havenkroeg. Johanna had medelijden met Agnes en legde een troostende arm over haar schouders.

'Straks is het allemaal voorbij, meisje. Alles zal makkelijker worden als je weer fitter bent,' fluisterde ze.

'Ik ben er niet zo zeker van,' antwoordde Agnes en ze schudde haar hoofd.

In minder dan een minuut waren ze bij het falurode houten gebouw dat maar een paar meter van het water stond. Aan de wind was te voelen dat de herfstkou eraan kwam sluipen. Op het buitenterras waren geen vrije stoelen, dus gingen ze het oude boothuis binnen dat tegenwoordig het feestlokaal was. Daar waren nog lege tafels. Het was half tien en voorlopig was het podium nog leeg. De karaoke was nog niet begonnen en Johanna was opgelucht dat ze op tijd binnen waren.

Een in het zwart geklede man klom het podium op en riep iedereen op om naar een geschikt liedje te zoeken in de mappen die strategisch op de tafels in het lokaal waren neergelegd. Johanna zocht gespannen naar iets wat ze leuk vond. Eric was ook verzonken in de omvangrijke lijst met liedjes.

'Jij kunt misschien optreden met "Te dik voor een wip"?' lachte hij en hij klopte liefdevol op Johanna's strakgetrokken buik.

Als antwoord sloeg ze haar ogen ten hemel.

Tobbe en Agnes zaten stil voor zich uit te kijken zonder de liedjesmap aan te raken. Ze konden het conflict blijkbaar niet achter zich laten. Ze zaten als verstijfd aan tafel en Johanna leefde mee met haar vriendin, maar voelde zich niet in staat om er iets aan te doen. Tobbe negeerde zijn vrouw volkomen, maar hij schonk des te meer aandacht aan de blondine die hem bier bracht. Johanna vond zijn gedrag smakeloos en vroeg zich af waardoor Tobbe zo veranderd was. Zo zelfgenoegzaam was hij vroeger nooit geweest. En het werd er niet beter op als hij dronk. Als hij nog iets onaardigs tegen Agnes zou zeggen of doen, zou het moeilijk worden voor Johanna om haar mond te houden.

De karaoke kwam op gang en Johanna vergat even al haar zorgen. Een dronken oude man met een hoed klom het podium op en stelde zich voor als Kenny Kjol. Ze hoopte voor hem dat het een artiestennaam was. De heer Kjol ging van start met twee liedjes achter elkaar zonder dat hij veel respons kreeg. De jury van *Idols* zou zijn liedje al voor het refrein hebben afgebroken en hem verzocht hebben de samenleving een dienst te bewijzen door nooit meer in de buurt van een microfoon te komen.

Tobbe was nog steeds aan het flirten met de jonge serveerster, nu bij de bar. Hij leegde zijn bierglas in een recordtempo om haar snel weer naar zich toe te kunnen lokken. Het enige positieve was dat de vernedering Agnes bespaard bleef omdat ze niet langer op haar plaats zat. Waarschijnlijk was ze naar het toilet gegaan en had ze de babyfoon meegenomen, want die stond niet meer op tafel.

Even later dook Tobbe weer op.

'Agnes was moe en wilde naar bed. Ik heb haar niet tegengehouden. Rusten is het enige wat helpt,' zei hij op een hatelijke toon en hij hief zijn glas. 'Proost!'

'Zal ik niet achter haar aan gaan om te kijken of alles in orde is?' vroeg Johanna. 'Ze was erg verdrietig vanavond.'

Tobbe lachte. 'Nee, we gaan nu feestvieren! Het is tenslotte onze laatste avond,' antwoordde hij en hij bestelde een nieuw biertje bij de blonde serveerster, die plotseling aan zijn zijde stond.

Na een paar minuten verontschuldigde hij zich en ging weer aan de bar hangen. Er kon geen twijfel over bestaan dat de serveerster een oogje op hem had, dat was evident. Johanna besloot dat het nu genoeg was.

'Eric, we gaan Tobbe hier nu weghalen, oké?' besloot ze en ze stond op voordat ze antwoord had gekregen.

Ze Tobbes geflirt niet langer aanzien en liep naar hem toe om hem apart te nemen.

'Tobbe, in godsnaam, kom op zeg. Je gedraagt je als een vrijgezel, niet als een vader die elk moment zijn tweede kind kan krijgen. We gaan hier weg,' zei ze en ze voelde dat ze kookte van woede.

Eric stond achter haar en zag er verward uit. Tobbe volgde hen met tegenzin, terwijl hij smachtende blikken wierp naar het jonge meisje, dat hem teleurgesteld met haar ogen volgde.

Ze liepen naar de Lapphörnan zonder iets tegen elkaar te zeggen. Tobbe stopte voor het hek en aarzelde even. Johanna en Eric liepen nog enkele passen door en bleven toen staan voor het blauwgeschilderde houten hek van het huis waar ze logeerden. Ze draaide zich om en keek naar de pathetische man, die nauwelijks overeind kon blijven staan.

'Wil je dat we je naar boven helpen?' vroeg ze.

'Nee, jezus, zo erg is het niet. Ik heb alleen een beetje frisse lucht nodig. Tot morgen!' zei Tobbe en hij deed alsof hij een hoed oplichtte in een poging de ernst uit de situatie te halen.

Het was niet bepaald overtuigend, maar Johanna had geen zin om verder aan te dringen.

'Ik hoop dat jullie kunnen slapen nu jullie de kans hebben!' zei ze daarom en ze liep achter Eric aan, die op weg was naar het huis.

'Dank je,' antwoordde Tobbe en hij verdween om de hoek.

Johanna en Eric liepen het huis binnen en fluisterden tegen elkaar om Nicole niet wakker te maken.

'Het voelt helemaal niet goed, maar wat kunnen we eraan doen? Moet ik misschien gaan kijken of alles goed met ze gaat?' vroeg ze.

'Nee, ik denk niet dat we iets kunnen doen, ze moeten hun problemen zelf oplossen,' zei Eric en hij kuste haar. 'Het komt wel goed, meisje. Vooruit, we gaan naar bed.'

Maar Johanna bleef zich zorgen maken. Agnes had misschien gezien waar Tobbe mee bezig was, Johanna wist het niet goed. Als dat zo was, begreep ze waarom Agnes zonder afscheid te nemen terug naar de Lapphörnan was gegaan. Misschien hadden die twee grotere problemen dan ze vermoed had. Nu ze erover nadacht, vond ze dat Agnes de hele week vreselijk stil was geweest. En Tobbe had erg kortaf tegen haar gedaan. Johanna was er de hele tijd van uitgegaan dat ze alleen maar moe waren. Maar vanavond had ze gemerkt dat er meer aan de hand was. Ze was geschrokken van Tobbes gedrag. Kwaad, dronken en gemeen. Als Eric zich zo had gedragen als Tobbe, zou ze hem verteld hebben dat hij die rondborstige blondine mocht hebben en naar de hel kon lopen.

Met wankele passen liep Tobbe de binnenplaats van de Lapphörnan op en besteeg de steile, gammele trap. Het was de enige ingang die vierentwintig uur per dag open was voor de gasten. De houten vloer knarste toen hij naar rechts ging en naar de kamer aan het eind liep. Hij stak de sleutel zo stil mogelijk in het slot, maar hij wist dat de kans dat hij zijn vrouw wakker zou maken groot was. Agnes sliep heel licht. Maar ze zei niets toen hij de kamer binnenkwam. Ook niet toen hij de deur per ongeluk met een knal dicht liet vallen en zijn vinger ertussen kwam en hij zacht in zichzelf vloekte. Voorzichtig trok hij zijn schoenen uit en sloop naar de bedden om er beteuterd achter te komen dat die allebei leeg waren. Ze zagen er nog even onopgemaakt uit als vanochtend.

O, wat ergerde hij zich aan die koppige kant van haar. Ze kon zo hautain zijn. Ze had altijd een kort lontje, soms twijfelde hij er zelfs aan of ze er überhaupt wel een had. Waar het ook om ging, ze reageerde altijd heftig en strafte hem door te zwijgen. Het was moeilijk vol te houden dat het allemaal alleen maar door de zwangerschapshormonen kwam. Dat Nicole 's nachts steeds wakker werd, was natuurlijk zwaar, maar daar leed hij óók onder.

Hij was teleurgesteld over hoe de avond was verlopen. Het was zo typerend dat ze ruzie kregen op het moment dat ze eindelijk weer eens tijd voor elkaar hadden. Hij had misschien verkeerd gereageerd in de logeerkamer toen ze binnen was gekomen om te helpen Nicole naar bed te brengen, maar het had hem geërgerd dat ze Nicole zo nodeloos in de watten legde. Het was niet de eerste keer dat het zo mis was gelopen. Niet dat hij had gedacht dat ze verwachtingsvol in bed zou liggen in kanten lingerie, maar hij begreep niet waarom ze haar ongenoegen moest laten blijken door in het huis bij Nicole te gaan slapen. Maar nu hij erover nadacht, begreep hij haar wel. Hij was niet bepaald een gentleman geweest deze avond en hij had zijn straf verdiend.

Hij liet zijn hoofd op het kussen zakken. Eigenlijk had hij er spijt van dat hij niet verder was gegaan met die lekkere serveerster. Hij had er behoefte aan om te neuken. Niet om de liefde te bedrijven, te strelen of te knuffelen, maar om te neuken. Vooral na al het bier en in het bijzonder met de gedachte aan het monnikenbestaan dat hij tegenwoordig leidde. Zijn behoefte eraan was enorm en het was lang geleden sinds ze het hadden gedaan. Hij was ervan overtuigd dat Agnes ook seksfantasieën had, ergens diep van binnen, weggestopt, onderdrukt. Kon ze zich maar laten gaan. Maar ze was veel te preuts om zich te geven en ze beweerde dat de missionarishouding met het licht uit bij haar paste. Hij weigerde haar te geloven en dacht aan de keer dat hij voor de grap een afgietsel van zijn lul voor haar had gemaakt als verjaardagscadeau. Ze lachte er weliswaar om, maar had het ding dezelfde dag nog weggegooid.

De zwangerschap brengt natuurlijk bepaalde beperkingen met zich mee, daar had hij het volste begrip voor. Maar er was altijd iets wat niet goed genoeg was of pijn deed en hij moest haar met fluwelen handschoenen aanpakken. Hoe kon het pijn doen als het voor hem voelde alsof hij een aula penetreerde? Hij had gelezen dat het lustgevoel bij zwangere vrouwen toenam, maar er waren blijkbaar uitzonderingen.

De alcohol pompte door zijn lichaam. Slapen was compleet onmogelijk. Zijn gedachten sprongen terug naar de korte tijd in zijn leven dat hij single was geweest. Hij kon zich nauwelijks nog herinneren hoe het was om geen verantwoordelijkheid te dragen, geen rekening met anderen te hoeven houden en je niet opgesloten te hoeven voelen. In die tijd had hij de sexy serveerster zonder twijfel mee naar huis genomen. Hoe heette ze ook al weer? Het was iets vreemds dat hem aan de naam van zijn overgrootmoeder had doen denken.

Terwijl ze de trap op liepen zouden ze hebben gezoend en ze zouden zich al zijn gaan uitkleden voordat ze de kamer hadden bereikt. Hij zou het zwarte, strakke truitje, dat spande over haar volle borsten die nog geen borstvoeding hadden gegeven, stuk hebben gerukt. Een klaterende lach en een gepiercete tong in zijn oor in plaats van een vermoeide en onwillige reuzenvrouw die alleen maar wilde slapen. Hij stelde zich voor hoe ze zich niet zouden kunnen bedwingen voor ze in de kamer waren. Al in de gang zou hij zijn lul hard en onbezonnen in haar hebben geduwd. Ze zou een verrast gilletje slaken. De rest van de daad zou in bed plaatsvinden, begeleid door jaloers geklop op de muur vanuit de belendende kamer. Het zou hem niets kunnen schelen als mensen last van hen hadden. Iedereen had het recht om te neuken. Maar Tobbe had het gevoel dat dat recht langzaam maar zeker van hem was afgenomen. Was dat zo voor iedereen die getrouwd was en kinderen had? In dat geval zou hij de echtscheidingscijfers begrijpen. Alles de hele dag door volledig doodgeslagen door routine en planning. Dat was anders in de goede oude gymnasiumtijd, toen ze elkaar net hadden ontmoet en seks een vanzelfsprekend ingrediënt was in hun relatie. De lust die hij voelde als hij aan de serveerster dacht, werd misschien veroorzaakt doordat hij niet met voldoende andere meisjes had kunnen zijn vóór Agnes.

Het belangrijkste onderdeel van zijn lichaam kreeg niet de stimulans die het nodig had. Natuurlijk hield hij van Agnes, maar op dit moment twijfelde hij aan zijn gevoelens. Ze hadden alles al zo lang gedeeld en het leven leek bergafwaarts te gaan. Nóg een kind erbij zou het alleen maar erger maken.

Nee, zo konden ze niet doorgaan. Er waren mensen die een plan opstelden voor hun liefdesdaden, een copulatieschema.

Eén keer in de week op een afgesproken tijd was beter dan nooit. Hij nam zich voor het met Agnes te bespreken. Het was een belangrijke kwestie voor hem en hij hoopte dat zij het zou begrijpen. Hij zou er met haar over praten, proberen uit te leggen hoe onvolledig hij zich voelde zonder seks. Ze moesten het er echt over hebben, maar misschien niet meteen morgenochtend, wanneer het katerbraaksel nog in zijn keel zou plakken.

Zondag 29 augustus

Normaal gesproken werd Tobbe rond zes uur gewekt, maar deze ochtend, nu hij alleen was, niet. Hij lag luid snurkend in het smalle bed te slapen, maar in zijn hoofd was het allesbehalve rustig. Hij droomde dat Agnes in een melkkoe was veranderd. Ze deelde een hok met Mamma Moe. Nicole was gewoon een klein meisje, ze stond wanhopig aan de uiers te trekken en schreeuwde als een bezetene. Maar er kwam geen melk uit koe Agnes. Eerst zag hij niet wat het probleem was, maar toen ontdekte hij dat de emmer die onder de uiers stond vol bloed zat. Daarna veranderde de koe in een witte duif en vloog weg. Nicole klapte in haar handen.

Toen de zon de temperatuur in de slaapkamer ondraaglijk had gemaakt, werd hij met een schok wakker en keek verward om zich heen. Hij schudde de droom van zich af en zag tot zijn verbazing dat Agnes twee gehaakte afbeeldingen van zeilboten aan de muur had gehangen. En een geborduurd raamverhaal met drie oude vrouwtjes. Het zag er bijna uit alsof het in zijn oma's zomerhuisje aan de westkust was gemaakt en het duurde nog een minuut voor hij het een en ander bij elkaar optelde. Vakantie, Skåne, niet thuis. Hij vertrok onwillekeurig zijn mond. Hij was er vandaag niet helemaal bij.

Na een poosje probeerde hij op te staan, maar zijn lichaam zakte in elkaar en hij verbaasde zich erover hoe kapot hij zich voelde, alsof hij overal spierpijn had. Zijn lichaam was slap, hij had bonkende hoofdpijn en zijn ogen waren droog en geïrriteerd. Zijn mond smaakte naar bloed en chemicaliën en hij wasemde alcohol uit. Hij probeerde zijn weerzinwekkende adem weg te krijgen door een paar keer wanhopig te slikken. Daarna strekte hij zijn hand uit naar zijn mobieltje om te kijken hoe laat het was, maar hij moest alle hersencellen die zich de pincode herinnerden hebben weggezopen. Het waren iets te veel pinten geweest. Na zeven was hij de tel kwijtgeraakt. Nu wenste hij dat hij geen druppel had gedronken.

Hij stelde het op prijs dat Agnes hem zijn roes had laten uitslapen. Het was voor hen beiden het beste dat hij kon uitrusten, wilde hij vandaag nog iets kunnen verrichten. Plotseling herinnerde hij zich het vervelende einde van de avond en hij schaamde zich over zijn gedrag. Godzijdank had Agnes de kroeg al verlaten toen hij bij de serveerster was blijven plakken aan de bar. Hij voelde zich even opgelucht tot hij aan Johanna en Eric moest denken, die er helaas wel bij waren geweest. God, wat zou het pijnlijk worden om hun onder ogen te komen. Wat ze hadden gezien kon nauwelijks op een positieve manier worden opgevat. Hij vroeg zich af waar hij in godsnaam mee bezig was geweest.

Een koude douche in de groenbetegelde badkamer zou misschien zowel de stank als de schuldgevoelens van hem af spoelen. Maar terwijl hij onder de douche stond, kwamen er alleen maar meer beelden van die avond boven. Hij zag voor zich hoe Johanna hem letterlijk had beetgepakt en weggesleurd van de bar.

Hij draaide de douche dicht en begon zijn tanden zorgvuldig en lang te poetsen. De tandpasta was helemaal op en hij gooide de tube in de richting van de vuilnisbak, maar hij miste. Alles ging in slow motion. Toen hij zich bukte om de tube op te pakken, knakte er iets in het midden van zijn rug. Niets leek het te doen vandaag. Zijn gezicht vertrok van de pijn toen hij zich uitstrekte naar zijn deodorant en aftershave. Hopelijk konden die eenvoudige middelen verbergen dat zijn huid naar alcohol stonk. Hij keek in de spiegel, maar had daar direct spijt van. De staat waarin hij verkeerde viel niet te verbergen. Toch was dat niet het ergste. Wat zich achter zijn voorhoofd afspeelde, was veel moeilijker om mee om te gaan.

De martelaar spelen was de enige manier om uit deze pijnlijke situatie te komen. Maar eerst moest hij zich verontschuldigen tegenover Agnes en zeggen dat hij een idioot was dat hij zo dronken was geworden. Dat hij zich die avond volstrekt onacceptabel had gedragen. Het was maar het beste om tegenover iedereen een welverdiende loserspositie in te nemen en zijn kaarten op tafel te leggen. Er was tenslotte niets gebeurd. Dankzij Johanna, maar dat maakte niet uit. Hij had genoeg om over na te denken. Zijn kater was weggevaagd. De hevige begeerte had hem bijna bang gemaakt. Nu was hij vervuld van weerzin.

Hij kleedde zich aan en verliet het gebouw via de binnenplaats om geen mensen tegen te komen. Met elke stap die hem dichter bij het huis bracht waar zijn gezin en vrienden waren, voelde hij zich kleiner worden. In zijn eigen ogen was hij het zelfs niet waard om de drempel te overschrijden.

Nicole schreeuwde van plezier toen hij het huis binnenkwam. Ze wierp zich meteen in de armen van haar wat wankele vader, die gekleed was in een boxershort en een T-shirt dat verkeerd om zat.

'Goed geslapen?' vroeg Johanna ironisch.

Hij besloot haar spottende toon te negeren.

'Ja, ik heb geslapen als een marmot, en jullie? Maakte Nicole jullie al vroeg wakker?' vroeg hij.

Johanna stond in de keuken de afwas te doen en leek hem niet aan te willen kijken. Ze antwoordde met haar rug naar hem toe.

'Jawel, ik heb eigenlijk niet gekeken hoe laat het was, maar de zon was al op. Ga zitten, dan krijg je een kop koffie. Die zul je wel nodig hebben,' zei ze en ze wierp een blik in zijn richting.

Hij knikte dankbaar en wilde vragen waar Agnes was, maar Johanna was hem voor.

'Wat kan Agnes trouwens lang slapen!' zei ze.

'Meen je dat, slaapt ze nog?' vroeg hij met een schuine glimlach.

Johanna keek hem aan en ze zag er oprecht verbaasd uit.

'Dat weet jij beter dan ik,' antwoordde ze. 'Wil je er melk in zoals altijd?'

Hij voelde zich verward door de merkwaardige dialoog en vroeg zich af of Johanna hem voor de gek hield.

'Nee, dank je, zwart graag. Wat weet ik dan beter? Wat bedoel je?' vroeg hij.

Johanna draaide zich geïrriteerd om.

'Nou, jij zou moeten weten of ze nog slaapt, omdat jullie in één kamer slapen, bedoel ik,' zei ze geërgerd. Daarna schudde ze haar hoofd en begon te lachen, maar ze hield op toen ze Tobbes blik zag. 'Hoe gaat het?' vroeg ze en ze keek hem aan.

'Wacht even, heeft Agnes niet bij Nicole geslapen vannacht?' vroeg hij zachtjes.

'Nee, wij zouden op Nicole letten en jullie zouden samen uitrusten...' begon ze, maar ze hield opeens op met praten.

Ze onderbrak haar beweging zo plotseling dat een deel van de kokendhete koffie over de rand liep en op haar voeten terechtkwam.

'Au, godver, wat heet! Nee, Tobbe, Agnes is hier niet. Was ze niet in de kamer toen je gisteravond terugkwam?' vroeg Johanna.

Tobbes bloed veranderde in ijs en zijn oren begonnen te suizen. Plotseling werd alles vaag om hem heen en zijn adem bleef onderweg naar zijn longen steken.

'Maar... waar is ze dan?' fluisterde hij en hij probeerde na te denken.

Johanna zette de koffiepot met een klap op de tafel.

'Denk even goed na, Tobbe. Waar hadden jullie het over voordat ze wegging? Kan ze naar Hamngården zijn gegaan of misschien naar die jeugdherberg, Råkulle? Die zijn allebei in de buurt. Heeft ze misschien iets gezegd over dat ze met rust gelaten wilde worden?'

Tobbe keek met een bedroefde gezichtsuitdrukking op.

'Ik kan me niet herinneren wat ze zei.'

Johanna riep Eric, die de keuken binnenkwam met Nicole op zijn ene arm en drie Pippipoppen van verschillende grootte onder de andere.

'Wat een sombere gezichten, is er iemand overleden?' grapte hij opgewekt, maar hij zweeg snel toen hij vier geschrokken ogen zag.

'Het gaat om Agnes. She is gone,' zei Johanna in het Engels, zodat Nicole het niet zou verstaan.

Zijn baan betekende alles voor hem. Het was het enige waar hij goed in was en wat iets betekende. Göran Rosenlund zat op de redactie in Stockholm met zijn duimen te draaien bij gebrek aan een interessante klus. De baan vereiste normaal gesproken dag en nacht zijn aanwezigheid en volledige concentratie. Er stond altijd veel op het spel. Bij sommige onderzoeken lag hij zelfs voor op de politie. Hij keek naar de rij met ordners die zorgvuldig naast elkaar op de plank voor hem waren geplaatst. Er was bijna geen plek meer. Elk artikel dat hij ooit had geschreven, was bewaard in een gedateerd archiefsysteem. Twee ordners per jaar was meestal genoeg. Met een speciale schaar die perfect door krantenpapier sneed, knipte hij zelfs de kleinste berichten uit en archiveerde ze. Volledigheid was belangrijk. Als er opmerkelijke en veelbesproken moordzaken waren, kregen die een eigen ordner, waarin hij ook belangrijke documenten van het onderzoek bewaarde. Dat konden verhoorprotocollen, foto's of contactgegevens zijn die nuttig waren om achter de hand te hebben. Tot dusver had hij voor zijn werk nog nooit iets terug hoeven zoeken in zijn artikelen. Maar elke maand stond hij zich een vlugge nostalgietrip door zijn gedegen verzameling toe. Niet zelden gebeurde dat met een slok wodka erbij. Zijn succesvolste jaar had vijf ordners nodig gehad.

Hij was gefascineerd door moord.

Zolang er een windstilte was op het werkfront, had hij niets stimulerends om zich mee bezig te houden. Bovendien was er een rare vervanger van nachtchef Myggan, die het werk verdeelde, en waarschijnlijk was hij Rosenlund, die in een eigen kamer zat, gewoon vergeten, want hij had nog geen enkele opdracht gekregen.

Hij glimlachte toen hij door ordner nummer drie bladerde en een geslaagde bijdrage vond over een man die was doodgeschoten op een parkeerplaats in Södertälje. Rosenlund was de eerste geweest die met het nieuws kwam.

Het was heel eenvoudig om achter dit soort dingen te komen. Een naar binnen gesmokkeld kistje cognac voor zijn bron bij de politie en hij kreeg alle informatie die hij nodig had. Na een paar uur was hij achter de identiteit van het slachtoffer en meestal ook achter de naam van de belangrijkste verdachte. Hoewel voor het vooronderzoek geheimhouding gold.

Wanneer hij druk bezig was met een zaak, werkte hij de klok rond en sliep nauwelijks. Soms leek het of hij helemaal geen slaap nodig had. Dan leefde hij op adrenaline tot hij in elkaar stortte van vermoeidheid en twaalf uur achter elkaar sliep. De elementaire behoeften moesten beleefd aan de zijlijn hun beurt afwachten. Toiletbezoek zou misschien een fijne nuance verpesten in een artikel.

Op zijn scherm verscheen een mail aan iedereen van de redactie over een personeelsfeestje – hij wiste hem zonder hem te lezen. Gemeenschappelijke activiteiten waren niet iets waar hij zijn tijd aan verdeed. Hij had ook geen hobby's of vrienden. Hij was altijd degene die als eerste op het werk was en als laatste wegging. De gelouterde misdaadverslaggever begon op leeftijd te komen en wilde er niet bij stilstaan dat hij al tweeënzestig was. Het enige voordeel was dat hij zich geen hoofdbrekens hoefde te maken over de boekenplank waar straks geen ordners meer bij zouden kunnen. Hij zag vreselijk tegen zijn pensioen op. Hij zag zichzelf geen autobingo spelen op een plein in een voorstad. Nee, hij was van plan te werken tot hij erbij neerviel.

De voorsprong die hij op andere misdaadverslaggevers had begon steeds kleiner te worden, zoals de haren op zijn hoofd steeds schaarser werden. De meeste concurrenten binnen de branche hadden niet alleen meer haar, ze waren ook jonger en sneller. Hij dacht dat hij nog steeds aanzien genoot in de branche en dat mensen hem respecteerden. Maar het was niet meer zo makkelijk om zich te onderscheiden en te laten zien waar hij mee bezig was als er niets gebeurde wat het waard was opgeschreven te worden. Dat was het verschil met de goede oude tijd, toen beweerd werd dat een huisarts en een patholoog-anatoom Catrine de Costa in stukken hadden gehakt. Toen was hij een van de velen die jacht op hen maakten en het bestaan leek zinvol. Nu kon hij zich er niet eens meer toe zetten om aan hun rehabilitatie te denken.

Hij bladerde door de buitenlandse telegrammen en gaapte. Er werd gevochten om nieuwtjes, zelfs binnen de redactie. Soms kregen meerdere verslaggevers precies dezelfde tips en begonnen aan gelijksoortige artikelen. Dat zulke fouten konden voorkomen, lag natuurlijk ook aan de slechte organisatie. Hij sleepte zich naar de redactie.

'Gebeurt er iets?' vroeg hij aan de nachtchef.

'Nee, geen donder. Misschien heb je zin om een interview te doen met die vrouw die een paar jaar geleden Miss Zweden was? Volgens de roddelpers is ze vreselijk toegetakeld door een hond.'

'O jezus, wanneer is dat gebeurd?'

'Toen ze zeven was, geloof ik.'

Rosenlund schudde zijn hoofd en liep weg. Dat soort onzin mochten de journalisten in opleiding voor hun rekening nemen. Hij spaarde zijn krachten liever tot er iets gebeurde waar hij zijn tanden in kon zetten. Hij werd extreem ongedurig van het gebrek aan nieuws. Sommige collega's konden de rust wel waarderen, maar Rosenlund niet. Zo leefde een echte misdaadverslaggever niet. Een moord hield geen rekening met zijn werktijden, hij moest er gewoon zijn als er iets gebeurde. Maar het was al een tijd geleden dat er iets spannends was voorgevallen. Hij kon zich niet eens herinneren wanneer er voor het laatst een moord was geweest die géén afrekening onder ex-Joegoslaven was. Of anders waren er wel drugs en zware criminelen bij betrokken, zodat je er toch niet te diep op in kon gaan. Want dan eindigde het ermee dat je zelf een kogel in je kop kreeg of, als je geluk had, misschien alleen maar een afgebrand appartement. Een autobom was normaal gesproken een beproefde methode, maar dat zou geen alternatief zijn omdat hij geen voertuig bezat. Moord in de onderwereld was bovendien iets waar gewone mensen zich niet mee konden identificeren en daardoor verkocht het niet genoeg. Hij verlangde naar een zaak die alles in zich had: spanning, onzekerheid en gemis. Een moeder of vader die vermoord werd, dat soort dingen wilden de mensen lezen. Om het maar niet over een kind te hebben, dat sprak iedereen aan. Hij dacht aan de verdwijning van Madeleine, die heel Europa in haar greep had gehouden, en vroeg zich af hoeveel ordners met knipsels hij had kunnen vullen als het meisje Zweeds was geweest. Hij had waarschijnlijk vrij moeten nemen om die zaak samen te kunnen vatten. De moord op Engla in Stjärnsund had tot veel rumoer geleid, maar die zaak had een collega voor zijn rekening mogen nemen, vervelend genoeg. De volgende grote zaak zou hij op zijn bord krijgen, dat had hij zich voorgenomen. Hij had zich er nog nooit zo klaar voor gevoeld.

Tobbe zat als verlamd op zijn stoel, in precies dezelfde houding als toen Johanna verteld had dat Agnes de nacht niet in het huis had doorgebracht. Hij pakte zijn mobieltje en toetste het nummer van zijn vrouw in. De telefoon ging vier keer over en toen kreeg hij de voicemail. Na nog een paar pogingen gaf hij het op en voelde op hetzelfde moment hoe een koude golf van paniek door zijn lichaam trok. Dit soort dingen gebeurde alleen in films en boeken. De avondkranten verkochten speciale edities over verdwijningen, moorden en verkrachtingen, die hij bewust niet las. Hij concentreerde zich liever op de sportbijlage, een overlevingsstrategie die uitstekend had gewerkt.

Tot nu.

Toen Tobbe weer een beetje bij zinnen kwam, besefte hij dat Agnes natuurlijk gewoon de auto had genomen om een boodschap te doen en dat ze haar telefoon was vergeten. Vast alleen even naar Simrishamn. Hij zag voor zich hoe ze dubbel zou liggen van het lachen, voor zover dat kon met die buik, als ze hoorde wat voor onrust ze deze ochtend had veroorzaakt.

Hij kwam overeind van de keukentafel en struikelde door de deur naar buiten. Johanna en Eric bleven binnen en probeerden Nicole zo goed als dat ging bezig te houden. Tobbe liep over het grind naar het blauwe houten hek. Hij dacht dat hij de auto op de parkeerplaats bij de jeu-de-boulesbaan zag staan. Het vijftien meter lange pad naar het hek voelde aan als vijftien kilometer. Het grind knarste onder zijn voeten en hij haalde diep adem toen hij er was. De roestige haak klemde en pas bij de derde poging lukte het om het hek te openen.

De auto stond op exact dezelfde plek als waar ze hem de dag ervoor hadden geparkeerd.

Toen hij dat besefte, stokte zijn adem en hij voelde hoe het bloed steeds sneller door zijn lichaam stroomde. Zijn linkerhersenhelft was buiten dienst en zijn denkvermogen stond op nul. Zijn reptielenbrein vertelde hem dat hij moest wegrennen en zich moest verstoppen, maar hij bleef staan en probeerde rationeel te handelen. De politie, eerst de politie bellen. Dan beginnen te zoeken. Hij zou het hele vissersdorpje ondersteboven keren als dat nodig was. Met de telefoon tegen zijn oor liep hij rechtdoor over de Östersjögatan zonder voor zich uit te kijken. Een auto moest op de rem trappen om hem niet aan te rijden en de bestuurster zag eruit alsof ze zich doodgeschrokken was, maar Tobbe liep gewoon door.

'Gaat het?' riep de vrouw in de auto ongerust, maar hij gaf geen antwoord.

Degene die opnam toen hij de alarmlijn belde, verbond hem door met het gemeentelijke communicatiecentrum in Malmö en hij hoorde een verbazingwekkend rustige, bijna verveelde vrouwenstem. Hij zag voor zich hoe ze op haar kantoorstoel zat met een plastic bekertje met lauwe automaatkoffie op haar bureau.

'Is ze al eens eerder verdwenen?' vroeg de vrouw en hij was er zeker van dat ze op hetzelfde moment een kruiswoordpuzzel invulde.

'Ik weet absoluut zeker dat ze haar tweejarige dochter niet vrijwillig heeft verlaten. Bovendien is ze zwanger en zal ze over een maand bevallen,' zei hij overstuur.

'Wanneer hebt u haar voor het laatst gezien?' vroeg ze en hij meende te horen dat haar toon veranderd was.

'Dat moet rond tien uur, half elf gisteravond zijn geweest,' antwoordde Tobbe ongeduldig.

'En sindsdien is er geen enkele aanwijzing dat ze in de jeugdherberg of in het zomerhuisje is geweest?'

Tobbe haalde diep adem om niet te exploderen van ongeduld.

'Nee, integendeel. Ik kan met absolute zekerheid zeggen dat ze niet op een van die plekken is geweest.'

'Een moment alstublieft.'

'Een moment? Je moet waarschijnlijk je koffiebekertje weer vullen,' mompelde hij zachtjes in zichzelf.

Het aangekondigde moment duurde een eeuwigheid en hij vroeg zich net af of ze niet per ongeluk de verbinding had verbroken toen hij eindelijk haar stem weer hoorde.

'Een politiepatrouille komt ter plekke meer informatie inwinnen. Ze zijn er over een kwartier.'

Vijftien minuten duurde lang. Elke minuut kon belangrijk zijn, maar Tobbes verwarring en schrik waren nu omgeslagen in daadkracht. Hij liep de Lapphörnan binnen, waar ze hun laatste dag vierden voordat de tijd gekomen was om het GESLOTEN-bordje op de deur te hangen. De parel van Österlen was goed op weg om in winterslaap te gaan. De eigenaars boden koffie en zelfgebakken cake aan en mensen stroomden naar binnen om hen te bedanken voor weer een prachtige zomer. Iedereen was vrolijk en had trek in koffie. Je kon er niet alleen overnachten, het was ook de dorpswinkel van Brantevik. Maar vanaf vandaag zouden de planken met versgebakken brood, vruchten en groenten, zuivelproducten, conservenblikjes, snoep en kranten leeg blijven. Het enige wat net als anders was, waren de wespen die vochten om de wienerbroodjes die bij de kassa lagen. Tobbe, die normaal gesproken een wespenfobie had, trok zich nu niets aan van het hysterische gezoem rond zijn hoofd. Hij schraapte zijn keel om de aandacht te trekken.

'Heeft iemand van jullie mijn vrouw gezien? Ze is blond en hoogzwanger. We hebben hier een kamer gehuurd.'

Het geroezemoes maakte plaats voor een ademloze stilte en een paar mensen schudden verward hun hoofd.

'Hou je je vrouw niet in de gaten?' grapte een man die hij herkende van de karaokeavond.

Maar niemand lachte om de grap en de misplaatste grijns van de man verdween.

'Ik heb haar niet meer gezien sinds gisteren, toen we bij de karaokeavond waren. Ze is verdwenen,' legde Tobbe uit en de woorden bleven bijna in zijn keel steken.

De eigenaars beloofden dat ze het aan iedereen zouden vragen die vandaag binnenkwam en Tobbe schreef zijn telefoonnummer op een stukje papier dat op de toonbank werd gelegd. Toen hij weer in de frisse lucht stond, versnelde zijn hartslag. Hij keek om zich heen. Nog tien minuten over, waar moest hij beginnen? Aan iedereen die voorbijkwam, vroeg hij of ze misschien een zwangere, blonde vrouw van rond de dertig hadden gezien. Al snel zag hij in dat het zou helpen als hij een foto van Agnes had, omdat er meer zwangere vrouwen in de omgeving waren. Behalve Johanna had hij er op zijn minst nog een gezien.

Tobbe rende naar zijn kamer om zijn portemonnee te halen met de mooie foto die hij op midzomeravond van Agnes had genomen. Hij zag haar mobiele telefoon op de vensterbank liggen naast een dozijn dode wespen. Toen hij hem oppakte zag hij dat hij leeg was. Naast de telefoon lag haar lenzenhouder, leeg. Hij lag ondersteboven en dat was een duidelijk teken dat ze niet meer terug in de slaapkamer was geweest. Hij snapte niet hoe hij dat over het hoofd had kunnen zien en zocht in de broek die hij gisteren aanhad naar zijn portemonnee. In een van de vakjes vond hij de foto en zijn hart sloeg over toen hij haar glimlachende gezicht zag.

Het incident met de serveerster van de avond ervoor had zijn gedachten vanochtend volledig in beslag genomen. Hij kon niet begrijpen dat hij gewoon had aangenomen dat Agnes naar Johanna en Eric was gegaan zonder een briefje voor hem achter te laten. Zo was ze niet. Er waren een paar uur verloren gegaan omdat hij te veel gedronken had. Hij probeerde de angst weg te drukken en zich te vermannen zodat hij weer verder kon gaan met zoeken. Voorzichtig stopte hij de foto in zijn broekzak en liep naar buiten.

De drukte bij de haven was dezelfde als altijd, alsof het een doodnormale dag was. Hij sloeg de hoek om en rende langs de jeu-de-boulesbaan aan zee, waar vier gepensioneerden met veel toewijding aan het spelen waren. Daarna verliet hij de Bäckvägen en zag de speeltuin. Een moeder rende achter haar dochtertje aan, dat gilde van verrukking. Vanaf deze afstand hadden het net zo goed Agnes en Nicole kunnen zijn. Tobbe rende verder over de Pantaregatan en sloeg af naar de Norraschool. In het ruime café zaten een paar vrouwen aan een ronde tafel te praten boven een chocoladecake met honing en room toen Tobbe naar voren stapte en hen onderbrak.

'Neem me niet kwalijk dat ik stoor, maar hebben jullie deze vrouw misschien gezien?' vroeg hij en hij liet de foto zien.

Ze lieten de foto rondgaan.

'Nee, het spijt ons. Is er iets gebeurd?'

'Ze is verdwenen,' antwoordde hij vertwijfeld en hij voelde tegelijkertijd hoe onwerkelijk het was om die woorden uit te spreken.

De vrouwen zagen er ontzet uit. 'Kunnen wij je ergens mee helpen?'

'Jullie kunnen naar haar uitkijken en het me laten weten als jullie haar zien,' antwoordde hij en hij liet een briefje met zijn telefoonnummer achter.

Toen hij naar de uitgang liep wilde hij het uitschreeuwen van machteloosheid, maar iets hield hem tegen en zei hem dat hij zijn verstand erbij moest houden.

Hij rende weg van het café, de Nytorpsvägen op en naar de Östersjögatan. Hij liep langs Branteviks Bykrog en kwam al die tijd niemand tegen. Hij ging langzamer lopen, passeerde teleurgesteld de jeu-de-boulesbaan en was algauw weer op het punt waar hij begonnen was.

Het verschil was dat er nu twee politiemannen waren.

Het was vreemd om te zien hoeveel indruk uniformen maakten. Plotseling leken meer mensen te beseffen dat er iets was gebeurd.

'Hallo, ik ben Tobias Malm.' Hij begroette ze en moest zich inspannen om op hetzelfde moment dat ze hun naam zeiden niet te vergeten hoe ze heetten. Hij concentreerde zich daar zo op dat hij er niet eens in slaagde zijn eigen naam goed uit te spreken.

De agenten zagen er ernstig uit. De een stelde zich voor als inspecteur Lars Räffel. Hij was lang en goedgebouwd. Tobbe schatte dat hij rond de vijftig was. Goed getrainde spieren spanden zich onder het politie-uniform. Zijn jongere collega, Håkan Fors, nam een discretere houding aan, maar Räffel straalde gewichtigheid uit en Tobbe voelde meteen respect voor hem.

'Laten we bij het begin beginnen. Wanneer ontdekte u dat uw vrouw verdwenen was?'

'Ik dacht dat ze bij onze vrienden sliep met wie we hier zijn gekomen. Ze logeren daar achter dat blauwe hek.' Tobbe wees ernaar. 'Onze dochter Nicole sliep daar namelijk vannacht en ik dacht dat Agnes bij haar was gaan liggen. Zelf heb ik hier geslapen,' zei hij en hij knikte in de richting van het roze stenen huisje.

'Dus u begreep vanochtend pas dat ze weg was?'

'Ja, helaas wel. Ik dacht dat ze bij onze vrienden was, en zij gingen ervan uit dat ze bij mij sliep. Daarom duurde het zo lang voordat we begrepen dat ze verdwenen was. Lieve God, ik begrijp niet hoe dat heeft kunnen gebeuren.'

De agenten vroegen vervolgens een hoop details en persoonsgegevens. Hoe was Agnes gekleed? Lijdt ze aan een ziekte? Hoe goed kent ze de omgeving? Heeft ze een bijnaam? Lengte en haarkleur? De vragen hielden maar niet op.

Het leek één lang, nooit eindigend onderzoek. Tobbe voelde zich zwakjes en stelde voor dat ze aan een cafétafeltje voor het huis gingen zitten.

‘Is er een aanleiding te bedenken waarom ze vrijwillig zou kunnen zijn verdwenen?’ vroeg Räffel en hij trok zijn stoel met een bezorgd gezicht naar achteren.

‘Nee, zoals ik door de telefoon al zei, Agnes zou haar dochter nooit in de steek laten.’

Tobbe voelde hoe zijn benen trilden toen hij plaatsnam.

‘Kent Agnes iemand in de buurt naar wie ze toe kan zijn gegaan?’

‘Nee, ik kan niemand bedenken. We zijn hier voor de eerste keer.’

‘Waar wonen haar ouders?’

‘Haar vader is al lang geleden overleden en haar moeder woont in Norrköping.’

‘Hebt u contact met haar opgenomen en gevraagd of Agnes iets van zich heeft laten horen?’

Tobbe voelde zich dom dat hij daar niet aan had gedacht. Maar het was hoogst onwaarschijnlijk dat Agnes Viola wel zou hebben gebeld en hem niet.

‘Nee,’ antwoordde hij verlegen.

Håkan Fors zag er bezorgd uit toen Tobbe zijn mobieltje tevoorschijn haalde om Viola’s nummer te zoeken. Alsof hun gebrek aan contact iets met de zaak te maken had. Tobbe was opgelucht dat hij Viola in zijn contactenlijst had staan, aangezien ze nooit met elkaar praatten.

Het eeuwigdurende verhoor ging verder en Tobbe voelde hoe zijn gehoor langzaam verdween en zijn oren begonnen te suizen. Hij kon zich moeilijk concentreren. Soms werd het zwart voor zijn ogen en moest hij een paar keer knipperen om zijn gezichtsvermogen weer terug te krijgen.

‘Was Agnes depressief?’ vroeg Räffel.

Tobbe dacht even na en formuleerde zijn antwoord zorgvuldig.

‘Niet in de gebruikelijke zin van het woord, maar ze is hoogzwanger en dat is op zich natuurlijk zwaar. Ik zou het eerder vermoeid willen noemen, heel erg vermoeid, maar welke zwangere moeder met een klein kind is dat niet?'

De inspecteur zag er bedachtzaam uit. Hij krabde aan een paar rode plekken op zijn voorhoofd.

'Waarom zijn jullie gisteravond zo vroeg uit elkaar gegaan?'

'Ze was moe en wilde slapen. Ze gaat meestal eerder naar bed dan ik.'

'Hadden jullie ruzie?'

Tobbe wist niet wat hij moest antwoorden. Het was geen erge ruzie geweest en hij wilde natuurlijk niet verdacht worden. Iets ergers kon hij zich niet indenken. Hij keek naar de zee.

'Nou, we hadden niet echt ruzie, maar we waren allebei moe en we verschilden van mening over iets wat er was gebeurd,' begon Tobbe weifelend.

'Waar ging dat over?'

'Het ging over Nicole. Onze dochter,' antwoordde Tobbe ontwijkend.

Er verschenen bezorgde rimpels op Lars Räffels inmiddels kapotgekrabde voorhoofd en witte huidschilfers dwarrelden op de grond. Tobbe had geen zin om hem aan te kijken.

'Hebt u veel gedronken gisteren?'

Het verhoor had een wending genomen die Tobbe totaal niet had verwacht en zijn onrust nam toe. Wat had dat ermee te maken? Het leek hem helemaal niet goed om antwoord te geven op die vraag, maar hij dacht dat hij toch eerlijk moest zijn.

'Het waren iets te veel biertjes, ja,' erkende hij bedroefd.

'Hoe laat verliet u Branterögen?'

'Ik weet niet hoe laat het precies was, maar ik vertrok samen met de vrienden met wie we op vakantie zijn. Daarna ben ik gaan slapen.'

'Kan iemand bevestigen dat u de nacht in uw kamer hebt doorgebracht?'

Tobbe keek hen wanhopig aan. Hij voelde zich volkomen machteloos.

'Nee, ik was tenslotte in mijn eentje.'

De agenten keken elkaar kort aan en knikten instemmend.

'We hebben nu antwoord gekregen op de belangrijkste vragen. We zullen alles in het werk stellen om uw vrouw te vinden. Hier hebt u onze contactgegevens. Bel ons als u iets te weten komt,' zei Räffel en de agenten liepen naar de politieauto.

Tobbe bleef op de stoel zitten terwijl hun auto in de richting van Simrishamn draaide en verdween. Toen hij de agenten niet langer kon zien, stond hij op en begon te rennen.

De agenten die vandaag dienst hadden in Simrishamn waren bij elkaar gekomen om geïnformeerd te worden over Agnes Malm. Lars Räffel had op last van het gemeentelijk communicatiecentrum de rol van politiecoördinator toebedeeld gekregen. Hij legde de situatie kort uit.

'Leeftijd, negenentwintig. De vermissing werd vanochtend gemeld, maar ze is gisteren rond tien uur 's avonds voor het laatst gezien. Ze is op vakantie in Brantevik met haar man, hun gemeenschappelijke dochter van twee en een paar goede vrienden. Ik en Håkan zijn er geweest en hebben Agnes' man Tobias ontmoet, die erg onrustig was.'

'Wat was jullie indruk ter plekke?'

'De man was geschrokken en kon het nog niet bevatten. Later vandaag zullen we haar beste vriendin Johanna spreken. Agnes Malm droeg op die avond een gekleurde bloemetjesjurk, een kort wit jasje, een witte legging en rode ballerinaschoenen. Ze had geen portemonnee of mobiele telefoon bij zich, dus het is onmogelijk om haar te traceren.'

'Is ze eerder verdwenen? Heeft ze een ziekte?'

'Nee op beide, afgezien van het feit dat ze over een maand moet bevallen.'

De collega's schrokken.

'Ze is dus hoogzwanger, oei! Kan ze in de war zijn door de hormonen? Misschien heeft ze wel een psychose,' opperde Robert, een van de jongere agenten.

'Het is te vroeg om te speculeren over wat er gebeurd kan zijn. Ze kan moedwillig zijn verdwenen of iets ergs hebben meegemaakt waardoor de bevalling in gang is gezet. In het gunstigste geval heeft iemand haar geholpen om naar het ziekenhuis te komen. Alle theorieën zijn mogelijk,' zei Räffel terwijl hij door de formulieren bladerde die de politie invult wanneer een persoon als vermist wordt opgegeven.

De controlelijst met de negen categorieën, waaronder leeftijd, kleding, gevaarlijkheid van het terrein en medische conditie, was volledig ingevuld. Hoe lager de score, hoe hoger de prioriteit. Agnes Malms eindscore wees niet op een acute noodtoestand.

'Het resultaat wijst "alleen maar" op een paraatheidstoestand,' legde Lars Räffel uit terwijl hij aanhalingstekens in de lucht vormde. 'Maar op grond van het feit dat ze hoogzwanger is, hebben we dit geval toch als een noodtoestand beoordeeld, zodat onmiddellijke actie vereist is,' verduidelijkte hij voor de agenten, die er steeds verbetener uit gingen zien.

Er waren een boel taken die gedelegeerd moesten worden. Eerst wilde Räffel alle nabijgelegen ziekenhuizen en jeugdherbergen controleren. Hij liet een fax naar alle taxibedrijven en andere vervoersbedrijven uitgaan om te achterhalen of iemand Agnes op de avond zelf had gezien. Bovendien kreeg een van de agenten de opdracht om in samenwerking met het gemeentelijk communicatiecentrum en de politie van Stockholm contact op te nemen met Agnes' familieleden en buren. Het had nu de hoogste prioriteit om erachter te komen of iemand iets gehoord of gezien had.

'Hebben jullie onderzoek gedaan naar haar en haar man?' vroeg de enige vrouwelijke agent.

'Nee, ik wil dat jij dat gaat doen zodra we hier klaar mee zijn,' zei Räffel, maar hij verwachtte niets wereldschokkends van het registeronderzoek.

Bovendien moesten ze een pasfoto zien te bemachtigen voor de media, als het noodzakelijk zou worden om de hulp van het publiek in te roepen. De foto en Agnes' signalement zouden in de loop van dag aan alle politieauto's in de gemeente worden gegeven.

'Hoe pakken we het praktisch gezien aan?' vroeg iemand zich af.

'Daar wilde ik het net over hebben,' zei Räffel en hij liep de lijst met taken door. Hij had nog geen noemenswaardige versterking van buitenaf gekregen. Voorlopig moest hij gebruikmaken van de lokale middelen die tot zijn beschikking stonden. Het was een zondag en nog vakantie ook, dus dat betekende dat het aantal manschappen op één hand te tellen was. De leiding had in elk geval wel motoragenten naar Brantevik gestuurd. Die zouden een zoektocht houden in een straal van drie kilometer rond de plek waar Agnes Malm voor het laatst was gezien. Dat betekende dat ze de dichtstbijzijnde straten, stegen en weilanden in de omgeving zouden controleren.

Hij was de leiding er dankbaar voor.

'Twee van jullie gaan de agenten uit Ystad ondersteunen. Voordat jullie vertrekken, wil ik dat we de kaart bekijken om te zien welke paden, stegen en weggetjes ze kan hebben genomen. Gezien haar toestand zal ze vermoedelijk niet ver zijn gelopen.'

De mannen knikten.

Zelf zouden hij en Håkan Fors terugrijden naar het vissersdorp om de vrienden van Agnes te ondervragen en de eigenaar van de havenkroeg. Daarna zouden ze langsgaan bij de huizen in de buurt van de haven.

'Wat doen we met de media?'

'Ik zal de interviews voor mijn rekening nemen voor zover ik daartoe in staat ben,' antwoordde Räffel. 'De vergadering is gesloten. Ik wil dat jullie me alles wat van belang kan zijn direct laten weten,' zei hij en hij kwam overeind.

Hij had er geen goed gevoel over, hoewel hij uit ervaring wist dat Agnes elk moment iets van zich kon laten horen en dat de zaak daarmee zou zijn gesloten. Volgens de statistieken waren er vorig jaar 7180 mensen als vermist opgegeven. Ongeruste ouders geven hun kinderen vaak als vermist op en meestal blijkt het dan al heel snel om een misverstand te gaan – dat er sprake is van een gebrek aan communicatie. Of misschien wílde de tiener juist dat er een gebrek aan communicatie was, dat valt niet af te leiden uit de cijfers. Verwarde gepensioneerden kunnen verdwalen en soms gebeuren er ongelukken, in het bos, op het ijs of bij zwemplekken. En dan zijn er ook nog mensen die wíllen verdwijnen, die zelfmoord plegen, bijvoorbeeld door van een boot te springen. Hun lichaam is dan na een paar dagen al onherkenbaar en moeilijk te identificeren, áls ze al gevonden worden.

Räffel wist nog een categorie – degenen die zich er niet van bewust zijn dat ze zijn verdwenen. Dan gaat het vaak om mensen aan de onderkant van de samenleving die geen sociaal netwerk hebben, meestal drugsverslaafden of daklozen. Soms zijn het immigranten die zijn teruggekeerd naar hun geboorteland zonder dat tegen iemand te zeggen. Na zestig dagen zoeken maakt de politie een signalement van de verdwenen persoon, waarbij onder andere contact wordt opgenomen met de tandarts voor een gebitsstatus. Vorig jaar waren er 350 van dit soort gevallen. Jaar in jaar uit zijn er vijfentwintig tot vijfendertig personen die verdwijnen en verdwenen blijven, de zogenaamde onopgehelderde gevallen.

Ik hoop dat Agnes Malm niet tot de laatste categorie zal gaan behoren, dacht Räffel terwijl hij en Håkan Fors plaatsnamen in de politieauto en over de strandweg terugreden naar het buurdorp.

Voor het onschuldige vissersdorp was het seizoen voorbij. Het was er stil en rustig en een paar toeristen pakten hun laatste spullen in voordat ze naar huis zouden gaan. De meeste hadden de plek al verlaten toen de scholen in het midden van augustus weer waren begonnen, maar er waren enkele seizoengasten achtergebleven. Räffel en Fors parkeerden bij de haven en liepen de Lapphörnan binnen, waar ze eerder op de dag Tobias hadden ontmoet.

In de dorpswinkel stonden een paar mensen koffie te drinken. De vrouwen in het gezelschap waren op de karaokeavond geweest. Ze zagen er vermoeid uit en vertelden dat ze te zeer in beslag genomen waren door hun eigen groepje om op anderen te letten. Er kwamen een paar jongeren binnen om ijs te kopen en ook zij hadden niets gezien. Agnes' vertrek was blijkbaar onopgemerkt gebleven. Voor de winkel kwam Räffel de beruchte alcoholist Kenny Kjol tegen, die vertelde dat hij op het bewuste tijdstip in Branterögen was geweest.

'Is je iets bijzonders opgevallen?'

'Ja, eigenlijk wel. Ik zag hoe dokter Samuelsson rond tien uur op de plek waar we nu staan zijn auto startte,' zei Kenny Kjol en hij wees naar de grond.

'Waar was je toen?'

'Ik kwam net de hoek om lopen daar bij de vissersboten en daarna liep ik omhoog en ging zoals gewoonlijk voor de zagerij zitten.'

De oude zagerij bevond zich achter de kroeg.

'En weet je heel zeker dat het Samuelssons auto was?'

'Heel zeker.'

Aangezien Kenny vaak dronken was en zelfs in nuchtere staat waanvoorstellingen had, nam de inspecteur niet de moeite om alle details op te schrijven. Maar hij maakte in elk geval een korte aantekening in zijn notitieblok, met een uitroepteken erachter. De arts was een goede vriend van hem en Räffel vertrouwde hem volkomen.

'Hoe weet je dat dokter Samuelsson in de auto zat en dat het niet iemand anders was met net zo'n auto?' vroeg hij en hij kreeg een flashback van vorige week zaterdag, toen Max een hole-in-one had geslagen tijdens hun golfrondje. Dat schrijnde nog steeds. De dokter was een verdomd goed golfer.

Kenny Kjol leek geen goed antwoord op die vraag te hebben. 'Ik zag dan misschien niet wie er achter het stuur zat, maar ik… ach, weet ik het.'

Hij leek teleurgesteld te zijn over zijn onmacht en nam zijn bewering snel weer terug, omdat hij eigenlijk niets concreets had gezien, hij had alleen maar gedacht dat hij een glimp had opgevangen van Samuelssons milieuverwoestende auto.

Räffel begon ongeduldig te worden en bedankte hem voor de informatie. Hij en Fors liepen een paar meter verder naar het blauwe hek om met Agnes' beste vriendin Johanna Winter te gaan praten. Ze openden het hek en liepen over het grind naar het rode bakstenen huis met de blauwgeverfde raamkozijnen. Het viel hem op hoe dichtbij de Lapphörnan was; er was maar één muur die de panden van elkaar scheidde. Voor het huis stond een kinderwagen. Hij klopte op de deur van het gerenoveerde pand, dat vroeger een fietsenwinkel was geweest.

'Hallo, Lars Räffel en Håkan Fors van de politie. Kunnen we even met u praten?'

De vrouw zag eruit alsof ze had gehuild. Ze knikte en liet hen binnen. Hij moest bukken toen hij naar binnen stapte om zijn hoofd niet te stoten.

Ze gingen aan de keukentafel zitten.

'Ik vind het heel erg wat er is gebeurd. Hoe gaat het met u?' begon Räffel.

'Gezien de omstandigheden redelijk,' antwoordde ze en ze droogde haar tranen met de bovenkant van haar hand. 'Het dochtertje van Agnes en Tobbe ligt te slapen in de logeerkamer, dat jullie het weten. Ik zorg voor haar en probeer voor haar ook rustig te blijven.'

'Oké, dat begrijpen we. We moeten u nu enkele vragen stellen die misschien ongemakkelijk kunnen zijn. Om te beginnen: wat voor indruk maakte Agnes die avond?' vroeg Räffel.

'Nogal vermoeid en uitgeput.'

'Gedroeg ze zich anders dan normaal?' vroeg Fors.

'Niet echt. Ze was de hele week al vrij moe en geïrriteerd. Ik weet niet of dat door de zwangerschap kwam, maar ik neem aan van wel.'

‘Hoe is het huwelijk van Agnes en Tobbe?’

‘Dat wisselt, maar niet echt slecht, zou ik zeggen. Gisteren waren ze kwaad op elkaar, maar het was niet erger dan anders.’

‘Wat was er gebeurd?’

‘Ze kregen ergens ruzie over na het eten, ik weet niet waar het over ging. Ze waren in de logeerkamer met Nicole op dat moment. Jullie kunnen dat beter aan Tobias vragen.’

Misschien had Tobias daarop gedoeld toen hij tijdens het verhoor aangaf dat ze van mening verschilden over iets wat met Nicole te maken had.

‘Hoe goed zou u zeggen dat u Agnes kent?’

‘We zijn als zussen,’ zei Johanna en ze kreeg tranen in haar ogen.

‘Is er nog iets anders gebeurd, of is u iets opgevallen?’

Johanna sloeg haar blik licht neer en leek haar woorden zorgvuldig te kiezen.

‘Nee, niets,’ zei ze uiteindelijk en ze staarde naar een punt in de verte.

‘Echt niet? U lijkt te aarzelen.’

Johanna bewoog onrustig heen en weer.

‘Het was wel zo dat Tobias erg dronken was,’ bracht ze ten slotte uit.

‘Als er iets is gebeurd wat we moeten weten, is het belangrijk dat u het vertelt. Hoe moeilijk het ook is. Het kan van doorslaggevend belang zijn voor het onderzoek.’

Johanna schudde haar hoofd. ‘Nee, hij heeft niets gedaan. Ik wilde alleen dat jullie zouden weten dat hij gedronken had, maar hij zou Agnes nooit iets aandoen.’

Ze zag er beschaamd uit en Räffel was er niet van overtuigd dat dat alles was wat ze te zeggen had. Maar hij wilde haar niet meer onder druk zetten en koos ervoor om het gesprek te beëindigen.

'Hier hebt u mijn kaartje voor als u nog iets te binnen schiet,' zei hij en hij bedankte haar.

'Denk je hetzelfde als ik?' vroeg Fors toen ze buiten liepen.

Räffel knikte. Agnes' man had duidelijk niet alles verteld en hij had nog het een en ander uit te leggen.

Lars Räffel was niet tevreden toen hij zijn rapport schreef. Er waren geen aanwijzingen gevonden bij de andere jeugdherberg in Brantevik en ook niet in het ziekenhuis in Simrishamn of bij de taxibedrijven. Dat ze bus 577 had genomen, die vanaf Branterögen naar Simrishamn ging, was uitgesloten omdat de laatste om zeven uur 's avonds was vertrokken. Het langs de deuren gaan had niets opgeleverd en bij de zoektocht was ook niets gevonden. Hij begon zich zorgen te maken.

Een verdwenen hoogzwangere moeder, het was te mooi om waar te zijn. Het verhaal voldeed aan alle criteria voor het ideale aanplakbiljet: verdriet, pijn en onzekerheid. Rosenlund werd er blij van. De zaak was op zijn bord terechtgekomen, precies zoals hij had gewild, en zijn speurtalent zou tot zijn recht komen. Na al die jaren als misdaadverslaggever was hij gelouterd. Hij werd niet gehinderd door empathie. Hij was alleen maar bezig met de lezers, die alles over de vrouw en haar geliefden zouden willen weten, en hoe hij ze kon laten denken dat het net zo goed hun had kunnen overkomen. Dat was het gevoel dat hij moest zien over te brengen. De geografische nabijheid vergrootte de mogelijkheid tot identificatie en zorgde ervoor dat heel Zweden aan een collectieve angst zou lijden tot de zaak was opgelost.

Hij googelde het telefoonnummer tevoorschijn van de eigenaar van Branterögen, Hans Ahl.

Binnen drie minuten slaagde Rosenlund erin een namenlijst bij elkaar te krijgen van het personeel dat gewerkt had op de avond van de verdwijning. Na twee telefoongesprekken had hij beet. Dit zou rechtstreeks op het bord van de nachtchef belanden. De jonge serveerster Rosita Andersson kon bevestigen dat Tobias Malm die avond heel wankel op zijn benen had gestaan en dat hij een beetje opdringerig tegen haar was geweest.

Rosenlund had dat aangevoeld. Hij las het interview met de serveerster nog een keer door. Ze had Tobias Malm heel veel bier gebracht. En met de drankjes erbij die zij had gekregen, moest hij op zijn minst vijfhonderd kronen kwijt zijn geweest, dat wist ze zeker.

Als Tobias zelf niet zo stroef door de telefoon was geweest, zou Rosenlund een stralend humeur hebben gehad. Hij was zo gehard in deze situaties dat hij het niet moeilijk vond om familieleden op te bellen die net hadden gehoord dat iemand was overleden of net hadden geconstateerd dat hun vrouw was verdwenen. Vaak ging het goed, want meestal wilden de mensen er graag over praten. Familieleden waren veel meer geneigd tot praten dan de mensen die kritiek hadden op kranten begrepen. Hoe verser het nieuws, hoe beter het interview. Dan werd er gebabbeld als nooit tevoren. Er was een ethische regel die zei dat je mensen die in shock zijn niet mag interviewen, maar Rosenlund vond dat overdreven.

Deze keer maakte het niet uit dat hij lak had aan die regel, want het gesprek werd afgebroken. Hij vond het een extra uitdaging dat Tobias Malm zo zwijgzaam was en heimelijk deed. Dat betekende dat hij andere trucjes moest gebruiken. Het gesprek was keurig van start gegaan, wat inhield dat Tobias de verbinding niet meteen had verbroken.

'Klopt het dat uw vrouw vermist is?'

'Ja.'

Zwijgzame kerel, noteerde Rosenlund in de marge.

'Wie heeft haar voor het laatst gezien?'

'Dat is moeilijk te zeggen, omdat ze weg is.'

Tobias hijgde in de telefoon alsof hij buiten aan het rennen was.

'Ja, maar voordat ze verdween?'

'Is dit een verhoor of zo?'

Rosenlund schonk geen aandacht aan de opmerking en ging ijskoud verder op het ingeslagen pad.

'Volgens zekere bronnen hebt u gisteren veel geld uitgegeven bij Branterögen. Hebben jullie er gegeten of hebt u het geld opgedronken? Agnes' frisdrankjes kunnen nooit zoveel hebben gekost,' stelde Rosenlund vast en hij glimlachte bij zichzelf om zijn spitsvondigheid.

Tobias begon nog vreemder te ademen.

'Wat heeft dat ermee te maken?'

'Ronduit gezegd: ik vraag me af hoe dronken u was.'

Klik.

Bingo, een bezopen man met een zwangere vrouw van wie hij genoeg had. Er klopte iets niet en Rosenlund vermoedde dat Tobias iets met de vermissing te maken kon hebben. Anders had hij zich niet zo weerbarstig en schijnbaar onaangedaan gedragen. Tobias had totaal niet geklonken alsof hij van streek was. Het was duidelijk dat hij iets verborg en Rosenlund zou naar boven halen wat dat was.

Hij leunde achterover in zijn kantoorstoel tot de rug met een knak protesteerde. Hij voelde even medelijden met Tobias dat die net hem had getroffen. Er was geen tijd te verliezen, dus ging hij rechtop zitten en wekte zijn rustende computer door met zijn wijsvinger op de 'R' van Rosenlund te duwen. Toen hij alle puzzelstukjes in elkaar had gezet en tot een geloofwaardige conclusie was gekomen, liep hij zijn kamer uit en presenteerde die aan de plaatsvervangende nachtchef.

Maar het applaus bleef uit en hij stond beteuterd bij de redactie.

'Goed gedaan, Rosenlund, je bent hier echt meesterlijk in. Maar we moeten voorzichtig te werk gaan en terughoudend zijn met onze eigen speculaties. Tot dusver is de politie ook terughoudend geweest en je moet begrijpen dat de zaak extra gevoelig ligt omdat ze zwanger is.'

Rosenlund was teleurgesteld. Híj was tenslotte de misdaadexpert, niet die tijdelijke nachtchef.

'Ja, natuurlijk ligt het gevoelig als haar man het heeft gedaan,' mompelde hij.

'Maar daar zijn tot nu toe eigenlijk helemaal geen aanwijzingen voor. Ik zie ze in elk geval niet. Als hij inderdaad stomdronken was, zou hij dan in staat zijn geweest om haar te vermoorden en het lichaam te verbergen zonder ook maar een spoor achter te laten? Klonk hij als een koelbloedige moordenaar?' vroeg de gewichtig doende chef.

'Het is moeilijk te zeggen, maar hij lijkt iets te verbergen. Dat kon je horen.'

'Heeft hij een strafblad?'

'Nee,' gaf Rosenlund toe. 'Maar God weet wat hij tot voor de laatste vijf jaar heeft gedaan, ze worden namelijk gewist, zoals je misschien weet.'

De blik van de nachtchef werd donker.

'Je moet het zo zien: je bent al heel ver in je onderzoek, iets té ver, eerlijk gezegd. Wanneer we ook maar de geringste aanwijzing krijgen dat jouw theorie overeenkomt met die van de politie, gaan we verder op dat spoor en dan hebben we een voorsprong. Maar op het ogenblik kunnen we alleen met feiten komen,' zei hij en hij draaide zich om om aan te geven dat het gesprek voorbij was.

Rosenlund was van streek door deze beslissing en hij liep kwaad naar zijn kamer. Hij had zo genoeg van die laffe nachtchef. Met de juiste man op de juiste plek hadden ze de andere kranten met straatlengtes verslagen. Nu kon hij alleen maar dezelfde droge informatie brengen als de concurrenten. Het ergerde hem dat hij ondanks al zijn dienstjaren zo weinig macht had. Die Micke, of hoe de nachtchef zich ook noemde, had meer respect voor zijn ervaring moeten hebben. Rosenlund nam zich voor om de tekst iets te nuanceren en de feiten te vermelden. Dan was het aan de lezer om tussen de regels door te lezen. Godzijdank was Myggan morgen weer terug.

Nog nooit van zijn leven had Tobbe op één dag zoveel gerend. Hij dwaalde rond door het kilometerslange wandelgebied Grönet, door hagendoorn- en wilderozenstruiken. De doornen haalden zijn armen open, maar hij besteedde er geen aandacht aan. De pijn in zijn ziel was erger. Hij vocht zich door bosjes essen en esdoorns en trapte al het onkruid kapot dat hij tegenkwam. Na meerdere stenen muren en enorme schaafwonden kwam hij bij het eind, Gislövshammar, zonder ook maar iets te hebben gezien dat te maken kon hebben met Agnes' verdwijning, waardoor hij zich even heel erg opgelucht voelde. Hij had zich aanzienlijk minder tevreden gevoeld over het gesprek met de journalist van de avondkrant. Het was niet te geloven dat de media zo snel aan de informatie van de politie konden komen.

Op de terugweg had hij niet zoveel haast en wandelde langs de zee. Hij sprong over de rotsen achter Vejakåsen, waar in de negentiende eeuw zeilschepen binnenliepen om hun lading te lossen. Het was niet bepaald spitsuur op het moment, hij zag niet één boot. De golven waren hoog en het waaide vrij hard. Een paar honderd meter verderop zag hij bij het bos een groep vrijwilligers die op eigen initiatief naar Agnes zochten.

Toen hij bijna terug was op zijn vertrekpunt sloot zich tot zijn verbazing een groot grijs paard bij hem aan, dat naast hem naar het hek bleef lopen. Hij was met heel andere dingen bezig en had er niet bij stilgestaan dat die dieren hier vrij rondliepen. Normaal gesproken zou hij zich rot zijn geschrokken van de halfbloed, maar wat had een beet of een trap van een paard eigenlijk te betekenen? Niets stond in verhouding tot de pijn die hij voelde van Agnes' plotselinge en onverklaarbare verdwijning.

Het plan was om 's avonds en 's nachts door te blijven zoeken, maar de duisternis zou waarschijnlijk roet in het eten gooien. Eric, die nog steeds een goede conditie had na een loopbaan als internationaal atleet, had overdag door Brantevik gerend en op deuren geklopt. Tobbe hoopte dat het iets had opgeleverd. Het idee om bij huizen aan te kloppen was niet van de politie gekomen, het was Tobbes eigen initiatief. De politie leek sowieso de ernst van de situatie niet in te zien, en hij kon niet gewoon blijven zitten wachten tot er iets zou gebeuren. Maar toen hij Eric op de Måsgatan tegenkwam, werd hij begroet met een berustend hoofdschudden en de angst keerde in volle hevigheid terug.

Ze liepen zwijgend terug naar het zomerhuisje.

'Ik neem de weg via de haven,' zei Tobbe uiteindelijk en hij sloeg af in de richting van de boten.

Hij liep langs de havenkroeg en sprong aan boord van een boot zonder er ook maar even bij stil te staan dat dat misschien niet gepast was. De zwarte en rode vlaggen op de boten fladderden waarschuwend in de wind. Nadat hij de eerste drie boten had doorzocht zonder iets verdachts te vinden, ging hij snel verder met de andere, eveneens zonder resultaat. Hij klom de kade op, vlak voor de reddingsboei en de reddingsboot die aan de falurode muur van Branterögen hingen. Daarbinnen was hij de vorige avond ladderzat geworden. Hij verjoeg het beeld snel, hij voelde zich er alleen maar nog slechter door. Hij liep nog een paar meter verder en bleef toen staan op een plek vol emmers, visnetten, grote, volle zwarte vuilniszakken en gekleurde plastic kratten. Het stonk er naar oude visresten en hij moest zijn adem inhouden toen hij de plastic kratten optilde en in de vuilniszakken keek. Na een poosje vroeg hij zich af waar hij eigenlijk mee bezig was. Want hij kon toch niet werkelijk geloven dat ze in stukken gesneden in een zak zou liggen? Hij huiverde bij de gedachte, maar doorzocht toch vlug wat voor hem lag, zonder iets vreemds te vinden. Daarna liep hij langs de Jaktensscheepswerf en bleef weer staan. Hij draaide zich om bij een verkeersbord met het onderschrift GELDT NIET VOOR BEVOEGD VERKEER en liet zijn blik over de horizon glijden. Was ze daar ergens?

Tobbe was extreem vermoeid. Langzaam en met gebogen hoofd dwong hij zijn benen verder te gaan in de richting van de jeu-de-boulesbaan. Hij klom over de muur en ging op de stenen naar de zee zitten kijken. Zijn hele leven had compleet onverwacht een traumatische wending genomen. Wat moest hij tegen Nicole zeggen, die al naar haar mama had gevraagd? Hij bedacht dat hij Agnes' moeder nog niet eens had gebeld. Viola zou het dus van de politie horen. Ze hadden inmiddels vast al contact met haar opgenomen. Hij wist niet wat hij met zijn vader aan moest. Ze hadden elkaar al tien jaar niet gesproken, sinds zijn moeder Ingela aan borstkanker was overleden. Het zou vreemd zijn als hij plotseling van zich liet horen.

Hij zou met Viola moeten praten en haar moeten vragen om de anderen te bellen die Agnes na stonden. Hij voelde een steek in zijn hart toen hij dacht aan Agnes' vader, Kent, die onverwacht was gestorven toen Agnes vijftien jaar was. Een hersenbloeding had zonder waarschuwing toegeslagen. Hij was al dood voordat de ambulance arriveerde.

Hij zocht Viola op in zijn mobieltje. Toen de telefoon drie keer was overgegaan, hoorde hij een ongeruste stem. Het was de eerste keer dat hij haar op eigen initiatief belde. De relatie tussen Agnes en haar moeder was heel oppervlakkig. Viola was geen troeteloma, eerder een nerveus wrak dat vond dat het leven haar slecht had behandeld.

'Heb ik je wakker gebeld?' vroeg Tobbe omdat ze groggy klonk, maar hij kreeg niet meteen antwoord. 'Het is Tobbe, de man van Agnes,' moest hij eraan toevoegen toen het aan de andere kant van de lijn lang stil bleef.

'Hallo,' antwoordde ze eerst afwachtend en toen klonk haar stem plotseling helderder. 'Ik weet het al. De politie was hier eerder vandaag en ze hebben alles verteld en een heleboel vragen over Agnes gesteld.'

Tobbe wist eerst niet wat hij moest zeggen.

'Het spijt me dat ik niet eerder van me heb laten horen. Ik heb overal gezocht,' kreeg hij er daarna uit en hij moest moeite doen om niet te gaan huilen.

De rest van het gesprek was een marteling. Er kwam geen einde aan Viola's vragen en hij begon nerveus de stenen op de grond te verplaatsen, terwijl hij tegelijkertijd zo goed als hij kon antwoord gaf. Ze wilde weten wat Agnes aan had gehad, of ze goed had gegeten en of ze geld bij zich had. Verstrooid pakte hij een platte steen en keilde die over het water – drie keer bij de eerste poging. Daarna rondde hij het gesprek af, zo snel als hij kon zonder onaardig te zijn. Toen het voorbij was, liet hij zich achterover op zijn rug zakken en keek omhoog naar de hemel. Hij was totaal uitgeput na deze inspanning, maar hij was opgelucht dat het hem gelukt was bepaalde informatie achter te houden, zoals het feit dat ze ruzie hadden gehad.

Hij besloot terug naar het huis te gaan om een warme trui aan te trekken en een zaklamp te zoeken.

Johanna stond hem bij de deur op te wachten met roodomrande ogen. Ze wilde naar de wonden op zijn armen kijken, maar Tobbe sloeg het vriendelijk af.

'Het komt allemaal wel goed,' zei ze in een poging hem te troosten.

Hij werkte een sandwich naar binnen die Johanna voor hem gemaakt had, trok zijn jas aan en pakte een van de zaklampen die Eric ergens had opgedoken.

'Ben je klaar om weer naar buiten te gaan?' vroeg hij aan Eric, die knikte.

'Je hoeft niet op te blijven om op ons te wachten,' zei Eric tegen Johanna voordat ze de deur achter hen sloot en op slot draaide.

Maandag 30 augustus

Het was bijna zes uur 's ochtends toen Johanna Tobbe en Eric het huis binnen hoorde komen nadat ze de hele nacht hadden gezocht. Tot op de zolder was te ruiken hoe ze naar klei stonken en hun kleren waren drijfnat van de nachtelijke regen. Tobbe viel meteen uitgeput in slaap op de bank in de woonkamer. Eric trok zijn broek en trui uit in de badkamer en sloop in zijn onderbroek de trap op. Hij deed zijn best om Nicole en Johanna niet wakker te maken. Maar Johanna was klaarwakker, ze had alleen liggen sluimeren terwijl ze wachtte tot de mannen thuis zouden komen.

Met Agnes.

'Iets positiefs te vertellen?' fluisterde ze en Eric schudde terneergeslagen zijn hoofd.

In gedachten probeerde ze zichzelf wijs te maken dat Agnes vast in de war was geweest, dat ze verdwaald was en daarna de weg terug niet had kunnen vinden. Dat alles één groot misverstand was. Maar naarmate de tijd verstreek nam de paniek toe. Ze werd voortdurend heen en weer geslingerd tussen hoop en vertwijfeling, en het gevoel dat iemand haar beste vriendin iets had aangedaan werd elke minuut sterker.

Het was maandagochtend en als alles normaal was verlopen, zou het de eerste werkdag zijn geweest. Johanna wist niet eens of Tobbe en Eric hun werkgevers hadden gebeld, maar dat was nu niet belangrijk.

Nadat ze zich zo een tijd het hoofd had gebroken, hoorde ze hoe Nicole met een hartverscheurende schreeuw wakker werd. 'Mama!'

Johanna haastte zich naar de logeerkamer en nam het kleine meisje in haar armen.

‘Mama pijn,’ snikte het meisje en Johanna huiverde terwijl ze troostend over haar wang streek.

‘Het was maar een nachtmerrie.’ Het klonk vals.

Voorzichtig tilde ze haar uit het bed en liep naar de keuken. Ze maakte pap in een steelpan, terwijl Nicoles armen en benen nog steeds rond haar dikke buik slingerden.

‘Kom, ga je papa een knuffel geven,’ fluisterde ze na het ontbijt en ze sprong van schrik op toen Nicole een vreugdekreet slaakte en op de bank af stormde.

Tobbe schrok wakker, tilde zijn miniatuur-Agnes op en legde haar op zijn borst. Soezerig liet hij zijn vingers door het kroeshaar in haar nek gaan.

‘Neeee, papa, niet zo!’ zei ze bevelend en ze sloeg zijn hand weg.

Tobbe verplaatste zijn koppige dochter naar de bank, kwam overeind en stak zijn hand uit naar zijn mobieltje. Johanna maakte uit zijn gelaten houding op dat de politie geen nieuwe boodschap had ingesproken. Uit zijn blik sprak vertwijfeling. Het was eigenlijk zinloos om iets te zeggen, maar ze kon het toch niet laten.

‘Luister nou! Ze is nog maar nauwelijks een etmaal weg en als ze ergens buiten rondloopt, dan is het niet zo koud dat ze het niet zal redden, ondanks de regen. Alles komt goed, je zult het zien.’

Johanna keek bezorgd naar Nicole, maar die ging in haar eigen wereld op terwijl ze met een spel kaarten speelde.

‘Ik weet het, ik ben alleen zo woedend op mezelf. Het is allemaal mijn schuld,’ zei Tobbe zacht.

Johanna liep naar hem toe en legde een hand op zijn schouder.

‘Dat moet je niet zeggen. Normaal gesproken zou ze gewoon in bed hebben liggen slapen toen je thuiskwam. Hoe boos ze ook op je was. Dat weet je.’

Hij week achteruit en Johanna maakte daaruit op dat hij niet aangeraakt wilde worden.

'Ik kan gewoon niet leven met de gedachte dat ik haar misschien in gevaar heb gebracht.'

Nicole keek plotseling nieuwsgierig naar haar vader.

'Mama in gevaar?'

'Nee, schatje, mama is niet in gevaar,' antwoordde Tobbe en het leek hem moeite te kosten om zijn tranen te bedwingen.

'Papa verdrietig? Mama verdrietig?'

Niemand zei iets.

'Waar is mama?' voegde ze eraan toe.

'Mama komt straks,' zei hij rustig. 'Mama komt straks,' herhaalde hij alsof hij zichzelf probeerde te overtuigen.

Daarna ging hij weer naar buiten om te zoeken en Johanna bedacht hoe vreselijk ze het vond dat ze niet mee kon gaan. Maar iemand moest op Nicole passen en ze begreep waarom de keuze op haar was gevallen. En toch vond ze het onrechtvaardig. Ze wist niet wat ze moest antwoorden op Nicoles vragen over haar moeder. Ze moest al haar eigen angsten en zorgen verborgen houden en proberen te doen alsof er niets aan de hand was. Daar was ze niet goed in. Ze wist niet eens of ze er goed in wílde zijn. De vermoeidheid maakte het er niet gemakkelijker op, ze kon elk moment in slaap vallen en haar verantwoordelijkheid vergeten. Het zou niet uitmaken of Nicole naast haar zat en met een pop op haar in sloeg, ze zou evengoed zo in die mist kunnen verdwijnen. Ze vertelde zichzelf dat ze vol moest houden, maar de combinatie van kind en zwangerschap was haar af en toe te veel. Haar geduld was bijna op en ze moest haar best doen om niet uit te vallen tegen Nicole wanneer die weer eens drukte maakte om niets. Ze wilde geen schoenen, niet eten, niet slapen. Het kind was buitengewoon lastig. Misschien begreep een tweejarige meer dan ze konden vermoeden.

Brantevik, locatie 550 30, 8 N, 140 21, 2 O, was ogenschijnlijk een bescheiden vissersdorpje, maar ooit had het de grootste zeilvloot van het land gehad. Inspecteur Lars Räffel stapte door de deur van het Maritiem Museum aan de Pantaregatan. Al was hij er eerder geweest, hij werd toch weer getroffen door de hoeveelheid schilderijen die in één kamer pasten. Van de vloer tot aan het plafond hing het vol ingelijste schilderijen met boten erop. De havenmeester van Brantevik, Sverker Johansson, met wie hij had afgesproken, was aan het telefoneren. Ze hadden het tijdstip van tevoren afgesproken omdat het museum overdag niet meer open was. Räffel was een paar minuten te vroeg en begon over de fascinerende geschiedenis van de plek te lezen terwijl hij wachtte op de man met de marineblauwe timmermansbroek.

Vanaf het midden van de achttiende eeuw vestigden zich kolonisten uit boerendorpen in wat toen Brantarör werd genoemd. Ze bouwden boten en leefden van de visvangst. Velen verhuisden naar de kust en ze bouwden zeilboten voor de langere vistochten en voor de handel met Blekinge en Bornholm in onder meer graan. De zuidelijke haven werd in 1836 gebouwd en twee jaar later was de noordelijke haven gereed. De hoogtijdagen van het vissersdorp lagen rond de vorige eeuwwisseling. Er waren toen 120 vaartuigen, nogal een verschil met tegenwoordig, nu er nog maar een paar waren. Het kostte Räffel moeite om het zich voor te stellen, Brantevik was niet bepaald groot. In de tijd rond de Eerste Wereldoorlog verkochten velen hun boot. In de twintigste eeuw waren er nog ongeveer dertig vaartuigen, maar de stoomboten namen al snel alle vrachten over.

Räffel keek naar de oude, gebruinde visser die nog steeds aan het bellen was en geen haast leek te maken, ook al had hij bezoek van de politie. Om de aandacht op zich te vestigen kuchte Räffel en richtte daarna zijn blik weer op de map. Hij zou Johansson nog vijf minuten geven voordat hij naar hem toe zou lopen en de hoorn erop zou gooien.

Na de Tweede Wereldoorlog was er nog een tiental gemotoriseerde boten over. De laatste was de Elna en die werd in 1959 voor twintigduizend kronen aan Engeland verkocht. Volgeladen met bouwmateriaal zonk ze onderweg naar Spanje en zette daarmee een streep onder een honderdjarig tijdperk, dat 345 schepen had zien zeilen: barken, brikken, schoeners, twee- en driemasters, galjassen en jachten. Die waren nu allemaal verdwenen.

'Waar kan ik u mee van dienst zijn?'

Räffel had niet gemerkt dat Johansson eindelijk klaar was en zo dicht bij hem was komen staan dat ze elkaar bijna aanraakten. Onwillekeurig deed hij een stap naar achteren en legde uit waarvoor hij was gekomen.

'Ik kan helaas niet helpen, ik heb niets gezien,' zei Johansson en hij zag er bezorgd uit.

Räffel had niet verwacht hier een moordenaar te vinden, hij wilde alleen informatie die nuttig zou kunnen zijn.

'Hoe makkelijk is het om met een boot de haven in te komen?'

Het leek of Johanssons antwoord rechtstreeks uit een boek met instructies kwam.

'Onder gunstige omstandigheden kan men binnenlopen met tweeënhalve meter diepgang. Zes kilometer ten zuidwesten van de molen staat een radiomast met waarschuwingslichten en een wachthuisje. Men hoeft maar binnen 253 graden van de lichtbaan te sturen om goed terecht te komen,' legde hij uit en hij keek op om te zien of Räffel het kon volgen.

De inspecteur knikte dat hij door moest gaan, ook al had hij er geen woord van begrepen.

'Na de binnenste golfbrekers te zijn gepasseerd giert men meteen stuurboord het binnenste bassin in. Bij aanlandige wind kan er voor de haven een zeer krachtige dwarse stroom zijn, en bij hárde aanlandige wind is binnenlopen eenvoudig onmogelijk.'

Räffel begreep er nog steeds niets van, maar hij moest de belangrijkste vraag nog stellen.

'Kan iemand de haven binnen zijn gekomen zonder dat het is opgemerkt?'

'Gisteravond? Hm, het was tamelijk guur, hè? Maar het waaide niet zo hard dat het een probleem was om binnen te komen, nee. Want dan zou iemand het gemerkt hebben.'

Räffel bedankte hem en liep naar buiten. Aan de overkant van de straat zag hij een wit stenen huis met blauwe raamkozijnen en hij besefte dat het de achterkant was van het zomerhuis van Johanna Winters ouders. Hij had er niet eerder bij stilgestaan dat het bakstenen huis rood aan de voorkant was en wit aan de achterkant. Hij liep verder naar de haven. Na een wandeling van drie minuten was hij bij de plek waar Agnes was verdwenen.

De havens waren tegenwoordig voornamelijk gevuld met plezierjachten, maar vijf, zes actieve net- en haakvissersboten brachten nog steeds verse vis aan land, vooral kabeljauw. Er waren geen vaste aanlegplekken voor gasten, maar het was toegestaan om op vrije plekken te gaan liggen als het gemeld werd bij havenmeester Johansson of bij een visser die in de buurt was. Het protserige zeiljacht De Hoop van Brantevik, dat op grond van oude tekeningen was gebouwd, had het gebied een facelift gegeven. Het lag er nu niet en daarom maakte de haven een lege indruk. Räffel liep rond het zandsteenplateau dat omheind was met kettingen en voelde zich niet meer zo oud toen hij de tekst las: PSAMMICHNITES GIGAS. VERSTEENDE 570 MILJOEN JAAR OUDE ZANDBODEM MET KRUIPSPOREN VAN ONBEKENDE DIEREN.

Onder het afgerasterde monument lag de havenkroeg die uit twee falurode houten huizen bestond. Boven de ingang van het eerste huis hing het witte bord met het opschrift BRANTERÖGEN in zwarte letters en met erboven de twee Zweedse vlaggen. Agnes had gelogeerd in het onderste huis. Toen Räffel langs het terras liep, sprongen meerdere journalisten die zich daar al verzameld hadden van hun plek en wilden antwoord krijgen op hun vragen. Hij probeerde hen zo goed als hij kon te woord te staan en liep snel door naar de waterkant.

Er heerste een enorme bedrijvigheid in de haven. Duikers waren bezig en Räffel liep naar ze toe om te horen of ze iets gevonden hadden. De pers stond ondertussen een stukje achter hem vlijtig aantekeningen te maken. Hij kon er niet veel aan doen.

'We hebben nog niets gevonden!' kreeg hij te horen voordat hij de vraag zelfs maar had kunnen stellen.

In het zuidelijke en westelijke deel van de haven stond het water niet meer dan een halve meter diep en ze hadden al kunnen constateren dat er daar ook niets te vinden was. Voorlopig wachtte hij nog met het doorzoeken van de andere haven, die een paar honderd meter verder lag. Die was ook heel smal, vijfenveertig bij vijfenvijftig meter en ongeveer drie meter diep.

Een grote politiemacht van andere bureaus uit de gemeente was nu betrokken bij de zoektocht. Er waren onder meer hondenbegeleiders en reddingswerkers, de burgerbescherming, buurtwacht, oriënteringsvereniging en vrijwilligers. De kaart van het gebied dat doorzocht moest worden, was in vijf ruiten verdeeld en elk gebied zou nauwkeurig gecontroleerd worden op basis van een speciaal zoekmodel. Een politiehelikopter ratelde boven zijn hoofd terwijl hij op weg was om een groepje door een deel van het wandelgebied Grönet te leiden. Op de

Måsgatan werd hij tot staan gebracht door een jong, roodharig meisje dat er gedreven uitzag.

'Hallo, ik ben van de lokale krant en ik zou graag een paar vragen willen stellen!' zei ze met een Skånsk dialect, en een jongen naast haar pakte een camera en fotografeerde hem voordat hij had kunnen protesteren.

'Ik kan helaas nog niet veel vertellen,' antwoordde hij naar waarheid.

'Maar wat denkt u dat er met Agnes gebeurd is?'

'Het maakt niet uit wat ik denk, de politie moet zich aan de feiten houden. En voorlopig weten we alleen dat ze sinds zaterdagavond verdwenen is.'

Ze waren aangekomen bij het hek van Grönet.

'Mag ik een foto van u maken?' vroeg de fotograaf.

'Ja, maar doe het snel!'

Toen de foto gemaakt was, betrad Räffel door het hek het vier kilometer lange wandelgebied met weilanden, bloemrijke weides en schrale heidevelden. Hij was al een halfuur te laat en ze stonden vast ongeduldig op hem te wachten. Ze liepen meteen langs de zee in de richting van Gislövshammar. Niemand had oog voor de historische restanten die ze passeerden, zoals grafvelden uit de brons- en ijzertijd, vijf gedenktekens, elf steencirkels en twee grafheuvels. Iedereen was er alleen maar op gespitst iets te vinden wat met Agnes te maken kon hebben.

Räffels telefoon ging en hij zag op het schermpje dat het Håkan Fors was. Zijn collega bevond zich met een groepje ten noorden van Brantevik bij de strandweides van Simris; dat was een natuurreservaat dat gevormd was tijdens het smelten van de ijskap. Fors klonk wanhopig.

'Wat moet ik met die journalisten aan?'

'Zeg dat ze naar Grönet moeten komen om met mij te praten.'

Räffel verbrak de verbinding en merkte hoe gespleten hij zich voelde. Er waren zoveel dingen die hij in de gaten moest houden bij dit werk en hij was bang dat hij door alle onderbrekingen iets zou missen. Hij wilde dit onderzoek zo goed mogelijk afronden, maar wist niet zeker of hij daarin zou slagen. Er was anderhalve dag verstreken sinds Agnes Malm was verdwenen en hij had nog steeds geen enkel aanknopingspunt.

'Verdomme!' barstte Rosenlund uit toen hij de dageditie van de concurrerende avondkrant *Bladet* zag. Ze hadden ter plekke een reportage gemaakt, met buren die zich uitspraken en zelfs een interview met Agnes Malms moeder, Viola Hammarsten. Ze had een interview met Rosenlund afgeslagen en daardoor nam zijn irritatie nog toe. De berichtgeving in *Bladet* was bovendien puntgaaf. Alles bij elkaar had de concurrent zijn krant met straatlengtes verslagen. Woedend kerfde hij met een oude keldersleutel 1-0 in het gelamineerde blad van zijn bureau.

Rosenlund was nog steeds kwaad dat hij niet het vertrouwen van de plaatsvervangende nachtchef had gekregen om zijn eigen theorieën te mogen opschrijven. Met alleen de feiten van de politie bleef het mager en hij haalde opgelucht adem toen hij zag dat Myggan weer op zijn plek zat. *Pressen* had weliswaar een lokale journaliste in Skåne, maar dat genie moest in een ligstoel beland zijn met een cocktail in haar hand en vergeten zijn waarom ze daar eigenlijk was. Het artikel was nietszeggend en oninteressant. Minstens vijfhonderd woorden waren gewijd aan de beschrijving van hoe de kamer in de Lapphörnan gemeubileerd was, met als kop 'Hoe zou ze geslapen hebben'. Rosenlund wist niet of hij moest lachen of huilen.

De krant van morgen zou er niet veel beter uitzien. *Bladet* leek een exclusieve afspraak te hebben gemaakt met Viola Hammarsten, die ook vandaag weer weigerde om met hem te praten. Zelfs geld aanbieden hielp niet. Het zou een grote doorbraak zijn als hij met Tobias kon praten, want dat was tot nu toe niemand gelukt. Maar de mond van die man was verzegeld en bovendien nam hij de telefoon bijna nooit op. Rosenlund had de hele ochtend aan één stuk door gebeld.

Bedachtzaam liep hij zijn kantoor met glazen wanden uit om zijn koffiebeker te vullen. Bij de koffieautomaat kwam hij Lisa Sjödin tegen, een journalist die, hoewel ze een vrouw was, niet slecht was in het vinden van nieuws.

'Hoi,' zei Rosenlund neutraal zonder aandacht aan haar te schenken. Hij hield ervan om groentjes bang te maken. Net niet al te erg, zodat ze hem niet konden aanklagen.

'Werk je aan de zaak-Agnes?' repliceerde ze zonder een blik op hem te werpen. In plaats daarvan sloeg ze met haar vuist op de koffiemachine, die plotseling tot leven kwam en drie mokken tegelijk uitspuugde.

Hij hield zijn gezicht in de plooi. Rosenlund kon eigenlijk totaal niet tegen incompetentie. Vooral als het penisloze volk een blunder beging. Als je niet eens een koffieautomaat de baas kon, moest je misschien eens gaan denken over een ander werkterrein, dacht hij vals. Hij begreep niet dat vrouwen niet inzagen dat dit beroep gemaakt was voor mannen. Vrouwen waren te slap. Hij vond ook dat veel meisjes zich te uitdagend kleedden en flirtten met de leidinggevenden. Dat was waarschijnlijk de reden dat vrouwen van een bepaald soort plotseling boven hem stonden.

'Wil je horen wat ik erover te zeggen heb?' Ze keek hem vragend aan.

'Alleen als je iets interessants te melden hebt. Anders moet ik iets nuttigs gaan doen.'

Hij had er meteen spijt van dat hij zo plompverloren reageerde, maar de schade was al aangericht.

'Ik vroeg me alleen af waarom je Johanna Winter niet geïnterviewd hebt,' antwoordde ze brutaal en ze keerde zich daarna snel om.

'Welke Johanna?' schreeuwde hij haar na.

Ze bleef staan. 'Herinner je je Johanna niet? Ze heeft hier ongeveer een jaar gewerkt. Als verslaggeefster.'

Johanna, Johanna, hij zocht koortsachtig in zijn geheugen,

maar er kwam geen gezicht tevoorschijn. Tijdelijke werkkrachten herinnerde hij zich nooit, hun gastoptreden op de krant was veel te kort om zijn aandacht te trekken.

'Nee, ik heb geen idee wie dat is. Waarom zou ik met haar moeten praten?' riep hij haar geïrriteerd achterna. Hij begon kwaad te worden omdat ze gewoon door bleef lopen.

Ze draaide zich niet om, maar minderde vaart.

'Omdat Agnes Malm haar beste vriendin is,' zei ze alsof het de gewoonste zaak ter wereld was. Daarna verdween ze om de hoek.

Rosenlund bleef verbluft achter en vroeg zich af hoe hem dat in hemelsnaam had kunnen ontgaan. Waarom had niemand hem dat eerder verteld?

Hij liep vlug terug naar zijn kamer en belde de receptie. Ze hadden Johanna Winters mobiele nummer nog en hij duimde dat ze op zou nemen. En opeens zat het hem mee.

'Hallo, dit is Göran Rosenlund van *Pressen*, je oude werkplek!' stelde hij zich voor, en hij vond dat hij een heel kameraadschappelijke toon aansloeg.

'Ja, hallo,' antwoordde Johanna lusteloos, verre van collegiaal.

'Hoe gaat het met je?' vroeg hij strategisch. Het antwoord kon misschien de kop van de krant van morgen worden.

'Nou, het kon beter, een stuk beter.'

'Dat begrijp ik. Ik bedacht opeens dat die verdwenen vrouw jouw beste vriendin is, dat klopt toch?'

'Ik wil niet onaardig zijn of zo, maar ik heb geen zin en geen tijd om over haar te praten.'

Niet helemaal onverwacht. Voordat hij zelfs maar zijn vooraf bedachte strategie om haar iets verstandigs te laten zeggen ten uitvoer kon brengen, hoorde hij hoe iemand op de achtergrond haar riep, het klonk als een kind.

'Heb ik je kind wakker gemaakt?' vroeg hij om de conversatie op gang te houden.

'Nee, maar ik moet voor haar zorgen. Ze is het dochtertje van Agnes,' zei ze en ze leek op hetzelfde moment op haar tong te bijten.

Bingo.

'Aha, zij is bij jou?'

'Op het ogenblijk, maar dat hoef je toch niet op te schrijven?'

'Ik doe alleen mijn werk maar, weet je.'

Perfect, hij had in elk geval een paar dingen duidelijk gekregen. In het slechtste geval kon hij met mensen op de redactie praten en hen Johanna laten beschrijven. Dat zou een artikel zijn dat *Bladet* niet had, dacht hij en hij kerfde meteen de gelijkmaker in zijn bureau. Hij besloot niet verder aan te dringen, hij kon altijd later nog een keer terugbellen.

'Oké, bel me meteen als er iets is wat je wilt vertellen!' voegde hij er vriendelijk aan toe.

'Ik denk niet dat dat zal gebeuren, maar evengoed bedankt,' zei Johanna en ze verbrak de verbinding.

Geen makkelijk meisje, maar Rosenlund had er geen problemen mee. Hij was er in elk geval in geslaagd een paar quotes bij elkaar te schrapen.

Johanna begreep dat iemand op haar vroegere werkplek gekletst moest hebben. Göran Rosenlund was een eenling die er geen idee van had wie zij was. Hij was alleen geïnteresseerd in zichzelf en had zelfs nooit de moeite genomen om haar gedag te zeggen in de tijd dat ze onder één dak werkten. Hoe zou hij dan kunnen weten dat zij bevriend was met Agnes? Hij kon schrijven wat hij wilde en hield met niemand rekening. Morgen zou haar naam officieel bekend zijn en journalisten zouden in alle hoeken en gaten naar haar op zoek gaan. Vooral omdat ze wisten dat zij Nicole bij zich had. Nu zou ze gaan merken hoe het voelt om door de media achtervolgd te worden.

Het ergste was dat Agnes door de aarde leek te zijn verzwolgen, iets wat Johanna weigerde te accepteren. De politie was terughoudend met speculaties, maar ze werkten vanuit twee verschillende theorieën: dat Agnes betrokken was bij een ongeluk óf dat ze het slachtoffer was geworden van een misdaad. Maar het merkwaardige was dat ze geen enkel spoor van Agnes hadden gevonden, wat Johanna onrustbarend vond. De politie wilde nu de hulp van het publiek inroepen door een foto en een signalement te laten verspreiden door de media. Tobbe vroeg Johanna hoe zij er als journalist en vriend tegenover stond, en ze twijfelde er geen moment aan dat het tijd was voor een opsporingsbericht. Alles wat zou kunnen helpen was een poging waard.

Ze waren bij elkaar gekomen aan de keukentafel om gerookte paling en aardappelen te eten. Johanna zag aan Tobbe hoe van streek hij was na weer een vruchteloze dag.

'We moeten bespreken hoe we het gaan aanpakken,' zei hij. 'Ik weet dat jij vandaag weer met je werk had moeten beginnen en het lijkt me zinloos dat jullie hier allebei zitten te wachten,' zei Tobbe en hij knikte naar Eric, die het niet leek te bevallen waar Tobbe op aanstuurde.

'Kom op, natuurlijk willen we hier zijn en zoveel mogelijk helpen,' viel Johanna in voordat Eric er een woord tussen had kunnen krijgen.

Tobbe haalde zijn schouders op. 'Dat snap ik, maar het heeft geen enkele zin. We kunnen nu alleen nog maar hopen.'

Johanna was het er niet mee eens, voorlopig was er nog genoeg te doen. Ze weigerde iets anders te geloven.

'Dat moet je niet zeggen, we kunnen je vast wel ergens mee helpen,' protesteerde Eric, die het gewend was om oplossingen voor problemen te vinden, dat was zijn werk. Maar in deze situatie lukte het hem niet, hoe goed hij ook was in het traceren van technische fouten.

Doordat er helemaal geen sporen van Agnes waren gevonden, werd hun hoop dat ze met opzet was verdwenen met de minuut minder.

Maar Tobbe had een besluit genomen en dan was het onmogelijk om hem nog van mening te doen veranderen.

'Ik heb een voorstel. Ik denk dat jullie terug naar Stockholm moeten gaan en als het kan, zou ik hier graag nog even blijven tot we weten wat er gebeurd is.'

'En Nicole?' vroeg Johanna een beetje nerveus.

Er kwam een smekende blik in Tobbes ogen.

'Ja, zou het heel misschien mogelijk zijn dat jullie haar meenemen? Alleen maar tot ik terugkom? Ik denk niet dat Viola voor haar zou kunnen zorgen.'

De koude rillingen liepen over Johanna's rug toen Tobbe het woord 'ik' gebruikte in plaats van 'wij'. Ook al drukte hij zich compleet onbewust zo uit, het voelde onaangenaam aan. Tobbe zag er wanhopig uit en Eric antwoordde zonder enige twijfel dat dat vanzelfsprekend was.

Hoewel ze er sterk op tegen was om Brantevik zonder Agnes te verlaten, begreep ze Tobbe wel. Hij wilde gewoon met rust gelaten worden en ze moesten hem hierin wel tegemoetkomen, dat was het minste wat ze konden doen.

Ze prikte in haar eten en vroeg zich af hoe ze het klaar moest spelen om voor Nicole te zorgen, terwijl ze de halve nacht wakker lag en piekerde over wat er met haar beste vriendin was gebeurd. Te midden van alle angst had ze bijna verdrongen dat ze moest bevallen, maar nu vroeg ze zich af wat ze moesten doen als ze naar de kraaminrichting zouden moeten rijden. Wie zou er dan voor Nicole zorgen?

Ze verontschuldigde zich en stond op om haar koffers te gaan pakken. Somber verzamelde ze haar spullen en propte die in de koffer. Haar eigen dingen waren geen probleem, maar ze moest op haar tanden bijten toen ze Agnes' en Tobbes koffers moest doorzoeken om alle noodzakelijke spulletjes voor Nicole te vinden. De kleren, speeltjes, luiers, pappoeder, het zuigflesje en de verfrissingsdoekjes waren nodig tijdens de lange autoreis. Alle andere kleren waren van Agnes. Ze kon het niet laten om een trui op te pakken en dwong zichzelf om eraan te ruiken. Het was een discrete geur; Agnes was altijd heel zuinig met parfum geweest sinds ze moeder was geworden. Maar het leed geen twijfel aan wie de trui toebehoorde. Johanna zou hem zonder probleem uit duizenden hebben herkend. De geur van de trui ademde veiligheid en rust. Ze veegde de tranen weg die ze niet tegen had kunnen houden, herpakte zich en liep weer naar de keuken.

'Ik ga even een eindje lopen om mijn benen te strekken. De koffers staan in de logeerkamer als je ze al in de auto wilt zetten,' zei ze tegen Eric en ze liep vlug naar de deur om geen gezelschap te krijgen of tegengehouden te worden.

Ze moest er even uit om tot rust te komen.

Buiten was het koud en het begon donker te worden. De stank

van zeewier kwam haar tegemoet en ze vertrok haar gezicht. Ze zocht naar sporen op de grond. Ze moest leren leven met haar frustratie over het feit dat ze niet mee had kunnen doen aan de zoektocht, maar ze wilde de plek niet verlaten zonder afscheid te hebben genomen. Ze liep langs de Jaktensscheepswerf naar Hamngården en sloeg links af na het restaurant. Ze ging de kade op en bleef staan om naar de zee te kijken. De tranen drongen zich op en het was een bevrijding om eindelijk in stilte te kunnen huilen. Langzaam liep ze terug en kwam langs het stukje met visgerei, vuilniszakken en sleepnetten. Ze werd misselijk van de lucht en moest blijven staan omdat haar maag zich samentrok. Haar buik voelde keihard aan en ze moest gaan zitten. Ze was vlak bij de oude zagerij en nam plaats op een stapel hout. Na een minuut of wat werd haar buik weer zachter en was het tijd om terug te keren. Maar toen ze overeind kwam, gleed ze uit op een vochtige plank en sloeg tegen de grond. Haar heup ving het grootste deel van de klap op. Haar gezicht was maar een paar centimeter van de grond verwijderd toen haar blik plotseling op iets kleins en zachts viel. Het deed op de een of andere manier vertrouwd aan. Ze frummelde het voorwerp voorzichtig tevoorschijn en besefte al snel dat het een afgescheurd, gebloemd stukje stof was dat ze maar al te goed kende.

Pas gemangelde handdoeken, geboende vloeren en zorgvuldig afgestofte siervoorwerpen in het raam. Alles was schoongemaakt en alle spullen stonden op hun plek toen Ingrid Boman eindelijk plaatsnam om naar het journaal te kijken. Haar levensgezel, Bo, had al een tijdje op de bank naar een documentaire zitten kijken op het eerste net. Hij zat helemaal in het programma en vond het niet prettig als zij hem stoorde, dat voelde ze.

Ingrid hield van Brantevik. Het was de plek waar ze geboren was en ze kende het vanbinnen en vanbuiten. De rust deed haar goed. De zomers waren hectisch, maar dan bleef ze meestal thuis en kluste en rommelde wat. Ze hield ervan als de herfst er weer aan kwam, als het zevenblad verdorde en alles weer harmonisch werd, zowel in de tuin als in het dorpje. Toeristen waren als onkruid dat zich daar verspreidde waar je het het minst verwachtte. Daar kwam nog bij dat die vakantiemensen zo luid en opdringerig waren. Ze keken door de ramen naar binnen en becommentarieerden de inrichting alsof Ingrid niet kon horen wat ze zeiden. Oké, ze was oud, maar dat betekende niet dat ze doof was. Ze klonken vaak alsof ze uit Stockholm kwamen en juist van dat soort moest ze weinig hebben. Ze leken te denken dat de wereld van hen was, en op een bepaalde manier was dat ook wel zo. In elk geval kochten de hoofdstedelingen elk huis in de omgeving op.

Bo, die de afgelopen uren geen woord had gezegd, schraapte zijn keel.

'Zie je dat, de uitzending komt hiervandaan!' zei hij verbaasd en hij zweeg toen weer om op krachten te komen na de inspanning die het hem gekost leek te hebben om zijn mond open te doen.

Ingrid schrok op uit haar gedachten en zette het apparaat luider.

Het was een rapportage over een verdwenen vrouw. Die bovendien hoogzwanger was. De camera zwaaide langs Branterögen en de Lapphörnan en ze zag hoe er ingezoomd werd op de tuinman Lennart Lidblom in de Östersjögatan. Hij zei dat het onbegrijpelijk was dat er zoiets verschrikkelijks was gebeurd. Op de achtergrond liep Kenny Kjol, die wantrouwig toekeek. De politie was op zoek naar tips, alles wat te maken had met zaterdag. Toen de uitzending voorbij was, drong het tot haar door dat er op een avond inderdaad iets vreemds was gebeurd. Het was alleen de vraag welke dag dat was. Niet gisteren in elk geval, toen had ze de hele nacht geslapen zonder wakker te worden van Bo's aanhoudende gesnurk.

'Bo, heb jij zaterdagavond iets vreemds gehoord?' vroeg ze.

'Wat? Nee, wat zou dat dan geweest moeten zijn?' mompelde hij zonder zelfs maar de moeite te nemen een vriendelijke toon tegen haar aan te slaan. Die tijd was allang voorbij.

'Het was vast niets,' zei ze bedachtzaam. 'Bah, wat vervelend dat er juist nu iets moest gebeuren. Zijn de toeristen eindelijk naar huis en dan komen de journalisten en de televisiemensen in hun plaats.'

'Ja, ja,' antwoordde hij ongeïnteresseerd.

Maar Ingrid kon niet uit haar hoofd zetten wat er die zaterdagavond was gebeurd. Normaal gesproken sliep ze rond tien uur, maar een blaffende hond had haar gewekt. Ze wist niet goed meer hoe laat het was. De tablet van vijf milligram Zopiklon had toen nog invloed gehad, dus ze was behoorlijk suf toen ze was opgestaan om naar het toilet te gaan. Ze hoorde opeens een auto vlak voor het slaapkamerraam hard remmen. Als iemand zo abrupt remde, kon het je niet ontgaan. Maar ze was er niet helemaal bij die zaterdag, ze hoorde alleen hoe er een portier werd geopend dat even snel weer dicht werd geslagen. Daarna startte de auto en reed snel weg. Toen ze uit het raam keek, zag ze vanuit hun grijze stenen huis aan de Pantaregatan een donkere stationcar verdwijnen. Ze mocht dan oud en een beetje seniel zijn, ze was niet gek. Ze had het nummerbord duidelijk gezien, OSA 819, en ze had het opgeschreven en het papiertje op het nachtkastje gelegd voordat ze weer ging slapen.

Ze was van plan geweest om de politie te bellen en erover te klagen hoe schandalig mensen door haar straat reden, maar ze had het er uiteindelijk bij laten zitten. Ze dacht dat het toch nergens toe zou leiden. Nu bedacht ze dat het misschien wel met de verdwijning te maken kon hebben.

'Ja, Bo, ik denk dat ik zaterdag misschien iets heb gezien wat met dat meisje te maken heeft,' begon ze aarzelend. 'Er was een auto die voor ons raam bleef staan,' ging ze verder en ze hoopte op een reactie.

'Ach, dat was vast niets. Denk er niet meer aan, er is toch niemand die naar bejaarden luistert.'

Hij had misschien gelijk en ze wilde ook nergens bij betrokken raken. Politieagenten deugden niet. Ze zouden haar waarschijnlijk meenemen om haar te verhoren en haar onder druk zetten om haar zich meer te laten herinneren. Daarna zou ze gedwongen worden om door een ruit te kijken naar mannen met nummerbordjes. Zo ging dat, dat had ze vaak genoeg in films gezien. Ze zou de schuldige aan moeten wijzen, en als ze het foute antwoord gaf, zouden ze haar misschien op een of andere manier straffen. Ze wist eigenlijk niets. Het was maar het beste om het zo te laten. Bo had haar een eenvoudige uitweg geboden. Ingrid was tevreden over het besluit, liep naar de schoonmaakkast en pakte er een nieuwe fles met reinigingsmiddel uit. Ze had het bidet nog niet goed schoongemaakt. Toen ze langs de bank liep, zag ze dat Bo in slaap was gevallen. Beter een stille, chagrijnige man die snurkt dan helemaal geen

man, dacht ze en ze pakte Bo's dienblad weg met het lege kof-
fiekopje erop.

De politie had de omgeving rond de zagerij afgezet en was begonnen aan een technisch onderzoek. Het stukje stof van Agnes' jurk zou een doorbraak kunnen betekenen, maar Tobbe durfde er niet te veel van te verwachten. Hij wilde er niet eens aan denken wat zich in de zagerij zou kunnen bevinden. Hij had daar zelf niet gekeken. Het vertrek van zijn vrienden was vertraagd door de vondst van het stukje stof, en Tobbe probeerde het vol te houden. Het duurde nog maar een paar minuten voordat ze eindelijk weg zouden gaan en Nicole zou als een blok in slaap vallen in de auto, dat wist hij. Het eerste wat hij zou doen was al zijn angst en vrees eruit schreeuwen. Het verlangen om dat te doen, zonder dat iemand hem zou kunnen tegenhouden, was groot. Hij stond op het punt van breken en moest zijn best doen om niet in te storten toen het monteren van Nicoles kinderstoeltje niet meteen lukte. Dat ze naast hem stond te zeuren maakte het er niet beter op. Aan zijn dochters ongeduldige stem kon hij horen dat ze ernaar uitkeek om op avontuur te gaan met iemand anders dan haar vader en moeder. Toen hij eindelijk klaar was, wrong ze zich langs hem, sprong in de achterstevoren gemonteerde kinderstoel en zwaaide naar hem.

Hij deed de veiligheidsriem vast en kuste haar op haar voorhoofd.

'Tot ziens, meisje, we zien elkaar snel!' zei hij en hij sloot het portier.

Toen Eric achteruit door het hek reed, zag Tobbe hoe Johanna haar roodgehuilde ogen droogde. De auto verdween om de hoek, hij sloot het hek en deed de haak erop. Het was een soort symbool voor hoe hij hen buitensloot. Hij wist dat ze niet terug naar Stockholm wilden, vooral niet na de laatste ontdekking. Toch is het zo het beste, dacht hij toen hij het huis weer in liep. Hij wilde alleen maar samen met Agnes zijn. En als dat niet ging, wilde hij alleen zijn. Hij had zoveel opgekropt wat eruit moest. Vertwijfeling, angst, schuldgevoelens en schrik waren hem van binnenuit aan het opeten.

In de keuken lag een mes te blinken op het aanrecht en voor de eerste keer in zijn leven dacht hij eraan om zichzelf te snijden. Zichzelf te straffen met een lichte snee in zijn arm. Maar hij beheerste zich en ging op de bank liggen om na te denken over wat er nu eigenlijk was gebeurd.

Zijn beeld van de noodlottige avond was nog steeds niet helder. Hij vervloekte zichzelf: hoe had hij in godsnaam kunnen gaan slapen zonder te hebben gecontroleerd of Agnes inderdaad bij Nicole was? Het deed hem ook pijn dat hij zo in beslag genomen was door hun ondermaatse seksleven dat hij niet geprobeerd had zich in haar situatie te verplaatsen. Hij keek weer naar het brede keukenmes en dacht dat hij zonder enige aarzeling zijn lul eraf zou kunnen snijden als hij zijn vrouw maar terugkreeg.

Hoeveel was hij eigenlijk vergeten? Er zaten veel gaten in zijn geheugen, stelde hij neerslachtig vast en hij zocht naar iets wat hij over zijn hoofd kon doen. Hij trok een zachte lappendeken naar zich toe die stonk, perfect.

Terug naar zaterdag. Het lukte hem niet het verloop van de gebeurtenissen in elkaar te voegen. Eten, bier, bier, bier, Branterögen, een scène, vals gezang, dronken gelach, garnalenschalen op de grond, niet wankelen, serveerster, niet met 'r rommelen, bier, gelach, ruzie en... of was de volgorde anders?

Nee, hij wist het niet meer.

Die vreselijke man van *Pressen* had misschien gelijk toen hij insinueerde dat Tobias wel eens de dader zou kunnen zijn. Stel je voor dat het zo was? Hij zag voor zich hoe hij een mes tegen Agnes' keel duwde. Geschrokken schudde hij het afschuwelijke beeld van zich af. Journalisten waren verschrikkelijk. Het zou hem niets verbazen als hij in de kranten werd afgeschilderd als een moordenaar, hij had het niet durven lezen. Hij kon de berichten in de media net zo goed negeren, want hij schoot er toch niets mee op.

Hij vroeg zich af hoeveel mannen er al op voorhand veroordeeld waren wanneer hun vrouw verdwenen was. De journalist die hem opgebeld en ondervraagd had, had hem de stuipen op het lijf gejaagd. Göran Rosenlund, die naam had hij eerder gezien. Vooral in verband met moordzaken. Wat een vak, om op te bellen en de angst nog groter te maken van mensen die zich al op de bodem bevonden. Het was niet normaal dat hij leek te weten hoeveel Tobbe die avond had uitgegeven.

Hij zocht koortsachtig naar leidraden. Het leek allemaal heel goed gepland te zijn, aangezien er geen enkel spoor van Agnes te vinden was. Iemand wilde haar kwaad doen, of hem misschien. Of beiden. Hij dacht erover na of hij vijanden had. Er waren er zeker een paar die hem niet mochten, maar om een hoogzwangere vrouw te ontvoeren moest je een psychopaat zijn, en zo iemand bevond zich niet in zijn kennissenkring. Niet voor zover hij wist, in elk geval.

De bank was niet comfortabel, hij veranderde van houding omdat zijn ene arm sliep. Ondertussen dacht hij na over welke gestoorde mensen Agnes in haar leven was tegengekomen, maar hij kon niemand bedenken die haar kwaad zou willen doen. Had ze misschien een of andere gek ontmoet? Een van haar oude vrienden? Collega's? Een ex-vriendje? Een geheime liefde? Haar eerste vriend maakte een heel onbetrouwbare indruk, maar die was niet gek genoeg. Hij was een irritant figuur die de sportschool als woonkamer en de zonnebank als slaapkamer gebruikte. Hij zou zo reclame kunnen maken voor Dianobol, omdat hij eruitzag als vleesgeworden anabole steroïden. Je wordt wat je eet, dacht Tobbe. Maar ondanks dat afstotende uiterlijk had Jonne Tobbe nooit iets aangedaan en het was al een eeuwigheid geleden dat hij met Agnes was. De andere ex-vriendjes die hij kende waren zo sullig dat ze nauwelijks een vlieg dood konden slaan.

Plotseling begon hij te huilen.

Hij was bang, zo vreselijk bang. Agnes was de vrouw met wie hij had besloten zijn leven te delen en nu was ze weg. Lieve, mooie, fantastische Agnes. Al hun eerdere problemen leken nu zo ongelooflijk onbelangrijk, alleen maar futiliteiten. Zoals haar gedrag wanneer ze ergens naartoe moesten. Ja, bijvoorbeeld nu naar Brantevik. Ze pakte drie dagen voor het vertrek de koffers in. Zelf zou hij zijn spullen in vijf minuten bij elkaar hebben geraapt, maar nu hadden ze hun volledige concentratie nodig omdat ze alles mee moesten nemen. Er kwamen inpaklijsten aan te pas en er werd voedsel voor onderweg ingeslagen. Ingewikkeld en treurig. Zelf zou hij gewoon onderweg gestopt zijn als hij iets vergeten was. Er zijn overal winkels. Elke keer als hij haar daarop wees, wierp zij tegen dat je vooruit moest denken als je kinderen had. Je kon niet als een wervelwind rondrennen en alles in de laatste seconden bij elkaar graaien. Kinderen hadden routine nodig en daarom moest je plannen, beweerde ze. Op dit moment besefte hij dat er wel iets in haar redenering zat. Het droevige was dat hij het niet tegen haar kon zeggen.

Hij begreep niet hoe hij Agnes altijd voor lief had kunnen nemen. Alles was beter dan deze pijnlijke marteling. Zijn machteloosheid maakte hem lusteloos en duizelig. Hij voelde zich ervoor verantwoordelijk dat hun relatie de laatste tijd zo moeizaam was geweest. Agnes was veel te moe. Ze had steun nodig gehad, maar hij had zijn ogen ervoor gesloten. Hij had alles verkeerd gedaan. Als hij had geweten dat dit hun laatste dagen samen waren geweest, zou hij zich voorbeeldig hebben gedragen. Dan had hij alle verantwoordelijkheid voor Nicole op zich genomen, elke nacht. Maar die gedachte was belachelijk, alleen degenen die getroffen worden door een ongeneeslijke ziekte kunnen hun afscheid plannen.

Hij wilde met Agnes praten, wilde haar vertellen hoezeer hij alles wat ze voor hem had gedaan waardeerde. Alleen al dat ze hun kind in haar buik had gedragen, die lieve kleine Nicole. En nog een baby. Hij wist niet of hij ermee zou kunnen leven dat hij de zoon naar wie hij zo verlangd had, nooit zou ontmoeten.

Tobbe zag door het raam dat het donker was geworden en vroeg zich af hoe lang hij na had liggen denken. Het moest laat in de avond zijn, maar hij had geen idee hoe laat het precies was. Om de volgende dag aan te kunnen nam hij een slaaptablet in, die hij in het badkamerkastje had gevonden, en daarna ging hij voor een paar uur naar bed. Er was zoveel misgegaan en hij bad tot God dat hij snel zou ontwaken uit zijn nachtmerrie.

Räffel reed van het politiebureau in Simrishamn naar Brantevik. Hij was niet alleen kwaad op Kenny Kjol, maar ook op zichzelf. Hij kon niet begrijpen waarom hij hem zo lichtzinnig had laten vertrekken toen hij had beweerd dat Max Samuelssons auto iets te maken kon hebben met Agnes' verdwijning. Op dat moment was de gedachte niet bij hem opgekomen dat Kenny het verhaal verzonnen kon hebben om hem bewust te misleiden. Räffel nam zich voor een stukje om te rijden voordat hij naar huis zou gaan. Hij sloeg vanaf de Fartygsgatan de Briggengatan in en stopte tegenover het bakstenen huisje van de familie Samuelsson.

Räffel maakte zich er volstrekt geen zorgen over dat hij laat op de avond kwam storen, en trok zich er ook niets van aan dat hij alleen was. De irritatie won het zoals zo vaak van zijn verstand. Hij belde volhardend aan, maar er gebeurde niets. Kenny's woorden echoden in zijn hoofd: *Ik zag hoe dokter Samuelsson rond tien uur op de plek waar we nu staan zijn auto startte.* In gedachten zag de inspecteur Kenny's sluwe gezichtsuitdrukking voor zich toen hij vertelde dat hij bij de houtopslagplaats zat. Precies daar waar het stukje van Agnes' kapotgescheurde jurk was gevonden.

De hoop dat hij thuis zou zijn verdween nadat hij een paar minuten vruchteloos geklopt en aangebeld had. Hij stak de straat over en belde aan bij zijn vriend Max, die meteen opendeed.

'Nee maar, chic bezoek,' grapte de arts. 'Iets nieuws te melden of kom je alleen mijn golftas terugbrengen? Ik moet ervandoor, ik heb dienst en ben net opgeroepen. We kunnen hem meteen even in de auto gooien,' zei hij en hij stapte vlug over de drempel.

O ja, de clubs die hij had mogen lenen maar nog niet had

kunnen proberen. Hij schaamde zich dat hij ze al zo lang had zonder ze te hebben gebruikt.

'Nee, ik heb nog geen kans gehad om te spelen. Het is de laatste tijd erg druk geweest op het werk. Het spijt me dat het zo lang duurt.'

'Dat geeft niets, het heeft echt geen haast. Je mag ze best nog een paar weken houden,' zei Max en hij liep naar buiten.

'Weken?' Räffel schoot in de lach. 'Het zal wel lukken om ze eerder uit de auto te halen. Zeg, ik belde aan om te vragen of je de heer Kjol de laatste tijd nog hebt gezien,' zei hij en hij hoorde zelf hoe vreemd het klonk.

Max haalde automatisch zijn neus op, alsof hij door alleen de naam te horen de dranklucht al kon ruiken.

'Hij was gisteren thuis, daarna heb ik hem niet meer gezien. Waarom vraag je dat?' vroeg Max.

'Hij heeft een paar interessante inlichtingen gegeven over de verdwijning van Agnes en ik wilde ze even checken.'

Samuelsson zag er verbaasd uit.

'Kenny? Hij is zonder twijfel een ouwe dronkenlap, maar hij is toch ongevaarlijk? Of moeten we ons zorgen maken, denk je?'

'Ik zei niet dat hij ergens van wordt verdacht,' antwoordde Räffel en hij liet zijn stem zakken. 'Maar tussen ons gezegd denk ik dat je voor de zekerheid op je hoede voor hem moet zijn. Vooral omdat jullie zo dicht bij elkaar wonen. Je weet maar nooit.'

Er waren natuurlijk alleen maar kleine aanwijzingen, maar dat Kenny zelf had gezegd dat hij bij de zagerij was geweest waar het stukje stof was gevonden, was zonder meer opmerkelijk. En het enige tastbare in het hele onderzoek. De inspecteur overwoog om de beschuldiging te noemen die Kenny tegen Max had geuit, maar zag ervan af toen de mobiele telefoon van de arts met een steeds harder geluid begon te rinkelen.

'Je moet me verontschuldigen, de plicht roept,' zei Samuelsson en hij liep naar zijn auto. 'Hou me op de hoogte als je wilt, het voelt niet zo goed om Gunilla hier achter te laten als we tegenover een mogelijke misdadiger wonen.'

'Zeker, ik laat het natuurlijk weten als ik meer te weten kom!' riep Räffel vlak voordat Max het portier sloot en de auto startte.

Toen de Volvo om de hoek verdween, bedacht Räffel dat hij Max niet eens gevraagd had hoe het met hem en zijn vrouw Gunilla ging. Het was niet voor het eerst dat hij zich sociaal gehandicapt voelde. De gewone, gangbare beleefdheidsfrases ontbraken vaak bij hem. Maar waarschijnlijk was dat een beroepsafwijking.

Terwijl de inspecteur terugliep naar zijn auto, keek hij opnieuw naar Kjols huis. Het was zodanig verlicht dat hij de indruk kreeg dat de man toch thuis was. Misschien verborg hij zich achter een gordijn en weigerde gewoon om open te doen. Hij ging het erf op en liep naar de achterkant op zoek naar een levensteken. Toen hij door een raam naar binnen keek, zag hij een man op een versleten ribfluwelen bank liggen. De tv stond aan en liet een oorlog tussen mieren zien. Kenny Kjol leek volkomen knock-out te zijn. Of was hij dood? Op de tafel voor hem stonden bierblikjes en flessen brandewijn in een rij opgesteld, een hoeveelheid die niemand zou horen te overleven.

Maar een harde klop op het raam volstond om te kunnen constateren dat de man heel erg levend was. Kenny sprong op van de bank alsof hij door een bij gestoken was. De terrasdeur vloog met een klap open en Räffel stapte naar binnen.

Hij rook een weerzinwekkend mengsel van schimmel, braaksel en alcohol.

Kenny boerde ongegeneerd terwijl hij naar hem knikte. 'Het is niet elke dag dat er hier smerissen opduiken, ik neem aan dat het belangrijk is.'

'Daar heb je gelijk in. Ik wil alles weten over Agnes' verdwijning.'

Kenny zag er opgelucht uit.

'Fijn dat iemand eindelijk naar me luistert. Nou, ik was dus op weg naar de Jaktensscheepswerf en...'

'...daar kwam je haar tegen?' onderbrak Räffel hem.

Hij kreeg een niet-begrijpende blik terug.

'Nee, ik heb toch al verteld dat ik toen de auto van de buren er met een enorme vaart vandoor zag gaan.'

Räffel was ongeduldig, hij wilde naar huis, naar zijn vrouw en het beloofde eten. Hij wilde hier niet staan bekvechten met een dronkenlap.

'Maar we weten allebei hoe onwaarschijnlijk dat is. Bovendien heb je jezelf al tegengesproken. Ik heb het gevoel dat je iets weet wat ik niet weet. Heb je haar gezien?'

'Dan had ik dat toch wel gezegd? Nee, ik heb alleen die auto gezien.'

Nadat hij nog een paar minuten tevergeefs geprobeerd had iets te weten te komen, ging de inspecteur ervandoor. Als hij kwaad was toen hij ernaartoe reed, dan was hij nu razend. Hij vestigde al zijn hoop op het technisch onderzoek in de zagerij, zodat hij snel een aanleiding zou hebben om terug te keren naar de Briggengatan.

Dinsdag 31 augustus

Je kon Agnes' gezicht nergens ontlopen. Het opsporingsbericht werd onafgebroken herhaald op radio en tv en stond in alle kranten. Overal met dezelfde oproep: om contact met de politie op te nemen als je de vrouw herkende en haar had gezien na haar verdwijning. Om haar beste vriendin niet te hoeven zien, koos Johanna ervoor om zoveel mogelijk binnen te blijven in het achterhuis op een binnenplaats van Kungsholmen.

Het stenen huisje met het zwarte zinken dak had twee verdiepingen, waarvan de bovenste haar oude stijl had behouden met een schuin dak, kalkmuren en zichtbare balken. De begane grond was modern met spotlights, een splinternieuwe keuken met blinkende witte luiken, een gestuukte badkamer en een met mozaïek ingelegd bubbelbad. De renovatie had verschillende conflicten veroorzaakt, en een enorme som geld en een halfjaar tijd gekost. Het resultaat was een droomhuis – voor twee personen. Maar Johanna vond dat het te veel moeite kostte om 's nachts de trap op en af te lopen om haar blaas te legen. En met een kind erbij zou het huisje gegarandeerd niet meer zo droomachtig zijn.

Het was goed om weg te zijn uit Brantevik, maar het was lastig dat de journalisten nu van zich lieten horen. Rosenlunds tamelijk nietszeggende artikel waarin ze werd geïnterviewd, had de dam doorgebroken. Omdat ze de enige in Zweden was die Johanna Winter heette en geen geheim nummer had, was ze gemakkelijk te vinden. Haar telefoonnummer stond natuurlijk op internet, zelfs een kaart en een foto van de voorgevel van haar huis kwamen tevoorschijn wanneer je naar haar zocht. Het was slechts een kwestie van tijd voordat er ook een foto van haar bij zou staan.

Maar ze wilde de zakelijke artikelen hoe dan ook niet opluisteren met sentimentele quotes. Het risico om verkeerd geciteerd te worden was levensgroot en wat zou Agnes eraan hebben als Johanna zei dat ze een fantastische vriendin was? Geen donder.

'Maar u kunt toch wel iets over haar vertellen?' smeekte een lijzige journalistenstem in haar oor terwijl ze tegelijkertijd probeerde Nicole aan te kleden.

'Nee, geen woord.'

'Hadden jullie ruzie of zo?'

'Nee.'

'Maar begrijpt u dat het haar kan helpen als u wat over haar vertelt? Zagen jullie elkaar veel?'

'Jawel, maar ik zeg u toch dat ik er niets over wil zeggen. Dat moet u respecteren. Nu ga ik ophangen,' zei Johanna en ze voelde zich enorm bedrukt en bedroefd dat de journalist in de verleden tijd sprak.

Agnes was niet dood.

'Wacht, nog één vraag: weet u of ze in verwachting was van een jongetje of van een meisje?'

Wat maakte dat nu in godsnaam uit? Johanna wilde tegen hem zeggen dat hij naar de hel kon lopen, maar koos ervoor om gewoon op te hangen.

Goed dat ze niet verder was gegaan als verslaggeefster. Er was geen denken aan dat zij had kunnen opbellen en zulke opdringerige vragen had kunnen stellen in zo'n gevoelige situatie. Vooral niet zulke idiote vragen, maar dat was natuurlijk een manier om de geïnterviewde uit zijn schulp te lokken, om hem iets te laten zeggen wat de krantenkop van morgen kon worden. Er was een enorm groot verschil tussen een mediagetrainde politicus in het nauw drijven en iemand interviewen die een familielid verloren had. In het laatste geval was de schiet-maar-raakjournalistiek gewoon onsmakelijk.

De journalist belde nog drie keer achter elkaar nadat ze had opgehangen, en Johanna besloot om de telefoon alleen nog op te nemen als ze het nummer herkende. Ze pakte de hoorn van haar huistelefoon en zette het antwoordapparaat aan, zodat ze tenminste niet meer beide beltonen hoefde te horen. Ze keek naar de klok en constateerde dat dat hele telefoongedoe haar tien minuten had gekost. Ze moest zich haasten als ze nog op tijd bij de kinderopvang wilde zijn. En ze wist niet eens waar de crèche precies was. Zo ongeveer bij de Kungsholmkerk, had Tobbe uitgelegd. Maar ze had het adres en wist ongeveer waar ze moest zijn, het was in elk geval niet ver van het appartement aan de Bergsgatan. Met aanhoudende kramp in haar buik zou het haar misschien tien minuten of een kwartier kosten om er te komen. En het was de moeite waard, ze had rust nodig.

Het probleem was dat Nicole niet mee wilde. Johanna streelde voorzichtig over haar wang. Ze moest naar de crèche. Anders zou Johanna instorten.

'Hé, kleintje, we moeten zo gaan. Maar eerst gaan we je tanden poetsen.'

'Wil ik niet. Ik wil die rare puzzel maken.'

'We poetsen eerst je tanden en dan maken we de puzzel, oké?'

Het meisje knikte en begon de puzzel te leggen terwijl Johanna de tandenborstel haalde.

Ging het altijd zo makkelijk? Je kon dus met kinderen onderhandelen. Ze hielp Nicole met tandenpoetsen en stopte daarna twee sneetjes witbrood in het broodrooster omdat ze nog niets gegeten had. Vervolgens bereidde ze zich geestelijk voor op de laatste stap: het aankleden. De montessoripedagogiek dat kinderen zichzelf moesten aankleden, was hier niet aan de orde.

'Zo, Nicole, nu gaan we ons aankleden en dan gaan we!'

'Neehee,' antwoordde Nicole met een uitdagende blik.

Johanna tilde haar uit de stoel. De reactie was een harde trap recht in haar buik. Ze voelde hoe de baby schrok.

'Foei Nicole, dat mag absoluut niet! Begrijp je niet dat er een kleine baby in mijn buik zit die je pijn kunt doen?' schreeuwde Johanna buiten zichzelf van woede en angst.

Nicole keek haar met grote ogen aan en haar onderlipje begon te trillen.

'Sorry, meisje. Sorry dat ik schreeuwde, maar je trapte zo hard. Ik schrok van je!' troostte Johanna en ze hoopte dat het weer goed was.

Het meisje kalmeerde en Johanna besefte te laat dat ze brood aan het roosteren was. Op hetzelfde moment ging de overdreven luide rookmelder af en ze moest een stoel pakken om hem uit te kunnen zetten.

Nicole was nu ontroostbaar en Johanna wenste even dat zij zelf was verdwenen in plaats van Agnes. Ze keek naar de klok op de oven, vijf over negen. Ze waren al laat. Ze tilde Nicole op en liep de woning uit voordat het meisje zelfs maar doorhad wat er gebeurde. Het liefst van alles wilde ze op de stoep gaan liggen en doodgaan, maar ze probeerde haar hoofd erbij te houden zoals van een volwassene wordt verwacht.

De ingang van de kleuterschool was op het Kungsholms Hamnplan 6. De deurcode werkte, ze opende de deur en werd verwelkomd door de sterke geur van kinderpoep. Ze liepen de trap op waar een heleboel foto's hingen van zoete kindertjes.

De kinderen en hun leraar zaten in een lokaal ernaast te zwaaien. Vermoedelijk zongen ze iets, maar dat was niet te horen door de dikke glazen deur. Nicole leek gauw naar binnen te willen en Johanna liet haar daar na een korte omhelzing achter. Toen ze zich omdraaide en weg wilde lopen, kwam ze een vrouw tegen in de gang.

'Hallo, mijn naam is Margaretha Löfgren en ik ben de directeur. Zorg jij voor Nicole?'

'Ja.'

Margaretha keek naar Johanna's enorme buik.

'Wanneer ben je uitgerekend?'

'Dat is een kwestie van tijd, elk moment eigenlijk.'

'Ongeveer gelijk met Agnes dus...'

'Ja,' antwoordde ze zacht en ze wist niet wat ze moest zeggen om niet in elkaar te storten.

'Het is een vreselijke geschiedenis en we zullen er alles aan doen om Nicole alle steun te geven die ze nodig heeft.'

'Hartstikke goed, dank u wel,' zei Johanna een beetje gepikeerd. Ze had graag zelf ook een deel van die steun ontvangen.

Toen ze de crèche verliet kon ze geen adem meer krijgen. De ochtend was verschrikkelijk geweest en ze wist niet goed hoe ze het vol moest houden. Ze liep naar de kerk en voelde haar mobieltje trillen in haar zak. Ondanks haar besluit om alleen op te nemen als het een nummer was dat ze herkende, drukte ze op 'beantwoorden'.

'Johanna,' zei ze kort.

'Hallo, mijn naam is Emil Jönsson en ik bel namens het tv-programma *Opsporing*.'

'Ja, oké.'

'Ik werk aan een uitzending over Agnes en ik vroeg me af of je misschien een interview wilt geven. Je was toch bij haar vlak voor ze verdween?'

'Ja, dat klopt, we waren samen in Skåne op vakantie,' antwoordde ze.

'Wil je misschien iets over Agnes vertellen en een beeld geven van hoe ze als persoon was?'

'Ik weet niet...' mompelde Johanna afwachtend en ze vroeg zich af waarom ze het mobieltje niet gewoon uitzette. Dit was tenslotte ook weer een journalist die de verkeerde werkwoordsvorm gebruikte.

Ze vroeg zichzelf eerlijk af of ze een exhibitionist met een dubbele moraal was, die het plotseling oké vond om in de openbaarheid te treden nu het om televisie ging.

‘Ik denk niet dat ik zoveel te vertellen heb. Ik zou u aanraden met haar man te gaan praten.’

Hij vroeg of ze er toch over na wilde denken en of hij er later op terug mocht komen. Ze durfde het niet te weigeren, het was gemakkelijker om problemen naar de toekomst te schuiven. De grootste vraag was of ze überhaupt in staat zou zijn een interview te geven.

Zodra ze thuis was, zette ze het espressoapparaat aan dat ze als huwelijkscadeau had gekregen. Daarna deed ze een nieuwe poging met het broodrooster. Tobbe had niets meer van zich laten horen sinds ze thuis waren. Hij had niet eens gebeld om te vragen of de reis goed was verlopen. Het was natuurlijk niet zijn hoogste prioriteit, maar toch. Nicole was tenslotte zijn kind.

De onvrede die ze had gevoeld toen ze afscheid namen in Brantevik prikte als een doorn in haar borst. Er was iets met Tobbes houding waar ze kippenvel van kreeg. Ze kon haar vinger er niet precies op leggen, maar hij leek zo onzeker over wat hij had gedaan op die zaterdagavond. Een onzekerheid die aanstekelijk werkte. Ze deed haar best om objectief te denken, dat was een beroepsdeformatie van haar. Het was de vraag of Tobbe en Agnes elkaar later op de avond nog hadden gezien en of hij zo akelig tegen haar had gedaan dat ze ervandoor was gegaan. Of misschien was ze naar de kamer gegaan en had ze Tobbe daar zitten opwachten en daarna ruzie met hem gekregen. Maar dan zou iemand dat gehoord moeten hebben, want de plek was volgeboekt. Al kon het natuurlijk zo zijn dat de andere gasten nog niet terug op hun kamer waren, of verdoofd waren door alcohol, of diep sliepen.

Johanna klopte de in de magnetron verwarmde melk op en strooide er een beetje kaneel overheen. In haar verwarring vergat ze er koffie bij te schenken.

De telefoon ging, het was Emil-nog-wat van *Opsporing* weer.

‘Heb je erover na kunnen denken?’ vroeg hij hoopvol.

‘Ja, maar ik weet het niet. Ik ben niet in staat om ergens naartoe te gaan.’

‘Maar dat is geen probleem, we kunnen naar jou komen! Het is voor de uitzending van negen uur op donderdag, dus ik heb nu wel een antwoord nodig.’

Johanna verraste zichzelf door ja te zeggen.

Inspecteur Räffel kon niet wijs worden uit de zaak-Agnes Malm. Hij was er dag en nacht mee bezig. Het was voor het eerst sinds hij in 1975 de politieacademie in Solna had verlaten dat hij verantwoordelijk was voor een zo merkwaardig onderzoek. Zwangere vrouwen verdwijnen niet. Het enige geval dat hij zich kon herinneren was bij de politie van Stockholm, en dat was geëindigd met de vlag halfstok. Een Keniaanse vrouw die zeven maanden zwanger was werd in Mälaren onder de Lullehovsbrug gevonden, vlak voor Ekerö in de omgeving van Stockholm. Er was geen twijfel dat het om een misdaad ging, ze was in zeildoek gewikkeld dat voorzien was van loden gewichten. Afgezien daarvan kon Räffel zich geen enkele zwangere vrouw in Zweden herinneren die ontvoerd of vermoord was.

Behalve dan de blonde vrouw op de foto die hij nu in zijn handen hield. Hij bestudeerde de foto, die nog maar een paar maanden oud was. Agnes zag er ontegenzeggelijk gelukkig uit, met sprankelende ogen en een stralende glimlach. Het was geen aangename opgave om haar zaak onder je hoede te hebben. Niemand dacht nog dat ze er moedwillig vandoor was gegaan, dat was zeer onwaarschijnlijk. Hij was ervan overtuigd dat er een misdaad aan haar verdwijning ten grondslag lag, maar hij begreep niet hoe die in zijn werk was gegaan. Hij wilde niet dat zijn smetteloze carrière verpest zou worden door een onopgeloste verdwijning. Terwijl hij uitkeek over de stapel met kranten over de zaak, bleef zijn blik rusten op een foto van Tobias. De foto was onflatteus, hij zag er in het echt veel aardiger uit. Vanaf het begin was bij hem het vermoeden gerezen dat Tobias niet de vader van het kind was. Dat zou een mogelijk motief kunnen zijn. Hij was tenslotte de laatste die haar had gezien. De twijfel nam steeds meer toe. Er was iets met Tobias wat Räffel wantrouwend maakte. Zijn houding was opmerkelijk voor een man die net zijn vrouw was kwijtgeraakt. Het was niet zo dat hij niet meewerkte, dat kon Räffel niet beweren, maar hij leek zich bezwaard te voelen wanneer de politie belangrijke, mogelijk beslissende vragen stelde. Hij leek het antwoord steeds uit te stellen om iets geloofwaardigs te kunnen bedenken. Niets kwam spontaan, de antwoorden lieten altijd iets te lang op zich wachten. Meestal betekende dat dat de persoon iets te verbergen had. De inspecteur vond dat het de hoogste tijd werd voor een echt gesprek met Tobias. Er was echter het probleem dat hij zich aan de voorschriften moest houden. Hij was zich er volledig van bewust dat het niet gebruikelijk was om beschuldigende vragen te stellen aan iemand die niet openlijk verdacht werd. Maar tot nu toe was de politie begripvol en voorzichtig met Tobias omgegaan. Het moest verschrikkelijk zijn om eerst je vrouw te verliezen, die bovendien zwanger was, en er dan van verdacht te worden dat je er verantwoordelijk voor bent.

Räffel ging bij zichzelf te rade. Was dit wel een goede strategie? Tegelijkertijd voelde hij de druk van de media. Het maakte geen verschil dat hij al meerdere keren had verklaard dat de politie alles deed wat mogelijk was. De media eisten evengoed antwoord op de vraag wat er gebeurd was en hij had nog steeds het gevoel dat ze op zoek waren naar een speld in een hooiberg. Ja, het werd tijd om de zware artillerie in te zetten. Hij pakte de telefoon om Tobias te vragen naar het politiebureau te komen.

Tobias nam deze keer al bij de eerste poging zijn mobieltje op. Hij klonk dodelijk vermoeid.

'Dit is inspecteur Räffel. Zou u misschien nu meteen naar het politiebureau kunnen komen?'

'Is er iets gebeurd?'

'Nee, dat is het probleem juist. Er is niets gebeurd. Daarom wil ik graag een paar onduidelijkheden met u doornemen.' Hij zei 'doornemen', maar bedoelde eerder 'informatie uit u krijgen'. Alle vragen moesten nu meteen beantwoord worden en dat was geen seconde te vroeg.

'Oké, meteen dus?' Tobias klonk overdonderd.

'Dank u, graag ja. Vraag naar mij aan de balie,' antwoordde Räffel, die zich er niets van aantrok dat hij honger had en eigenlijk iets zou moeten eten. Tobias zou er binnen een kwartier zijn, het zou dus een chocoladebiscuitje uit de automaat worden.

Räffel bereidde zich voor op de ontmoeting met Tobias door de beknopte verslagen te lezen van eerdere gesprekken met hem. Er waren veel gaten. De antwoorden waren nietszeggend en soms kwamen ze helemaal niet. Hij zou het zichzelf nooit vergeven als Tobias de dader zou blijken te zijn. Hij had hem vanaf het begin hard moeten aanpakken. Soms vroeg hij zich af of hij niet iets meer overwicht nodig had om zijn rol goed te kunnen spelen. Hij maakte zich elke keer veel te veel zorgen om zijn eigen dochters als er een verkrachting of een andere ernstige misdaad had plaatsgevonden. Hij was de tel kwijtgeraakt hoe vaak hij zichzelf met dit soort gedachten had gekweld. Mijn God, ze zijn nu volwassen en kunnen zichzelf redden, probeerde hij zichzelf in te prenten.

Räffel vroeg zich af of zijn positieve mensbeeld niet een nadeel voor hem was in de uitoefening van zijn beroep. Hij luisterde altijd aandachtig naar wat anderen vertelden, maar koos er instinctief voor om mensen te vertrouwen in plaats van ervan uit te gaan dat ze logen. Veel van zijn collega's waren gelouterd en hadden er geen moeite mee om verschrikkelijke zaken op zich te nemen, maar Räffel was erg empathisch en vond het moeilijk om mensen al op voorhand te veroordelen.

Hij wist niet hoe lang hij had zitten peinzen toen er eindelijk op de deur werd geklopt. Hij schrok op, verdomme, zijn zenuwen leken nergens tegen te kunnen. Hij had vakantie nodig.

Van een gewone, beschaafde klop op de deur hoefde je toch niet zo te schrikken.

Tobias stapte naar binnen. Het verbaasde Räffel hoe afgepeigerd hij eruitzag. Waarschijnlijk was het slaapgebrek dat sporen had nagelaten, vooral onder zijn ogen. Of was zijn gezicht getekend door gewetenswroeging?

'Hallo, wat had er zoveel haast?' vroeg Tobias voordat hij plaats had genomen.

'Ga zitten,' zei Räffel. 'Wil je iets drinken?'

'Nee, bedankt.'

'Oké, ik zal er niet omheen draaien. We hebben geen duidelijk beeld van wat Agnes op de avond van zaterdag de achtentwintigste augustus precies heeft gedaan.'

Tobbe antwoordde vrijwel meteen.

'Het is niet zo makkelijk om daarachter te komen. Ik wist niet wat er ging gebeuren, dus ik heb niet geprobeerd alles in me op te nemen. Bovendien had ik onvoorstelbaar veel bier naar binnen gewerkt, zoals u weet. En ging ze de hele tijd naar het toilet.'

Räffel probeerde te bedenken waarom dat laatste van betekenis zou kunnen zijn voor het verloop van de gebeurtenissen. Hij probeerde de volgende vraag niet al te beschuldigend te laten klinken. 'Het bezwarende is dat u degene bent die haar als laatste in levenden lijve hebt gezien.'

'Op degene na die haar heeft meegenomen,' verbeterde Tobias hem snel. 'Het stukje stof, wat heeft dat opgeleverd?' probeerde hij.

'Voorlopig nog niets.'

Räffel moest zijn woorden zorgvuldig kiezen. Het gesprek had de grenzen van het toelaatbare al bereikt. Misschien zou Tobias dat zelf dadelijk begrijpen, en daarom koos Räffel ervoor om op volle kracht door te gaan en stelde hij de vraag waar hij de laatste tijd mee had rondgelopen.

'Hoe kunnen we weten dat jij het niet gedaan hebt?'

Hij verwachtte een reactie, protest, een vloek, iets. Maar Tobias antwoordde rustig dat het antwoord simpel was.

'Ik heb geen enkel motief. We waren gelukkig samen en zouden net ons tweede kind krijgen. Kunt u mij één reden geven waarom ik haar zou willen ontvoeren, of erger nog, zou willen doden?'

'Ik hoopte juist dat u daar antwoord op kon geven.'

Tobias werd bleker.

'Maar begrijpt u het niet? Er is geen aanleiding voor. Als het slecht was gegaan met onze relatie, hadden we kunnen gaan scheiden. Dat gebeurt de hele tijd,' verklaarde Tobias met een stem die op het punt van breken stond.

'Aangezien u er zelf over begint: ik vraag me af of zij misschien van u wilde scheiden.'

Tobias gaf geen antwoord en Räffel ging verder met provoceren.

'Hoe vernederend zou dat zijn? De vrouw in uw leven, die bovendien zwanger is, wil u verlaten. Had ze misschien een ander? U was net te weten gekomen dat het kind niet van u is.'

Tobias keek hem woedend aan. 'Kan ik nu gaan?'

'Nee, ik ben nog niet klaar.'

'Dan moet u wachten tot mijn advocaat er is. Ik heb meegewerkt omdat ik dacht dat we hetzelfde doel nastreefden: het vinden van mijn vrouw. Nu blijkt dat u uit bent op het vinden van een zondebok. U bent uit het oog verloren waar het werkelijk om gaat. Omdat u geen vertrouwen meer in mij hebt, kan ik mijn tijd hier ook niet zitten verdoen door naar uw waanzinnige speculaties te luisteren terwijl Agnes ergens voor haar leven vecht. Als ze niet al om het leven is gebracht omdat u geen steek bent opgeschoten. U weet zelf dat u fout zit. Is er ook maar iets wat mij in verband brengt met een mogelijke misdaad?'

Räffel hoefde niets te zeggen omdat ze allebei het antwoord

wisten. Zonder er nog een woord aan toe te voegen stond Tobias op, liep naar buiten en sloeg de deur met een klap achter zich dicht.

De tactiek van de tv-reporter was erop gericht om Johanna op een zo laat mogelijk moment te ontmoeten zodat ze zich niet zou kunnen bedenken, zoveel begreep ze. Haar hartslag nam toe terwijl ze gestrest door de woning liep en schoonmaakte, afwaste en losliggend wasgoed en niet-uitgepakte koffers in de kast stopte. Op de een of andere manier voelde ze zich opgeruimd en ze keek verwachtingsvol uit naar de ontmoeting. Nu ze had toegestemd met het interview, voelde ze hoe ze ernaar verlangde om haar gevoelens voor Agnes onder woorden te brengen. Ze wist precies wat ze zou gaan zeggen. Ze had een klein beetje hoop dat degene die achter de verdwijning zat het programma zou zien en berouw zou krijgen, zich misschien zelfs aan zou geven. Ook al zag ze in dat die kans minimaal was, het was op zijn minst een poging waard.

Een kwartier voordat het team zou verschijnen, herinnerde ze zich hoe afschrikwekkend ze er eerder op de dag in de spiegel uit had gezien. Ze moest zich opfrissen en besloot wat deodorant op te spuiten en de resterende minuten te besteden aan haar make-up. Na wat poeder, rouge en lipgloss bood het spiegelbeeld een iets betere aanblik. Ze glimlachte tevreden naar zichzelf tot ze bedacht waarom ze zich had opgetut. Er was geen sprake van iets leuks, het ging om een gesprek over haar verdwenen vriendin. Beschaamd veegde ze de kleur van haar lippen.

Vijf minuten na de afgesproken tijd werd er op de deur geklopt. Johanna mocht de reporter Emil Jönsson meteen. Hij zag er niet alleen leuk uit met zijn donkere ogen en brede glimlach, hij zorgde er ook voor dat zij zich bijzonder voelde. Hij liet duidelijk blijken hoe gefascineerd hij was door haar mooie buik en

het kriebelde toen hij zijn grote hand erop legde.
'Een meisje, toch?' vroeg hij en hij keek haar diep in de ogen.
'Ik weet het niet,' zei Johanna en ze sloeg gegeneerd haar blik neer.
'Wanneer komt het?'
'Het is uitgerekend voor over ongeveer twee weken, maar het kan natuurlijk elk moment al komen. Misschien kunnen we beter maar meteen beginnen,' grapte Johanna en ze ging hun voor naar de bovenverdieping.
'Wat een fantastisch huis!' prees Emil.
Ze werd overladen met complimenten over de smaakvolle inrichting. Emil was vooral geïmponeerd door het originele tegelwerk in de slaapkamer en leek er niet genoeg van te kunnen krijgen. De cameraman, die zich Ebbe noemde, voelde aan de dakbalken en ze sloegen tegen de muren. Johanna vroeg zich even af of ze vergeten waren dat ze er namens *Opsporing* waren en niet namens een of ander woonmagazine, maar ten slotte begonnen ze hun spullen uit te pakken.
'Oké, ik ben zover,' zei Ebbe en hij gebaarde naar Johanna dat ze moest gaan zitten.
Opgelucht nam ze plaats in de rode draaifauteuil. Emil kreeg de hele bank voor zichzelf.
'Dan beginnen we! Het interview met jou wordt op verschillende plekken doorsneden met feiten, politiecommentaar, foto's van Brantevik en overzichtskaarten van haar laatste dag. Kunnen we beginnen?'
'Moet ik in de camera kijken?' vroeg Johanna.
'Nee, kijk naar mij.' Emil knikte naar Ebbe, die een duim opstak.
'Ik zit hier met Johanna, de beste vriendin van Agnes, die erbij was in de havenkroeg Branterögen op zaterdag 28 augustus toen Agnes Malm spoorloos verdween. Agnes moest maar honderd meter afleggen van de kroeg naar de Lapphörnan, waar zij

en haar man een kamer hadden gehuurd. Het zou een wandeling van ongeveer een minuut moeten zijn geweest, zelfs in haar hoogzwangere toestand. Maar ze is nooit aangekomen. De politie heeft het idyllische vakantiedorpje ondersteboven gekeerd zonder een levensteken te vinden, behalve een stukje van Agnes' jurk. Maar laten we bij het begin beginnen. Johanna, vertel eens hoe jullie ontdekten dat ze weg was.'

Ze dacht terug aan hoe dat was gegaan.

'We kwamen er door een misverstand pas 's ochtends achter. Toen ze niet in de Lapphörnan was, dacht Tobbe dat ze 's avonds naar Nicole was gegaan en bij haar was blijven slapen. Dus we begrepen pas wat er gebeurd was toen hij 's ochtends bij ons binnenkwam. En toen was de hele nacht al verstreken.'

'Wat was het eerste wat je dacht toen je begreep dat ze weg was?'

Johanna sloeg haar ogen neer.

'Ik kon totaal niet meer denken en het voelde alsof mijn hart stil bleef staan. Ik morste koffie op mijn voeten en brandde me. De pijn werd vermengd met paniek en verwarring. Het was alsof alles in mist was gehuld, alles was wollig. Ik kan me niet goed meer herinneren wat ik dacht.'

Emil was professioneel en stelde relevante en interessante vragen. Ze slaagde erin te praten zonder te huilen, misschien omdat ze nerveus en gespannen was.

'Jij bent ook zwanger, zouden jullie gelijktijdig een kind krijgen?'

'Ja, bijna, er zitten maar een paar weken tussen. We hadden het niet gepland om gelijktijdig een kind te krijgen, het kwam gewoon zo uit. Ik ben er negen maanden lang dolblij over geweest, maar...' Ze raakte de draad kwijt toen ze hoorde hoe de sleutel in het slot van de benedenverdieping werd gestoken.

'Hallo lieveling, ben je thuis?' riep Eric, die onaangekondigd thuiskwam.

Ze bedacht dat ze hem niets over *Opsporing* had kunnen vertellen. Ze sprong op uit de fauteuil alsof ze betrapt was met een geheime minnaar. Eric kwam de trap op lopen en fronste zijn voorhoofd.

'Hallo?' zei hij verbaasd.

'Hoi, lieveling! Dit zijn Emil en Ebbe van *Opsporing*!'

'Oké, hallo!' zei hij. Hij stelde zich snel voor en keek daarna naar Johanna. 'Kan ik even met je praten?'

Het was eerder een bevel dan een vraag.

Hij trok haar met zich mee de trap af en de badkamer in.

'Waar ben jij mee bezig?' vroeg hij verontwaardigd.

'Maak je niet druk, ik vertel alleen over Agnes in hoedanigheid van haar beste vriendin. Ze belden me en vroegen of ik mee wilde doen en ik was eerst van plan om nee te zeggen. Maar nadat ik een poosje had nagedacht, besloot ik dat ik het toch graag wilde doen. Het programma is goed en ik wil helpen met het kleine beetje dat ik kan.'

Eric schudde geïrriteerd zijn hoofd.

'Komt je gezicht in beeld?'

Johanna begreep niet waar hij naartoe wilde.

'Ja, natuurlijk, waarom vraag je dat?'

'Hallo, waar denk je eigenlijk dat je mee bezig bent? Dit is geen spelletje. We hebben geen idee wat er met Agnes is gebeurd. Stel je voor dat er een of andere gek rondloopt die zwangere vrouwen ontvoert en vermoordt! Heb je daar ooit aan gedacht? Hoe slim denk je dat het dan is om met je gezicht op tv te komen? Wat dacht je eigenlijk?'

Johanna werd helemaal trillerig. Eerst door het woord 'vermoordt' en daarna door het feit dat ze zichzelf en haar baby uit pure onnozelheid bijna in gevaar had gebracht.

'Het spijt me, ik dacht niet na,' zei ze zacht.

Er werd op de badkamerdeur geklopt.

'Is alles goed, Johanna?'

De vraag kwam van Emil, die nerveus klonk. Eric had deels geschreeuwd en de dunne badkamerdeur had weinig aan de fantasie overgelaten.

Eric deed de deur open en zei dat het niet goed was.

'Jullie moeten alles wissen wat jullie hebben opgenomen.'

Emil zag er geschokt uit.

'Waarom?' vroeg hij.

'Omdat het een risico inhoudt om op televisie te verschijnen. Johanna is zwanger en haar beste vriendin, ook zwanger, is net verdwenen. Misschien begrijp je nu dat ik er niet happig op ben dat mijn vrouw in deze context geëtaleerd wordt?'

'Gaat dat niet een beetje ver?' protesteerde Emil, maar Eric kapte hem af.

'Het spijt me, het is alleen verspilling van tijd als ik eenmaal een besluit heb genomen. Zouden jullie zo vriendelijk willen zijn om weg te gaan?'

Teleurgesteld pakten ze hun spullen bij elkaar en verlieten het huis.

'Wat een geluk dat ik thuiskwam.'

'Ja,' antwoordde Johanna.

Maar ze vond toch dat hij misschien en beetje overdreef.

Elke keer als Rosenlund slikte voelde het alsof er honderden scherpe messen in zijn keel staken. Gedurende alle jaren dat hij op de krant had gewerkt, was hij nooit thuisgebleven wegens ziekte. Hoewel, een paar jaar geleden had hij het norovirus onder de leden gehad. Maar afgezien van die ene uitzondering had hij geen enkele ziekteverzuimdag op zijn conto staan. Tot nu.

Natuurlijk was hij net als alle anderen zo nu en dan ziek, maar dat betekende niet dat hij afwezig was. Integendeel, Rosenlund was een meester in aanwezigheid bij ziekte, en zat opgesloten in zijn kamer te snotteren als hij verkouden was. Zijn immuunsysteem werkte over het algemeen goed, maar vandaag niet. Hij stelde zich voor hoe verbaasd zijn collega's zouden zijn als ze zagen dat zijn kamer leeg was. De helft zou vast denken dat hij het loodje had gelegd. Een enkeling zou zich zelfs verheugen bij die gedachte. Het enige positieve voor hem was dat hij van de gelegenheid gebruik kon maken om zijn artikelen te ordenen in een nieuw systeem. Hij had een tiental ordners mee naar huis genomen die hij wilde reorganiseren. Bovendien moest hij de verzending van een aantal steekpenningen aan de politie regelen. De cognac stond in kartonnen dozen in de woonkamer.

De keelpijn was 's nachts begonnen en 's ochtends veel heviger geworden. Hij had niet veel kunnen slapen en er lag geen paracetamol in het badkamerkastje. Hij kon naar de apotheek gaan óf thuis blijven zitten en pijn lijden. De alcoholmethode, de bacteriën met zuivere alcohol wegbranden, had hij al zonder succes beproefd.

Verdomme ook, hij had helemaal geen tijd voor dit soort gedoe. Het was de derde dag nadat Agnes was verdwenen. De berichtgeving over de zaak stond stil in afwachting van nieuwe ontwikkelingen. Misschien kwam het doordat zijn hoofd vol snot zat, of hij begon oud en blasé te worden. Hij kwam overeind uit zijn oude namaakleren IKEA-bank, die binnenkort zijn twintigjarig jubileum in het huis vierde, en liep naar de keuken. In een tweekamerwoning is er niet veel keuze en hij vroeg zich verward af waarom hij daar naartoe was gegaan. Hij moest teruglopen naar de woonkamer en in de jubilaris gaan zitten om te bedenken wat hij in hemelsnaam van plan was voordat hij overeind kwam. Wat doe je in een keuken?

Eten.

Er waren genoeg blikjes knakworst in de provisiekast en hij maakte een ervan open. De ketchup was al een halfjaar over de datum, maar dat maakte hem niet uit. Houdbaarheidsdata waren altijd overdreven. De smaak moest het bepalen, zelfs op een dag als deze, waarop hij niets proefde. Het keukenpersoneel in restaurants gooide ook geen pallet met room weg als die over de houdbaarheidsdatum was. Die werd de gasten gewoon voorgezet en die slurpten hem met plezier op. Zolang de grondstoffen niet uit zichzelf wegliepen, waren ze in orde.

Worstjes waren koud het lekkerst. Hij at er elf, ze waren belachelijk klein. Toen gebeurde er iets heel ongewoons: er werd aangebeld. Hij wist niet eens dat hij een bel had en pas nadat hij een paar keer naar het geluid had geluisterd en hard in zichzelf gevloekt had, begreep hij dat het zijn deurbel was.

Voor de deur stond Myggan, de nachtchef.

'Hé, nee maar! Wat doe jij hier?' vroeg hij oprecht verbaasd.

Myggan maakte een geschokte indruk en deed automatisch een paar passen achteruit toen hij hem zag.

Hij wist niet of het zijn afgepeigerde uiterlijk, zijn kleding of een combinatie van beide was. De blik van de nachtchef drukte in elk geval een soort afschuw uit.

'Stoor ik?' vroeg Myggan en hij knikte in de richting van de woning alsof hij naar binnen wilde, al drukte zijn lichaamstaal precies het tegenovergestelde uit.

'Nee, helemaal niet, helemaal niet. Ik heb net geluncht of gegeten of zoiets. Hoe laat is het?'

'Acht uur. 's Avonds.'

'Echt waar? Kom binnen!'

Myggan stapte over de drempel en trok zijn neus op. Rosenlund vermoedde dat dat kwam doordat hij al een tijd niet had gelucht. Dat waren vrouwendingen en zodoende was het niet meer gebeurd sinds Gun hem had verlaten. Tot nu toe had hij niemand ontmoet die ermee kon leven dat zijn carrière zijn eerste prioriteit was. Op een bepaalde manier was dat vervelend, maar de meeste vrouwen waren toch alleen maar als babbelzieke pleisters die schuurden en schaafden over zijn gevoelige psoriasishuid.

Myggan zei niets en Rosenlund kon zijn nieuwsgierigheid niet langer bedwingen.

'Is er iets gebeurd, dat je naar mijn huis komt?'

'Ik wilde precies hetzelfde vragen. Je bent in de negentien jaar dat ik er werk elke dag op de redactie geweest en vandaag plotseling niet. Je beantwoordt je mobiele telefoon niet en een vaste aansluiting lijk je niet te hebben,' zei Myggan en hij keek opgelaten om zich heen.

Rosenlund deed alsof hij Myggans openlijke afkeuring niet merkte. Hij liet zich ook niet provoceren door de vragende blik van de chef toen die naar de krantenartikelen keek die verspreid lagen over de tafel, de vloer en de bank, naast de kartonnen dozen met de namen van alcoholische dranken erop. Zo zag het er toch uit bij iedereen die in de misdaadverslaggeving werkte?

'Waar heb je al die alcohol voor nodig?' vroeg Myggan.

'Ja, ik ben ziek,' legde Rosenlund uit.

'Ik zie het,' zei Myggan ernstig en hij begon nerveus aan zijn mobiele telefoon te friemelen.

'Ja?' vroeg hij verbaasd. Hij begreep het niet, had hij grote zweren in zijn nek? 'Hoe kun je in hemelsnaam zien dat ik verga van de pijn in mijn keel?'

Myggan wilde antwoorden, maar hij bedacht zich en begon aan een nieuwe zin.

'Jezus, waarom bel je dan niet gewoon om je ziek te melden?'

'Om de eenvoudige reden dat ik geen idee heb wie ik moet bellen om het aan door te geven. Ik ben nooit ziek. Maar ik had misschien een collega moeten bellen om te zeggen dat ik vandaag niet kwam,' erkende hij.

'Je had naar de redactie kunnen bellen. We dachten dat er iets gebeurd was,' zei Myggan en hij liep achteruit in de richting van de hal.

Hij zag er echt terneergeslagen uit.

'Dank je voor de bezorgdheid, ik kom morgen weer. Hoop ik tenminste. Ik wil hier niet zitten wegrotten.'

Myggan zag eruit alsof hij het begreep en zei dat hij weer aan het werk moest.

'Laat het me weten als er nieuws is over de zaak-Agnes!' riep Rosenlund hem na vanuit het trapgat.

De rode digitale cijfers van de klokradio tikten net 23.25 tevoorschijn toen Räffel in bed kroop naast zijn vrouw, die verdiept was in een politieroman die zich afspeelde in Gotland. De avond was precies geweest wat hij nodig had na weer een zware en stressvolle werkdag. Net toen hij zijn vrouw wilde bedanken voor de heerlijke lamsstoofpot en haar goedenacht wilde kussen, was het voorbij met de rust. Hij keek lusteloos naar het oplichtende schermpje van de rinkelende telefoon en begreep dat hij het niet kon maken om niet op te nemen. Voordat hij zelfs maar een begroeting had kunnen uiten, vertelde zijn collega Fors het nieuws al.

'Vermoedelijk lichaam gevonden op het strand bij Sandby. Een paar jongeren die barbecueden op het strand belden en gaven de tip. Ze hebben beloofd dat ze daar op ons blijven wachten. Ik ben over vijf minuten bij je huis. De melding kwam net binnen.'

Räffels blik verplaatste zich van de vragende gezichtsuitdrukking van zijn vrouw naar het uniform dat aan een haakje aan de slaapkamerdeur hing.

'Ik wacht op je op de oprit,' bevestigde Räffel. Hij hing op en draaide zich om naar zijn vrouw. 'Je bent geweldig dat je het volhoudt met iemand als ik. Als ik met zo iemand had samengewoond, had ik allang een scheiding aangevraagd. Je weet tenslotte nooit wanneer ik thuiskom of wegga.'

'Praat toch geen onzin, ik wist wat ik me op de hals haalde toen ik met je trouwde, agent. Bovendien zou jij toch gaan slapen en ik wil lezen, ik zit midden in mijn boek.'

En ik sta midden in de werkelijkheid, dacht Räffel en hij kuste haar op haar voorhoofd en trok het stijve uniform aan.

'Wat is er trouwens gebeurd?' vroeg ze.

'Er is een lichaam aangespoeld op het strand.'

Hij zag hoe ze huiverde voordat ze zich weer in haar boek verdiepte. Ze wist dat ze niet verder moest vragen.

'Slaap lekker, je ziet me wel weer verschijnen.'

'Mmm,' zei ze en ze glimlachte zonder op te kijken.

Op dat moment voelde hij hoeveel hij van haar hield, juist omdat ze zo begripvol was, maar hij zei niets. Zijn gedachten waren nu weer bij zijn werk en daar pasten geen liefdesverklaringen bij. Toen hij de veiligheid van de donkere slaapkamer verliet, voelde hij hoe ongerust hij was over wat hij op het strand zou aantreffen. Zijn lichaam bereidde zich voor op een catastrofe.

Räffel sprong in de auto en ze reden naar Sandby Strand, een rit van vijftien kilometer.

'Hoe geloofwaardig denk je dat de tip is?' vroeg hij.

Fors hield zijn blik op de weg gericht. 'Ik weet het niet, maar ik krijg koude rillingen als ik denk aan wie er verdwenen is. Moord op een zwangere vrouw is meer dan ik kan verdragen.'

Nauwelijks een kwartier later sloegen ze af naar Sandby Strand en parkeerden de auto slordig naast een Fiat Punto. Het was pikdonker buiten en Räffel deed zijn zaklamp aan. Tot dusver was er geen teken van leven te bespeuren.

'Weet je zeker dat ze zouden blijven wachten?' vroeg de inspecteur.

'Ja, hun auto staat er immers nog,' stelde Fors vast.

Ze volgden het pad naar het strand en al snel konden ze vier jongeren onderscheiden die rond een bijna uitgebrand vuurtje zaten. Toen ze dichterbij kwamen, zag Räffel dat het twee meisjes en twee jongens waren, die elkaar vasthielden. De make-up was uitgelopen over de wangen van de meisjes en vormde een oorlogsbeschildering die verraadde dat ze hadden gehuild. De jongens waren bleek maar beheerst.

'Hallo, wij zijn inspecteur Lars Räffel en Håkan Fors van de politie van Simrishamn,' zei Räffel, en op hetzelfde moment viel hij op de grond.

Verlegen krabbelde hij overeind en constateerde dat hij over een lege drankfles gestruikeld was.

'Sorry, wij hebben hem rond laten slingeren, we zullen alles opruimen voor we weggaan. Er kwam iets tussen, zoals u weet,' zei een donkerharig meisje, dat nauwelijks de leeftijd bereikt leek te hebben waarop ze alcohol mocht drinken. 'Ik ben Ebba Bergman en ik heb gebeld. Dit zijn Krille, Bobban en Angelica,' zei ze en ze wees naar haar vrienden.

Räffel knikte en sloeg het zand van zijn uniform.

'Vertel vanaf het begin wat er is gebeurd.'

Ebba keek naar de anderen, die knikten dat zij het moest vertellen.

'We zijn hiernaartoe gekomen om worstjes te braden. Daarom begonnen we twijgen en takjes te zoeken om een vuurtje mee te maken. Daarna hebben we gegeten en gekaart. Alles was hartstikke leuk tot Angelica en Bobban op het idee kwamen om te gaan zwemmen. Ze liepen naar het water terwijl ik en Krille hier bij het vuur bleven.'

Ze pauzeerde even.

'Plotseling hoorde ik Angelica schreeuwen en toen kwamen ze naar ons toe rennen alsof ze achterna werden gezeten. Eerst werd ik vreselijk bang en wilde ook wegrennen,' vertelde Ebba met opengesperde ogen.

Räffel keek naar het andere meisje.

'Ja, ik struikelde over iets waarvan ik dacht dat het een boomstam was, wat op zich al vreemd was. Want hoe was die dan op het strand terechtgekomen? Bovendien ritselde het en toen begreep ik dat het iets anders moest zijn,' zei ze, zo zachtjes dat hij moeite moest doen om haar te verstaan.

Räffel vond het moeilijk om zich alle namen te herinneren, maar hij nam aan dat het Bobban was die verderging.

'Ik lachte Angelica eerst uit, maar toen voelde ik er zelf aan en ik weet heel zeker dat het een mens is.'

'Heb je het gezien?'

'Nee, maar ik voelde iets waarvan ik denk dat het zeildoek was en daaronder was een lichaam.'

Angelica wendde haar gezicht af en gaf over. Räffel wist niet of het door de alcohol kwam of door het feit dat ze vermoedelijk half over een lijk heen had gelegen.

'Wie van jullie heeft een rijbewijs?'

'Ik,' antwoordde Krille en hij trok het uit zijn broekzak.

'Heb je gedronken?'

'Nee,' zei hij en hij keek bedrukt naar de grond.

'En de anderen, zijn jullie meerderjarig?' vroeg Räffel en hij vermoedde dat dat niet het geval was.

'Ja, natuurlijk, we hebben toch gedronken,' zei Angelica en ze giechelde nerveus terwijl ze haar mond met haar mouw afveegde.

Ebba keek haar vriendin kwaad aan.

'Nee, Krille is de enige die achttien is,' verklapte ze en Angelica wierp een verwijtende blik op haar vriendin.

Räffel besloot de jongeren, die toch al geschrokken waren, niet de les te lezen.

'Weten jullie ouders dat jullie hier zijn?'

'Nee.'

'Het is het beste als jullie naar huis bellen om te vertellen wat er gebeurd is,' zei Räffel. 'Waar hebben jullie het lichaam gevonden?'

Ze wezen schuin naar links in de richting van de zee.

'Håkan wacht hier met jullie en stelt nog een paar vragen,' zei hij en hij knikte naar Fors om duidelijk te maken dat hij notities moest maken.

Daarna richtte hij zijn zaklamp naar de zee. Vooruit dan maar, dacht hij en hij begon te lopen.

Sandby Strand was lang en breed en hij moest nog zeker dertig meter lopen voor hij bij het water was. Zijn gedachten zoemden onrustig door zijn hoofd. Alleen al het idee dat het de zwangere Agnes kon zijn die daar in zeildoek gewikkeld lag, maakte hem onrustig. Natuurlijk kon het iedereen zijn, maar zij was de enige die vermist werd in dit gebied. Hij ging sneller lopen. Het was moeilijk om iets te onderscheiden in het donker, maar een paar meter voor hem meende hij een langwerpige massa te zien. Hij haastte zich ernaartoe en bleef voor het opgerolde zeildoek staan. Om het pakket zaten strakgetrokken touwen vol algen en troep. Met een mes sneed hij de touwen een voor een door. Nu moest hij de inhoud er alleen nog uit rollen en hij wist dat hij op zijn kop zou krijgen van de technische recherche als hij het niet heel voorzichtig deed. Hij kon maar één hand gebruiken omdat hij de zaklamp in de andere hield. Toen er nog maar een paar centimeter over was voor hij antwoord zou krijgen, stopte hij een paar seconden om zich geestelijk voor te bereiden. Door het zweet had hij het gevoel dat hij zich in een sauna bevond, ondanks de kille wind. Hij haalde diep adem en trok het laatste stuk zeildoek weg. De misselijkheid trof hem als een vuistslag toen hij een naakte romp onderscheidde. Het leed geen twijfel dat het een vrouw met blond haar was. Hij hield zijn adem in terwijl hij het lichaam voorzichtig omkeerde. Een vermoorde zwangere vrouw was op de een of andere manier het ergste wat hij zich kon voorstellen. Een afschuwelijke dubbele moord die gewoon niet mocht gebeuren. Hij bad voor zichzelf dat het Agnes niet was.

'Allemachtig!' fluisterde hij toen hij de vrouw op haar rug had gedraaid.

Hij deed zo zijn best om tot zich door te laten dringen wat hij ontdekt had, dat hij niet merkte dat er vlak achter de plek waar hij op zijn hurken zat iemand was blijven staan.

'Zal ik de technische recherche bellen?'

Räffel schrok en kwam snel overeind.

'Jezus, Fors, wil je dat ik een hartinfarct krijg?'

Hij hoefde niet eens antwoord te geven op de vraag van zijn collega, en wees alleen gelaten naar het lichaam.

'O god! Ik dacht dat ik ondertussen alles wel had gezien, maar dit dus duidelijk niet,' fluisterde Fors en hij wendde zijn hoofd af.

Woensdag 1 september

Johanna werd wakker van een schrille kinderschreeuw. Het was Nicole die om haar moeder riep en het was moeilijk om haar rustig te krijgen en te laten begrijpen dat het nog steeds nacht was. Toen het meisje eindelijk haar ogen weer sloot, kon Johanna zelf niet meer slapen. De woning was gehorig en ze wilde de anderen niet wakker maken als ze op zou staan. Een open inrichting was leuk, maar niet handig. Nadat ze een halfuur in het donker had liggen staren, sloop ze toch voorzichtig uit bed en ging achter haar computer zitten. Geen nieuwe mails, niets anders wat leuk was om te lezen. Ze begon doelloos rond te surfen op verschillende sites en uit nieuwsgierigheid klikte ze ten slotte op de pagina van *Bladet*. Haar adem stokte. De kamer begon om haar heen te draaien toen ze de zwarte kop boven aan de pagina zag. Steeds opnieuw las ze het bericht zonder te begrijpen wat er stond.

VROUW DOOD GEVONDEN OP ÖSTERLEN

Rond middernacht deden een paar jongeren een verschrikkelijke ontdekking op Sandby Strand in Skåne – het dode lichaam van een vrouw.

Velen speculeren erover dat het de negenentwintigjarige Agnes Malm kan zijn, de zwangere moeder die zaterdagavond spoorloos verdween uit het vissersdorp Brantevik. Bronnen bij de politie melden dat de ongeïdentificeerde vrouw om het leven is gebracht, maar dat het te vroeg is om uitspraken te doen over de toedracht. Alles wijst erop dat de vrouw al dood was voordat ze in het water belandde.

Meer informatie volgt binnenkort.

Haar hart bonkte in haar borst. Haar maag trok zich samen en werd steenhard. Ze probeerde op te staan uit de stoel, maar het was of ze vastgevroren zat. De ingelijste foto van haar en Agnes die naast de computer hing, leek uit een eerder leven te komen. Haar vriendin zag er zo gelukkig uit, zo levend.

Ze kon niet bevatten dat Agnes dood zou kunnen zijn. Johanna probeerde weer overeind te komen, maar haar benen weigerden dienst. Ze begon hulpeloos te huilen uit vertwijfeling en verdriet. Verdomme nog aan toe, ze had erop vertrouwd dat het goed zou aflopen. Dat had ze ook de hele tijd gevoeld. Om de een of andere reden had ze altijd geloofd dat Agnes nog leefde. Misschien was het een soort zelfverdedigingsmechanisme om door te kunnen gaan. Ze voelde zich bedrogen.

Eric werd wakker van haar gehuil en kwam snel uit de alkoof.

'Wat is er gebeurd?'

Johanna kon geen woord uitbrengen. Met een krachtsinspanning tilde ze ten slotte haar hand op en wees naar het scherm. De aarzelende aanzet tot kleur in het gezicht van Eric verdween direct. Toen hij de informatie in zich op had opgenomen, boog hij zich naar Johanna toe en omhelsde haar lang en stevig.

'Denk je dat Tobias het weet?' bracht Johanna na een lange stilte uit.

'Ja, waarschijnlijk wel. Mijn God, wat moet ik zeggen? Het is zo onrechtvaardig en... nee, ik kan niet geloven dat het waar is.'

Eric zag er nog steeds uit alsof hij er niets van begreep en richtte zijn blik weer op het scherm en las het stukje opnieuw.

'Het kan niet waar zijn. Het mag niet waar zijn. Voor Nicole niet, voor Tobbe niet. En voor mij niet. Ik kan dit niet aan,' huilde Johanna.

'Jawel, je redt het wel, daar zorg ik voor. Wíj komen er wel doorheen,' zei Eric vastbesloten.

Johanna wist niet eens of ze dat wilde. Toen Agnes weg was,

bestond er tenminste nog een sprankje hoop. Nu was de vlam gedoofd.

Ook al zou Johanna zich verder door het leven kunnen slaan zonder haar beste vriendin, ze had er geen zin meer in. Haar grootste angst was werkelijkheid geworden en Johanna wist niet hoe ze met dat gegeven moest omgaan. Ze zag hoe haar leven met Agnes langzaam werd uitgewist. De wandelingen met de kinderwagen, de babyliedjes en de babybioscoop waar ze naartoe zouden gaan als ze met ouderschapsverlof waren. Alles werd uit haar handen gerukt. Net als de reis naar Mallorca die ze in de lente misschien zouden gaan maken. Het was een mooie gedachte die nooit werkelijkheid zou worden. Johanna dacht terug aan de tijd in het Vrinneviziekenhuis in Norrköping, waar ze na het gymnasium gewerkt hadden. Hoe ze af en toe wegslopen en elkaar op hun geheime plek voor afdeling 19 ontmoetten om te praten over hoe het met Johanna en de knappe orthopeed ging. Agnes wilde elk detail weten zodra ze de kans had. Ze draaiden bijna nooit dezelfde dienst, maar op de dagen dat ze er allebei waren, zagen ze elkaar zodra hun dienstschema dat mogelijk maakte. Het waren deze kleine dingen die het werk draaglijk maakten.

Maar het vak was veeleisend en dat was de reden dat Johanna zich liet omscholen tot journalist. Ze herinnerde zich hoe teleurgesteld Agnes was geweest toen ze vertelde dat ze was toegelaten tot de school voor journalistiek. Het was ongelooflijk kwalijk van haar geweest dat ze niet eens had gezegd dat ze daarmee bezig was. Johanna had zichzelf de hele tijd verdedigd, maar nu schaamde ze zich en het deed haar pijn dat ze de mogelijkheid niet had om te vertellen hoezeer het haar speet dat ze het niet eerder had verteld.

'Het spijt me,' fluisterde ze.

'Je hoeft je niet te verontschuldigen, het is jouw schuld niet dat er een of andere gek rondloopt,' zei Eric, en Johanna snapte eerst niet waar hij het over had. Toen begreep ze dat ze het hardop moest hebben gezegd.

Hij keek haar bezorgd aan. 'Ik ga naar beneden om iets te drinken te halen. Je ziet zo bleek,' zei hij en hij liep de trap af.

Plotseling voelde Johanna dat ze naar de wc moest. Ze kwam overeind en op hetzelfde moment voelde ze dat een warme vloeistof langs haar benen omlaag liep.

'O nee, ik heb in mijn broek geplast,' fluisterde ze geschrokken en ze spande haar bekkenbodemspieren zo hard als ze kon.

Maar de stroom was niet tegen te houden.

'O God, mijn water is gebroken!' riep ze naar Eric.

Nicole had al een tijd niets van zich laten horen, maar nu werd ze wakker en schreeuwde: 'Water, water!'

Eric kwam in verwarring boven met twee glazen water.

'Nee, ik hoef geen water, mijn water is gebroken. Snap je?'

'Maar... dat kan toch niet kloppen? Het is nog te vroeg,' protesteerde hij, en ze wilde hem eraan herinneren dat ze een mens was en geen computer die te programmeren viel. Maar dat hield ze voor zich.

'Mijn water ís gebroken. Zou je zo lief willen zijn om een handdoek te pakken en de kraaminrichting te bellen?' vroeg ze.

De vroedvrouw zei dat ze zo snel mogelijk moesten komen.

Johanna vergat compleet alle praktische dingen, zoals geboorteplan, legitimatie, autokinderstoel en camera. Ze verkeerde nog steeds in shock en dacht dat ze in deze toestand niet kon bevallen, ze kon niet eens haar schoenen aantrekken. De vrijwel slapeloze nachten waren de slechtst mogelijke voorbereiding die je je maar voor kon stellen. Het verdriet en de bezorgdheid over Agnes, de vermoeidheid, de verantwoordelijkheid voor Nicole, nee, het mocht nog niet zover zijn. Waarom juist nu? De timing was beroerd, maar er was niet veel wat ze eraan kon doen.

Eric kleedde Nicole aan, die buiten zichzelf was van vermoeidheid. Ze begreep totaal niet waarom ze allemaal op moesten staan.

'We moeten nu gaan, want de baby in Johanna's buik wil eruit. Spannend hè?' legde Eric pedagogisch verantwoord uit.

'Niet nu,' probeerde Nicole en ze ging plat op de grond liggen.

Johanna maakte zich ook zorgen over wat ze met het meisje moesten doen als de bevalling echt op gang zou zijn gekomen. Eric droeg Nicole op weg naar de auto en ondersteunde tegelijkertijd Johanna met zijn andere arm.

Het verkeer was rustig, bijna afwezig op dit tijdstip van de dag, en de rit naar Danderyd duurde niet lang. Ze stopten voor de ingang aan de achterkant en werden meteen binnengelaten. Een vroedvrouw met een naambordje waarop BRITTA ANDERSSON stond, verwelkomde hen bij de entree op de negende verdieping. De hand die ze gaf was koud en slap. Johanna was allergisch voor lompe, slappe handdrukken. Ze hoopte stilletjes dat Britta's dienst voorbij zou zijn voor het zover was. Met zo'n slappe rechterhand zou ze de baby misschien op de grond laten vallen.

De vroedvrouw keek verbaasd toen ze Nicole zag.

'Ik dacht dat dit je eerste kind zou zijn?'

'Dat is het ook. Nicole is onze dochter niet,' zei Johanna.

Eric nam de vroedvrouw apart en legde uit hoe het in elkaar stak. Ze kregen snel een eigen kamer. Eigenlijk hadden ze weer naar huis moeten gaan als de weeën niet werkelijk waren begonnen, maar omdat het water gebroken was en geen heldere kleur had, moesten ze ter observatie blijven. Gelukkig maar, want Johanna had geen stap meer kunnen verzetten.

'Rust zoveel als je kunt. Vermoedelijk zal dit nog wel even duren. Denk er ook over na of jullie iemand kennen die kan oppassen.'

Er was niet veel keuze. Ze konden Tobbe moeilijk bellen en om hulp vragen, hij had meer dan genoeg aan zijn hoofd en bevond zich bovendien op zeshonderd kilometer afstand. Agnes' moeder Viola kwam ook niet in aanmerking, en ze zou de kraaminrichting in Stockholm nooit op tijd kunnen vinden. Johanna's moeder Elisabeth zou zeker komen, maar die zou een autotocht van honderdzestig kilometer moeten maken. Ze hadden geen keuze, ze moesten haar wakker bellen.

'Ik regel het, probeer tot rust te komen,' zei Eric en hij nam Nicole mee naar de gang.

Ondanks het vroege tijdstip hoefde hij haar niet te overreden. Elisabeth vertrok meteen. Johanna ademde uit en voelde tegelijkertijd hoe haar buik zich samentrok. De spieren in haar middenrif deden pijn en het brandde in haar onderrug. De weeën waren nu echt begonnen en ze zag dat Eric de kamer weer binnenkwam. Agnes had gelijk gehad toen ze de bevallingsweeën beschreef als één enorme kramp.

'Eric, het doet nu heel veel pijn!'

'Oké, probeer je zoveel mogelijk te ontspannen en let niet op mij. Een verpleegster heeft Nicole onder haar hoede genomen.'

Tijdens de weeën had Johanna geen keuze. Ze concentreerde zich op het doorstaan van de pijn en wachtte op de pijnstiller van haar eigen lichaam, endorfine, maar die bleef onrustwekkend afwezig. De pijn werd erger en Johanna werd in een grauwe mist getrokken. Ze had zich nooit voor kunnen stellen dat het zoveel pijn zou doen. Het TENS-apparaat in haar rug stond op de hoogste stand, maar het voelde alleen als een irritant insect dat rondhupte op haar huid.

'Ik weet niet of ik het nog langer volhoud,' kermde Johanna.

'Kom op, je redt het,' pushte Eric. 'Probeer te ontspannen en bedenk dat het de bedoeling is dat het pijn doet. Het is de enige manier om onze baby te ontmoeten.'

En naar wat voor geheime vroedvrouwenopleiding was hij in godsnaam geweest?

Johanna stak een paar minuten lang haar energie in het haten van Eric totdat ze overrompeld werd door een ellenlange wee.

Zeven grote pinten zorgden ervoor dat zijn humeur omsloeg. Daarna ging het snel. Toen Tobbe besefte dat ze weg zou gaan, werd hij woedend. Met driftige passen liep ze het terras af en omlaag naar de boten en ze zei dat ze zichzelf heus wel zou redden.

Dat was de druppel.

Zonder dat iemand hem zag, sloop hij achter haar aan. Toen hij zich precies tussen de reddingsboei en de reddingsboot bevond die aan de falurode muur van Branterögen hingen, greep hij haar beet en drukte zijn hand hard tegen haar mond. Hij keek om zich heen. Niemand had hen gezien, maar het was slechts een kwestie van tijd voordat iemand uit de kroeg de hoek om kwam en zou zien wat er zich afspeelde.

Hij trok haar met zich mee naar het water en verborg zich achter een van de vissersboten. De zwarte vlaggen fladderden agressief boven hun hoofd. De angst in haar ogen spoorde hem nog meer aan en hij was vastbesloten door te zetten. Stemmen vanuit de bar joegen hem op en hij handelde impulsiever dan hij had verwacht. Vlug duwde hij haar hoofd onder water met zijn ene hand en hield haar handen met zijn andere vast. Ze had geen schijn van kans. Het verbaasde hem hoe snel ze ophield met tegenspartelen. Hij wilde haar net loslaten toen hij iets hoorde.

Doenk, doenk, doenk.

Tobbe vloog overeind in zijn bed. Hij keek angstig door de slaapkamer. Er was geen plek waar hij zich voor zichzelf kon verbergen. Waar hij ook heen ging en hoe hij zijn best ook deed, hij werd gevolgd door zijn eigen schaduw. Hij had het gevoel dat hij iets stoms had gedaan.

Iets heel erg stoms.

Tak, tak, tak.

Opeens begreep hij dat er iemand voor de deur stond. In stilte bedankte hij degene die zijn nachtmerrie had onderbroken. Hij trok moeizaam een T-shirt over zijn hoofd, liep naar beneden en opende de deur.

Inspecteur Räffel stond buiten en zag er verbeten uit. Tobbes eerste opwelling was om de deur in zijn gezicht dicht te smijten, maar hij wachtte af wat er zou komen.

'Vergeef me dat ik zo vroeg aanbel, maar u nam uw mobieltje niet op. Ik probeer u al een paar uur te bereiken. Mag ik binnenkomen?' vroeg de politieman op een dwingende toon. 'Ik moet u iets belangrijks vertellen.'

Tobbe kreeg een onbehaaglijk gevoel.

'Kunnen we gaan zitten?' vroeg de agent.

Tobbe trok zijn spijkerbroek weg die over de ene keukenstoel hing en knikte naar Räffel dat hij kon gaan zitten. De stemming was zo bedrukt dat hij moeite had om lucht in zijn longen te krijgen. Hij wilde niet horen wat de agent voor alarmerend bericht had. Tot nu toe had hij geleefd in de veronderstelling dat alles goed zou komen, maar nu voelde het alsof het laatste beetje hoop dat hij had op het punt stond uit hem weg te vloeien.

Over een paar seconden zou het oordeel worden geveld.

'Het is denk ik het beste als u ook gaat zitten,' zei Räffel.

Tobbe voelde een kinderlijke neiging om hem te trotseren. Maar uit respect nam hij plaats op een stoel en probeerde zich bijeen te rapen. Dat was moeilijk met twee handen die ongecontroleerd trilden.

'Zeg het maar, jullie hebben haar gevonden, hè, dood?' zei hij uiteindelijk.

Tobbe probeerde een reactie in Räffels blik te zien, maar hij kon er niets aan aflezen.

'Ik zal er niet omheen draaien. Er is een vrouw gevonden op

Sandby Strand. Ze is niet meer in leven en haar signalement komt overeen met dat van Agnes, die bovendien de enige in dezelfde leeftijdscategorie is die in de omgeving als vermist is opgegeven. We hebben de hele nacht bij de vindplaats gewerkt en hebben het lichaam nu kunnen verplaatsen naar het forensisch-geneeskundig instituut in Lund.'

De woorden van de agent wilden niet beklijven. Tobbe hoorde wat hij zei, maar begreep het niet. Dood. Zijn mooie, fantastische vrouw was dood. Omdat hij niet met haar meegelopen was naar huis. Bovendien was door zijn schuld hun bijna volgroeide, ongeboren kind ook om het leven gebracht. Er bestonden catastrofes die je kon overleven, maar deze was te groot.

Räffel zweeg terwijl Tobbe de informatie zo goed als hij kon op zich liet inwerken.

Er viel niets te zeggen, er was geen troost.

'Ik vroeg me af of u misschien in de gelegenheid bent om mee te komen naar het mortuarium voor de identificatie?'

'Nu?'

'Hoe eerder hoe beter.'

Tobbe voelde zich als een robot. Hij kwam overeind, schoof de stoel keurig onder de tafel, trok zijn spijkerbroek en schoenen aan en checkte zijn veters zodat hij niet zou struikelen. Pakte de sleutelbos van het haakje bij de deur en deed het licht uit. Hij sloot de deur zorgvuldig en voelde aan het handvat of hij echt niet openging. Zo kon hij het verloop vertragen, kreeg hij de kans om nog even de hoop te koesteren dat zijn vrouw in leven was.

Ze liepen de Östersjögatan op, waar de politieauto stond geparkeerd, en Tobbe schoof zonder iets te zeggen op de passagiersstoel. Toen hij klein was droomde hij ervan om in een politieauto te rijden. Nu haatte hij die jongensdroom. In een politieauto zitten was alleen interessant als je politieagent was.

De auto rolde zachtjes door Brantevik en sloeg af naar het westen in de richting van Lund.

'Ik begrijp niet waarom ik mee moet. Het zou volkomen duidelijk moeten zijn dat het Agnes is. Ze is tenslotte hoogzwanger.'

Räffel hield zijn ogen op de weg gericht.

'Tobias, ik weet dat het heel erg veel is om in je op te nemen op dit moment. Maar de vrouw die we hebben gevonden... ze heeft geen kind in haar buik.'

De nachtmerrie die de werkelijkheid was, drong tot Tobbe door. Geen kind, maar dan kon het Agnes niet zijn. De hoop klopte aan.

'Geen kind? Maar dan kan het Agnes toch niet zijn?'

'Nou... de vrouw heeft zware verwondingen aan haar buik, maar we hebben geen kind gevonden.'

De hoop werd gesmoord.

'Stop de auto!' schreeuwde Tobbe, en Räffel remde snel aan de kant van de weg.

Tobbe gooide de deur open, sprong eruit en gaf over in de greppel. 'Water,' piepte hij hulpeloos.

Er was geen water, maar de agent had een oud blikje cola en gaf dat samen met een servetje aan.

De frisdrank brandde in zijn mond en spoelde de vieze smaak weg. Hij veegde zijn mond af, nam nog een paar slokken, trok het portier dicht en gebaarde dat ze verder konden rijden.

'Dus er is iemand die mijn kind heeft gestolen? Kan dat het motief zijn?'

'Alles is mogelijk, we weten nog steeds veel te weinig. Ze zijn nog niet begonnen met de autopsie en daarom willen we graag dat jij haar identificeert.'

Gedurende de lange tocht naar Lund werd Tobbe gekweld door tegenstrijdige gevoelens. Voor hem was Agnes een levend wezen, geen opgezwollen lijk. Aan de andere kant zou hij nooit kunnen accepteren dat ze dood was als hij haar niet met zijn eigen ogen had gezien.

Ze parkeerden recht voor de ingang van het anonieme gebouw, gingen naar binnen en liepen verder door de gang. Even hoopte Tobbe dat hij alleen maar meespeelde in een slechte politieserie, maar diep van binnen wist hij dat het niet uitmaakte hoe waardeloos het script was. Hij zou het nooit kunnen herschrijven.

Hoe zou hij dit aan zijn dochter moeten uitleggen wanneer ze groot werd en begreep wat moord betekende? Ze zou misschien vragen hoe mama eruit had gezien op die verschrikkelijke dag in augustus toen ze spiernaakt op het strand werd gevonden. Zo had Agnes zich nooit willen laten zien, levend of dood. Ze was preuts en toonde haar lichaam nooit als het niet nodig was, niet eens aan haar eigen man. Nu zouden meerdere mensen naar haar kijken. Weerloos, zonder kleren. En alsof dat nog niet genoeg was, zouden ze ook nog in haar gaan wroeten. Alle waardigheid was verdwenen. Hij zou het tegen moeten houden, haar daar moeten weghalen en in vrede laten rusten. Maar waarschijnlijk was ze zo zwaar dat hij haar niet eens zou kunnen dragen. Stel je voor dat ze weerzinwekkend rook. Vermoedelijk zou de stank zich voor de rest van zijn leven vastzetten in zijn neus.

'Oké, Tobias, we zijn er,' zei Räffel en hij bleef staan voor een deur die er precies zo uitzag als de deur van zijn klaslokaal op de lagere school. 'Ben je er klaar voor?'

De politie had hem gewaarschuwd dat het lichaam er slecht aan toe was. Door de tijd dat het in zee had gelegen, was het opgezwollen van het water. Zeildoek bood niet veel bescherming. Bovendien hadden ze het lichaam niet schoongemaakt voor de autopsie uit angst om eventuele sporen uit te wissen.

Toen de deur van de kamer werd geopend, zag Tobbe niet wat hij verwacht had te zien. In plaats van aluminium banken, steriele instrumenten en kale tl-buizen aan het plafond, stonden er een paar brandende waxinelichtjes. De kamer maakte een gezellige indruk tot hij de brancard zag waar een lichaam op lag. Toen hij de kamer binnenkwam, rook hij een geur die deed denken aan rottend vlees.

Hij kreeg een bijna onbedwingbare neiging om te braken. Met zware stappen liep hij op de dode vrouw af. Ze was bedekt met een deken, maar haar gezicht was helemaal te zien. Een takje zat vast in haar smoezelige haar. Hij bleef op een halve meter van het lichaam staan en bestudeerde haar gezicht nauwkeurig. Plotseling voelde hij dat hij op het punt stond in een onbedaarlijke lachbui uit te barsten. Het was onmogelijk om uit te leggen wat er zo grappig was. Hij begreep niet hoe hij van alle mogelijke reacties die er bestonden in godsnaam had gekozen om te lachen. Hij verafschuwde zichzelf.

Tobbe keek opnieuw naar het lange, blonde haar en in plaats van te lachen, barstte hij in huilen uit. De tranen stroomden over zijn wangen en hij trok zich niets aan van het snot dat over zijn gezicht liep. Hij kon geen woord meer uitbrengen. Räffel hield hem oplettend in de gaten.

'Dank,' zei Tobbe zacht.

'Dank?' vroeg Räffel voorzichtig.

'Dank, goede God, dat U mij mijn hoop teruggeeft.'

'Wat bedoel je, Tobias?' vroeg de inspecteur met een ernstige stem.

Tobbe liep op Räffel af en omhelsde hem zoals hij zijn moeder had willen omhelzen als ze bij hem was geweest.

'Het is haar niet. Dat is Agnes niet.'

Räffel maakte zich los uit Tobias' greep en keek hem ernstig aan.

'Weet je het heel zeker? Het is belangrijk dat je goed kijkt, omdat ze er heel anders uitziet na die tijd in het water. In zulke situaties is het gebruikelijk dat je ziet wat je wilt zien.'

‘Maar ik weet het heel zeker.’
‘Is er een bepaald kenmerk dat de doorslag geeft?’
‘Ja,’ antwoordde Tobbe. ‘Agnes heeft geen gaatjes in haar oren.’

De nacht op het strand met de daaropvolgende dramatiek op de forensisch-geneeskundige afdeling in Lund had Räffel gesloopt. Hij had Tobias teruggebracht naar het huis in Brantevik en was daarna direct naar het politiebureau gereden. Na een dappere poging om een paar verloren uren te slapen in zijn kantoor gaf hij het op en veranderde van strategie. Slapen was uitgesloten, hij voelde zich veel te opgejaagd. Vijf koppen koffie later had hij zijn al op hol geslagen hartslag nog verder opgedreven. De telefoon ging en Räffel nam met norse stem op. 'Ja?'

'Hallo, dit is Lisa Moghimi, een collega uit Ystad. Spreek ik met Lars Räffel?'

'Ja, hallo, Moghimi, vergeef me mijn knorrige toon, wat kan ik voor je betekenen?'

'Ik wilde alleen zeggen dat de zaak van de gevonden dode vrouw nu door ons wordt behandeld, aangezien het niet om Agnes Malm bleek te gaan.'

Räffel begreep er niets van, het moest een misverstand zijn.

'Daar heb ik nog niets over vernomen. Ik ging ervan uit dat het automatisch bij mij terecht zou komen, juist omdat het samen lijkt te hangen met Agnes Malm.'

Lisa Moghimi klonk bezwaard.

'Ik begrijp het, ik volg alleen maar orders op en wilde je op de hoogte brengen van de situatie. Ik hoop dat we evengoed nauw kunnen samenwerken, omdat we hetzelfde doel willen bereiken.'

Räffel verborg zijn woede, Moghimi was de verkeerde persoon om zich op af te reageren. Hij was woedend dat de leiding hem niet zelf had gebeld om de nogal drastische beslissing mee te delen. Het was waarschijnlijk iemand die ontevreden was over de voortgang en die niet genoeg pit had om het hem zelf te vertellen. Hij was diep teleurgesteld dat niemand contact met hem had opgenomen. Dat hij zich vernederd voelde, was nog zacht uitgedrukt.

'Ben je er nog?' vroeg Moghimi.

'Uiteraard gaan we samenwerken,' antwoordde hij verbeten.

'Mooi, ik wist het wel! Je hebt namelijk de naam dat je niet zo bent als bepaalde andere mensen in deze branche, die er alleen maar op uit zijn om hun eigen prestige te vergroten.'

Een blos verspreidde zich over Räffels wangen omdat hij precies het tegenovergestelde had gevoeld van wat zij net beschreef. Hij wist niet wat hij moest antwoorden, maar hoefde er niet meer over na te denken toen Lisa verder praatte.

'Dan wil ik zeggen dat we geen idee hebben wie de vrouw op het strand is. Om misverstanden te voorkomen willen we een opsporingsbericht naar de media sturen. Ik kan me voorstellen dat dit anders verkeerd opgevat zou kunnen worden. De media zouden waarschijnlijk denken dat het Agnes was en hun eigen conclusies trekken.'

'Ja, dat lijkt me een goede beslissing. Ik ben zelf ook verbaasd dat het Agnes niet was.'

Lisa was het met hem eens dat de omstandigheden op zijn minst opzienbarend waren.

'We werken natuurlijk vanuit de veronderstelling dat er een sterke samenhang bestaat met Agnes' verdwijning. Het positieve is dat de patholoog-anatoom nu al een voorlopig rapport heeft gemaakt.'

'Wat goed. Heeft de vrouw opvallende kenmerken?'

'Ja, onder meer een wijnvlek op de binnenkant van haar linkerdij, die is ongeveer vijf centimeter lang en één centimeter breed. De vorm lijkt op die van het Vätternmeer.'

Het klonk alsof het voor Moghimi volkomen vanzelfsprekend was dat hij wist wat een wijnvlek was, dus voelde Räffel zich een beetje opgelaten dat hij zijn onwetendheid moest laten blijken door ernaar te vragen.

'Kun je beschrijven wat een wijnvlek precies is?'

'Dat is een blauwrode vaatafwijking van de huid. Vaak in het gezicht of op het hoofd, Gorbatsjov heeft bijvoorbeeld zo'n vlek op zijn voorhoofd, zoals je vast wel hebt gezien. Hoe dan ook komt het minder vaak voor dan een moedervlek en daarom is het de moeite waard om in een opsporingsbericht te vermelden,' antwoordde Moghimi.

'Natuurlijk. Had haar lichaam nog andere opvallende kenmerken?'

'Ja, een verse wond met twee hechtingen op haar achterhoofd, wat betekent dat ze onlangs nog bij een arts moet zijn geweest. Eerst dacht ik dat we contact konden opnemen met alle eerstehulpposten van Skåne, maar ik denk dat het effectiever is als we meteen de media inschakelen. Iemand moet haar toch missen.'

Daar was Räffel niet helemaal van overtuigd.

'Er zijn mensen die compleet alleen zijn, die geen familieleden of vrienden hebben. Die niet gemist zullen worden.'

'Misschien, maar er is nog iets. De vrouw had een vergrote, verwijde baarmoeder.'

'Wat betekent dat?' vroeg hij, maar hij vermoedde al wat het antwoord zou zijn.

'Dat ze zwanger was.'

Räffel voelde een druk op zijn borst en moest moeite doen om adem te kunnen halen.

'Het wordt alleen maar erger en erger,' constateerde hij. 'Kon de patholoog-anatoom zeggen hoe lang ze al zwanger was?'

Moghimi haalde diep adem.

'Haar ruwe schatting is dat de vrouw in het derde trimester was, dus de laatste fase van de zwangerschap. Specifieker kon ze niet zijn, omdat de foetus ontbreekt.'

Opeens bedacht Räffel dat het ondanks alles misschien toch

niet zo verkeerd was dat hij niet langer in zijn eentje de verantwoordelijkheid voor dit onderzoek droeg.

Tobbe lag op de bank naar het plafond te staren. De beelden uit het mortuarium wilden hem niet loslaten en heel even vroeg hij zich af of alles niet gewoon een droom was geweest. Dat had het geweest kunnen zijn als hij niet nog steeds die afschuwelijke lijklucht in zijn neus had zitten. Direct werd alles heel erg werkelijk. Hij vulde de percolator met koffie en hield zijn neus er een tijdje boven om nieuwe geurimpulsen te krijgen. Daarna ging hij weer op de bank liggen. Hij kon gewoon niet begrijpen dat er een andere vrouw vermoord was gevonden en zijn adem stokte als hij eraan dacht dat het een kwestie van tijd kon zijn voordat zijn vrouw ook op het strand aanspoelde.

Er waren vier dagen verstreken sinds ze was verdwenen en elke centimeter van Brantevik en omstreken was nu doorzocht. De media bombardeerden de gemeenschap met opsporingsberichten, maar dat had niets opgeleverd. Er was geen enkele aanwijzing dat ze nog in leven was, maar er was ook niets wat duidde op het tegenovergestelde.

Het was een ramp dat er een vrouw op het strand was gevonden. Deels omdat ze zo op Agnes leek, deels door de snijwond in haar buik, maar vooral omdat ze dood was. Tobbe durfde er niet aan te denken wat er met haar gebeurd kon zijn. Hij begreep waarom de politie eerst had gedacht dat de dode vrouw zijn vrouw was, want ze hadden meerdere overeenkomsten: lengte, leeftijd en haarkleur. Dat was zo'n merkwaardige samenloop van omstandigheden dat het geen toeval kon zijn. Misschien had iemand de vrouw met Agnes verward en de verkeerde vermoord? Hij huiverde.

Zijn mobiele telefoon piepte. Hij had hem op 'vergadering' gezet om de melodie niet elke keer te hoeven horen als er een journalist belde. Hij wilde niet meewerken. Het was al erg genoeg dat zijn vrouw weg was, niemand hoefde geld te verdienen aan hun ellende. In elk geval niet met zijn hulp.

Afgeschermd nummer.

Toen zijn telefoon gestopt was, stond hij op om een kop koffie in te schenken. Rusteloos opende hij de koelkast, die alleen een zak aardappelen, een fles ketchup, een plak gemarineerde zalm en een blikje tonijn bevatte. De Lapphörnan, de enige plek in Brantevik waar ze levensmiddelen verkochten, was gesloten voor de rest van het seizoen. Hij at de dunne plak zalm en dronk zijn koffie op. Daarna ging hij naar buiten, sloot de deur en sprong in de auto om naar Simrishamn te rijden. Hoe hij zijn best ook deed om zijn behoeften te negeren, hij moest meer eten. Omwille van Agnes moest hij in goede conditie blijven.

Hij parkeerde bij de haven en liep naar het eerste restaurant dat hij zag en bestelde varkenshaas met gebakken aardappelen en roomsaus. Wonderbaarlijk goed, moest hij toegeven. Toen bedacht hij opeens dat hij niet wist hoe het met Nicole, Johanna en Eric ging. Stel je voor dat de media het nieuws over de dode vrouw hadden gehoord en de informatie verkeerd interpreteerden? Hij besefte hoe egoïstisch hij was geweest door niet meteen zijn vrienden op te bellen om te vertellen wat er was gebeurd.

Hij pakte zijn mobieltje en toetste hun nummer in. Geen van hen nam op, hij hoorde alleen vertrouwde stemmen die vroegen om later terug te bellen. Hij raakte van zijn apropos en sprak geen boodschap in. Het was ook geen informatie die je aan een antwoordapparaat toevertrouwt.

Plotseling stond er een serveerster bij zijn tafel.

'Heeft het gesmaakt?' vroeg ze met een glimlach en hij knikte naar het lege bord.

'Ja, dank je, ik wil graag de rekening,' antwoordde hij verstrooid.

Was Agnes ongelukkig geweest de laatste tijd of had ze zich vreemd gedragen? De politie had die vraag tijdens het eerste gesprek gesteld. En de vermoeidheid had haar zeker bijna tot waanzin gedreven, maar hij had er nooit over nagedacht of haar slechte humeur een andere reden kon hebben. Hij weigerde te geloven dat ze een andere man had ontmoet. Wanneer had ze dat kunnen doen? En wie was er geïnteresseerd in een zwangere vrouw? Misschien was ze een oude bekende tegengekomen, maar ze kon niet verliefd zijn geworden. Hij probeerde terug te denken, maar herinnerde zich niet dat ze over nieuwe of oude vriendschappen had gepraat. Ze had zich niet anders gedragen, was alleen steeds vermoeider geworden. Zou dat een reden kunnen zijn om je gezin in de steek te laten?

Tobbe stond op en bedankte nog een keer voor het lekkere eten. Toen hij weer buitenkwam, was de zon achter de wolken verdwenen en sloeg de regen hem in het gezicht. Hij had niet gemerkt dat het was gaan regenen terwijl hij zat te eten, maar nu kon hij er niet meer omheen. Hij rende naar de auto die bij de haven stond. Hij zag de aanplakbiljetten van de avondkranten bij de kiosk. Op beide stonden precies dezelfde woorden:

AGNES VERMOORD GEVONDEN

Tobbe vloekte luid en vroeg zich af hoe verknipt journalisten konden zijn. Hij haalde zijn telefoon tevoorschijn terwijl hij vlug doorliep. Hij moest Viola, Johanna en Eric meteen vertellen dat het Agnes niet was die dood was gevonden. Weer nam niemand op en deze keer liet Tobbe een boodschap achter op hun antwoordapparaat. Daarna rende hij verder naar de auto en stapte doorweekt en ontdaan over de bedroevend slechte Zweedse journalistiek in. Zelfs als het op een misverstand berustte, kon het juridisch nauwelijks verdedigbaar zijn om een zo overhaaste conclusie te trekken.

'Een meisje, helemaal voor niets!' zei de vroedvrouw en ze glimlachte breed.

Johanna was verbaasd. Ze moest het eerst zien om het te kunnen geloven. En het was inderdaad een meisje. Een korte geluksroes trok door haar lichaam en ze keek naar Eric, die tranen in zijn ogen had.

'Ik hou van je. Of ik hou van júllie,' verbeterde hij zich en hij legde zijn ene hand op Johanna en de andere op het kleine kleverige meisje dat met een halfopen oog lag te gluren.

'En ik van jou,' fluisterde Johanna zonder haar blik af te wenden van het kleine wezentje dat ze samen hadden gemaakt.

Het geluksgevoel verdween op het moment dat ze aan Agnes dacht. Ze wist niet of ze het zichzelf toe mocht staan gelukkig te zijn nu haar beste vriendin dood was. En Nicole, waar was zij gebleven?

'Waar is Nicole?' vroeg Johanna en ze probeerde overeind te komen van het houten krukje waar ze nog steeds op zat.

'Rustig maar, meisje, je moeder heeft haar opgehaald,' zei Eric zachtjes in een poging het sprankje geluk vast te houden.

Ze werd in bed geholpen en de vroedvrouw legde haar dochter op haar borst. Het verlies van Agnes was zo pijnlijk dat ze het niet op waarde kon schatten dat ze een gezond kind had gekregen. Het tellen van de vingers en tenen was ze vergeten. Ze wilde alleen met rust gelaten worden. Misschien voelde de baby haar desinteresse aan, want ze zocht niet naar een tepel maar bleef stil liggen.

Johanna hoorde dat Erics mobieltje piepte en ze zag dat hij een boodschap las.

'Het spijt me Johanna, maar ik moet even bellen,' zei hij en hij verliet de kamer.

Even later werd er op de deur geklopt en een verpleegster kwam binnen met een dienblad met boterhammen, cider en een Zweedse vlag. Daarna keerde Eric terug met een heel andere gezichtsuitdrukking dan daarvoor. Hij glunderde.

'Johanna, luister even. Ik heb net met Tobbe gesproken, die ons heel erg feliciteerde. En hij was zo blij.'

Eric zag er compleet gelukkig uit en Johanna raakte verward. Tobbe zou gebroken moeten zijn.

'Blij? Hoe kan hij dat zijn?'

Terwijl ze op het antwoord wachtte, probeerde ze snel na te denken. Eric moest zich verkeerd hebben uitgedrukt. Het was compleet onmogelijk dat Tobbe blij kon zijn. Misschien opgelucht, omdat er nu een einde was gekomen aan die hartverscheurende onzekerheid.

'Luister nu even, lieveling, het was Agnes niet!'

Johanna kon er geen wijs uit worden.

'Wat dan? Wat was Agnes niet?'

'De dode vrouw in Skåne is iemand anders. Agnes kan dus nog steeds in leven zijn.'

Het duurde even voor de stukjes op hun plek vielen.

'Ik begrijp er niets van. Wie is die vrouw dan?'

'Dat heb ik niet gevraagd.'

'Maar hoe kan hij er zo zeker van zijn dat het Agnes niet is?'

'Omdat Tobbe haar moest identificeren.'

Johanna voelde zich zwak en wist niet of ze het aankon om nog meer te horen.

'Verschrikkelijk,' mompelde ze zacht en ze voelde hoe ze weer in zichzelf verdween.

Hoewel het nieuws positief was, was het frustrerend om zo in de luren gelegd te zijn. De onzekerheid kwam als een ongewenste brief terug met de post. Het was zo wreed om niet te weten wat Agnes door moest maken. Bovendien was Johanna zo egoïstisch dat ze deze belangrijke gebeurtenis wilde delen met

Agnes. De baby was er en het was een meisje. Ze wist dat haar vriendin gehuild zou hebben van geluk.

Donderdag 2 september

Het was aan Buster te danken dat ze nog elke dag buiten de deur kwam. Het leven van de vroegtijdig gepensioneerde weduwe Eva Olsson draaide om een ruwharige teckel. Daarom maakte ze zich er buitengewoon veel zorgen over dat Buster al op leeftijd was. Ze zou gauw weer alleen zijn. De dagen waren zo eindeloos lang. Ze had elke krant waar een kruiswoordraadsel in stond en als alle woorden waren ingevuld, haakte ze en keek tv.

Verder waren er de dagelijkse bezigheden die gedaan moesten worden. Ze moest net zo goed boodschappen doen als ieder ander. Op donderdag haalde ze haar en Busters weekrantsoen bij de supermarkt. Op die dag was er nog vers brood en vers fruit. Op vrijdag ging ze naar het medisch centrum, waar ze haar te hoge bloeddruk moest laten controleren. En één keer per maand zat ze met een volgnummertje bij de socialeverzekeringsinstantie om te proberen haar schamele ziekengeld omhoog te krijgen. Ze verlangde naar een dramatische wending. Soms wilde ze dat ze iets meer van een goudvis had. Stel je voor dat ze alle plekken als nieuw en spannend zou ervaren, ook als ze zich alleen maar in dezelfde kleine tweekamerwoning aan de Klostergatan bewoog, op een steenworp afstand van het Stortorget in Ystad. Maar misschien was het alleen maar een mythe dat een goudvis die in een kom rondzwemt de plek niet herkent vanwaar hij is vertrokken.

Ze keek naar de lucht en stelde vast dat het zou gaan onweren. Als het regende was het nog vervelender om naar buiten te gaan. Ze had haar beide handen namelijk vol als ze de paraplu in de ene vast moest houden en de hondenriem in de andere. Ze dacht erover na om de boodschappen maar te laten schieten en de problemen gewoon door te schuiven naar morgen. Buster kon misschien zijn behoefte doen in de geïmproviseerde kattenbak die ze in de badkamer had gezet. Nee, die was er alleen voor absolute noodgevallen, arme hond, wat had hij een waardeloos baasje.

'Kom, Buster!' zei ze liefdevol en ze bedacht dat dit de eerste keer was dat ze haar mond open had gedaan vandaag.

Ze ging de straat op en liep naar de supermarkt. Buster moest buiten blijven wachten, vastgebonden aan een lantaarnpaal, terwijl zij naar binnen ging en haar mandje vulde met kant-en-klaarmaaltijden. Eten maken was niets voor haar, nooit geweest ook. Ze had nooit geleerd hoe het moest, hoewel haar moeder een erg goede kok was geweest. Als ze iets klaarmaakte, smaakte het nergens naar of was het juist veel te sterk. De recepten in de damesbladen waren te moeilijk, daar had ze ingrediënten voor nodig die ze niet eens in de winkel kon vinden. En nu was het te laat om het nog te leren. Ze was bijna vijfenzestig en had niet meer de fut om iets nieuws te proberen. Ze zou de nieuwe vaardigheden toch maar een paar jaar kunnen gebruiken. Allebei haar ouders waren gestorven toen ze zeventig waren en ze rekende erop dat dat ook haar lot zou zijn.

Er stond bijna geen rij voor de kassa, want op dit tijdstip van de dag werkten de meeste mensen. Zo werd weer eens duidelijk wie de losers van de samenleving waren. Zijzelf, de werklozen en alle andere gepensioneerden die op dit uur van de dag boodschappen konden gaan doen. Ja, en de paar mensen die vakantie hadden genomen of ouderschapsverlof hadden, maar die telde ze niet mee. Die leefden niet aan de onderkant van de samenleving.

Toen ze de boodschappen op de kassaband begon te leggen, werd haar blik automatisch naar de schreeuwende aanplakbiljetten van de kranten getrokken.

Terwijl de caissière de prijs van de boodschappen aansloeg, pakte ze nieuwsgierig een krant op en bladerde naar de juiste pagina. Het ging over de verdwenen vrouw die op Sandby Strand was gevonden, niet ver van Ystad. Ze liet haar ogen over de tekst gaan. De vrouw was niet Agnes Malm zoals ze eerst hadden gedacht. Het lichaam was nog steeds niet geïdentificeerd en de politie stond voor een raadsel. Er was geen andere vrouw als vermist opgegeven in de omgeving en de politie riep de hulp van het publiek in.

Haar maag trok zich samen. Haar mooie, geweldige dochter leek sprekend op de verdwenen Agnes. Wanneer had ze voor het laatst van Marie gehoord? Op vrijdag had ze gebeld en verteld dat ze van plan was een time-out te nemen en naar een klooster te rijden om na te denken over haar huwelijk. Er waren al heel lang vreselijke spanningen en het was niet voor het eerst dat Marie zich terugtrok om na te kunnen denken. Ze zou haar mobieltje uitzetten en wilde geen contact voordat ze weer terug was.

'318 kronen graag!'

Eva rekende af en begon de spullen die ze had gekocht in te pakken. Maar eerst las ze verder in de krant en haar blik bleef hangen bij een korte beschrijving die aan alle onzekerheid een eind maakte. *Op de binnenkant van de linkerdij heeft de vermoorde vrouw een wijnvlek die ongeveer vijf centimeter lang en één centimeter breed is.*

Zonder een verklaring te geven verliet ze de winkel en liet haar boodschappen staan. Zo snel als ze kon liep ze naar het politiebureau aan de Kristianstadsvägen. Het ging om een afstand van ongeveer twee kilometer.

In haar verwarring vergat ze Buster, die vertwijfeld toekeek hoe zijn baasje voorbijrende.

Het stuk was af en alles klopte perfect. Het enige wat nog ontbrak was dat de politie bevestigde dat er aanwijzingen waren dat Tobias de moordenaar was. En dan was er opeens een gek die een andere vrouw doodde. Rosenlund had zich voor niets het lazarus gewerkt. Tot ver in de kleine uurtjes had hij voor zijn scherm gezeten en op zijn toetsenbord getikt om op tijd klaar te zijn met drie verschillende artikelen die allemaal over de moord op de zwangere Agnes Malm gingen. De voorpagina, het aanplakbiljet en pagina zes, zeven, acht en tien zou hij voor zijn rekening nemen. Nu werd het een absoluut dieptepunt. Al het werk was voor niets en het was ook nog eens extra zwaar geweest door de steken in zijn keel die maar niet weg wilden gaan.

Wie was die dode vrouw in godsnaam?

Hij begon meer dan genoeg te krijgen van al die wijven die verdwenen in Österlen. Zou de vrouw die opgerold in zeildoek op het strand was gevonden tegen dezelfde man op zijn gelopen als Agnes? Voor de eerste keer begon hij eraan te twijfelen of Tobias werkelijk achter de mysterieuze verdwijning van zijn vrouw zat. Er was misschien toch een soort vakmanschap voor nodig om iemand te vermoorden zonder sporen achter te laten. In dat geval kon Rosenlund al zijn theorieën over Tobias vergeten. Hij haatte het om voor zichzelf toe te moeten geven dat hij vermoedelijk de hele tijd op het verkeerde spoor had gezeten. Het moest maar eens over zijn met de tegenslagen, dacht hij terwijl er op de glazen deur werd geklopt en Myggan naar binnen stapte.

'Stoor ik?'

'Nee, kom binnen.'

Rosenlund mocht Myggan, hij wist wat hij deed. Hij wist dat hij niet zomaar kon komen binnenstormen om hem te vertellen wat hij moest doen, zoals de andere chefs deden. Rosenlund had net een belangrijke beslissing genomen die hij met iemand wilde delen, maar Myggan was hem voor.

'Ik moet ergens met je over praten.' Hij begon opnieuw. 'Ik moet steeds denken aan al die krantenknipsels die ik in je appartement zag. Daarom moet ik je wel vragen waar je mee bezig bent.'

'Is daar iets verkeerds aan? Ik ben een nieuw systeem aan het ontwikkelen voor de cartotheek van alle zaken waar ik in de loop der jaren over heb geschreven.'

'Maar waarom bij je thuis? Als het in je kantoor was geweest, had ik het misschien kunnen begrijpen, maar dit leek... niet helemaal normaal.'

'Oké, je hebt gezegd wat je wilde zeggen.'

'En die dozen met drank, zijn die voor privégebruik?'

Rosenlund kon het niet langer verdragen om naar de chef te luisteren die hij net nog graag had gemogen. Plotseling leek Myggan meer fantasie te hebben dan een vijfjarige. Jammer dat die gave niet tot uitdrukking kwam in zijn droge, correcte nieuwsberichten, dacht Rosenlund geïrriteerd.

'Natuurlijk. Was er nog iets?' vroeg hij terwijl hij zijn kalmte probeerde te bewaren.

'Ja, nog één ding. Ik maak me zorgen dat je te veel werkt en stel voor dat je wat van je opgespaarde vakantiedagen opneemt. Dan kun je je cartotheek ook meteen op orde brengen. En de drank.'

Rosenlund kreeg niet eens de kans om te protesteren, zijn chef had zich al omgedraaid en de kamer verlaten.

Hij had net willen vertellen dat hij een reisje naar Skåne had geboekt om Tobias voor het blok te zetten. Dat was een grote stap. Rosenlund stond erom bekend dat hij altijd in zijn kooi zat, dag en nacht. Het was al heel wat als hij naar buiten ging om te eten of naar huis om te slapen. Af en toe stond hij op om zijn groengespikkelde koffiebeker te vullen. Maar verder zat hij als versteend achter zijn computerscherm, in volledige concentratie. Of hij lag half achterovergeleund in zijn stoel met zijn voeten op tafel. Dan was hij aan het bellen. De geplande reis betekende dus een enorme afwijking van zijn gebruikelijke werkpatroon.

Vakantie! Hij snoof minachtend en pakte alles bij elkaar wat hij nodig had voor de reis. Niemand was zo competent als hij en hij kon zich met de cartotheek bezighouden als hij met pensioen was. Hij was van plan om de taak die hij zichzelf gesteld had ten uitvoer te brengen.

Hij was één keer eerder in Skåne geweest. Dat was in maart 1989, toen hij de Helénmoord volgde in Hörby. In die tijd was het helemaal niet aangenaam geweest om in Zuid-Zweden te zijn. Het was er koud en vervelend. Hij huiverde toen hij dacht aan de familieleden van het meisje en de manier waarop de misdaad was gepleegd. Ze was op een avond weggeroofd en zes dagen later werd ze gevonden in een plastic zak in een klein dorpje. Wat was de naam ervan ook al weer? Hij strekte zich uit naar een van de Helénordners en bladerde erin tot hij de naam gevonden had: Tollarp. Het forensisch-geneeskundig onderzoek had aangetoond dat ze meerdere dagen gevangen was gehouden. Bovendien was ze verkracht en daarna mishandeld tot ze gestorven was. Hij wist niet waarom die zaak hem zo had aangegrepen. Misschien kwam het door de leeftijd van het meisje. Of misschien had het meer met hemzelf te maken – hij had toen nog niet zoveel belangrijke misdaadartikelen geschreven. Helén was zijn grote doorbraak binnen de misdaadverslaggeving geworden. De Zweedse bevolking voelde zich er sterk bij betrokken en belde met alle denkbare tips naar de redactie. Op de een of andere manier stond het beeld van het glimlachende meisje, een gewone schoolfoto die in de krant was gepubliceerd, in zijn geheugen gegrift.

Het vliegtuig naar Sturup vertrok om 12.55 uur vanuit Arlanda. Hij was aanvankelijk blij dat het een vlucht van Scandinavian Airlines was, hij wilde met de beste maatschappij vliegen. Al snel herinnerde hij zich dat SAS even waardeloos was geworden als de lowbudgetbedrijven. Ze boden je niet eens een kop koffie aan als er niet toevallig een honderdjarig jubileum was. Vroeger was het exclusief om met SAS te vliegen, nu mocht je al blij zijn als je op tijd aankwam. Malmö Aviation was een beter alternatief geweest. Het was lastig om in Arlanda te komen en hij wilde zich niet onnodig inspannen. Een taxi was de enige mogelijkheid. Hij stond op uit zijn comfortabele kantoorstoel en liep de glazen kooi uit. Zijn collega's keken nieuwsgierig op, maar Rosenlund verliet het gebouw zonder een woord tegen iemand te zeggen.

De bestelde taxi stond buiten te wachten. Hij paste er maar nauwelijks in met zijn ongezonde, weldoorvoede lichaam. Toen de auto de snelweg op reed, propte hij een chocoladereep van honderd gram naar binnen. *Carpe diem, verdomme.* Onder het kauwen vroeg hij zich af hoe hij Tobias aan de praat zou kunnen krijgen. Misschien had hij er wel behoefte aan om zijn hart te luchten. Rosenlund vond zelf dat hij ongeëvenaard was in het stellen van onverwachte vragen waardoor mensen de waarheid gingen vertellen, dingen toegaven die ze eigenlijk niet wilden toegeven. Hij moest alleen Tobias' achilleshiel zien te vinden, dacht hij en hij keek door het raam naar buiten. Frösundavik in Solna kwam voorbijglijden. Hij nam zich voor om Tobias te vragen het woord 'gemis' te beschrijven. Dat zou een goed uitgangspunt zijn.

Het motregende en de taxichauffeur had Afrikaanse muziek opstaan terwijl hij luid in de telefoon praatte. Na 140 keer gestopt te zijn, passeerden ze het nieuwgebouwde terrein Silverdal, dat bij Sollentuna hoorde. Het maakte een levenloze indruk. Op een arbeider na die op een grasmaaimachine reed, was er geen mens te zien. Hij was er ontsteld over hoe dichtbij ze de huizen bouwden. Ze stonden niet alleen dicht bij elkaar, maar zelfs óp elkaar en tot overmaat van ramp vlak bij de snelweg. Wie wilde er zo wonen? Velen klaarblijkelijk, omdat ze maar niet ophielden met bouwen. De rest van de reis naar Arlanda wijdde Rosenlund zich aan belangrijkere zaken, zoals nadenken over het interview.

Het vliegtuig was vertraagd vanwege een technisch defect. Rosenlund keek op internet om de tijd te doden. Het zou hem een uur kosten om naar Sturup te komen en daar stond een huurauto op hem te wachten. Hij gaf toe dat het spannend was om op pad te zijn, vooral nu hij zich niet meer welkom voelde op de redactie. Maar of het allemaal de moeite waard zou blijken, hing van Tobias af. Voor het geval hij niet wilde praten, had Rosenlund een alternatief voorbereid: dan zou hij het artikel vullen met zoveel mogelijk sfeer- en milieubeschrijvingen. Wat er ook gebeurde, hij zou ervoor zorgen dat hij het artikel redde. En zijn eigen aanzien.

Het uniform knelde en inspecteur Räffel had het gevoel dat hij elk moment kon flauwvallen van zuurstofgebrek in zijn kantoor. Hij zou kroep krijgen als hij niet snel in een andere omgeving terechtkwam. Voor de derde keer belde hij Max Samuelsson om te vragen of hij meeging om de korteholesbaan te doen bij Lilla Vik, maar er werd niet opgenomen. De golftas van zijn vriend lag al in de auto, dus besloot hij om er alleen heen te rijden. Hij trok zijn gewone kleren aan en liep naar zijn auto. Het was zonde als zo'n mooie golfuitrusting alleen maar in de achterbak lag te hobbelen zonder te worden gebruikt. Het voordeel van golf was dat je dat prima in je eentje kon doen. Hij had er enorme behoefte aan om weg te gaan zodat hij helder kon nadenken, maar hij had er geen grote verwachtingen van dat het hem zou lukken. Hij voelde zich nog steeds vernederd doordat zijn chef niet met hem had gesproken voordat hij Lisa Moghimi de verantwoordelijkheid voor de nieuwe zaak gaf. Hij wist hoe erover werd gekletst in het korps. Zijn collega's in Stockholm hadden waarschijnlijk geen genade met hem. Het was duidelijk dat er kritiek op hem was, anders hadden ze niet ingegrepen. Als de gebeurtenissen van de afgelopen dagen in een thriller hadden gestaan, zou het manuscript vermoedelijk geweigerd zijn met als reden dat het functioneren van de politie niet geloofwaardig was, constateerde hij droog en hij concentreerde zich toen weer op de weg. Hij beloofde zichzelf dat hij geen thrillerschrijver zou worden. Hij sloeg af, parkeerde en tilde de tas uit de achterbak, maar hij kwam niet eens tot bij de eerste tee voordat zijn telefoon overging.

Hij moest zich concentreren om te verstaan wat Lisa Moghimi te zeggen had. De ontvangst was slecht en van sommige zinnen hoorde hij maar de helft. Hij liep naar de achterkant van de parkeerplaats en daar was de ontvangst beter. Het ging om een vrouw die naar het bureau was gekomen, zoveel was hem duidelijk.

'Nu hoor ik je goed, ga verder!' zei Räffel.

'Een vrouw met de naam Eva Olsson kwam eerder vandaag op het bureau en was totaal van streek omdat de gevonden vrouw haar dochter Marie zou kunnen zijn. Ze vertelde dat Marie erg op Agnes leek, maar belangrijker was dat ze een wijnvlek op haar dij had. Onderweg naar het bureau had ze geprobeerd haar dochter te bellen, maar er werd niet opgenomen.'

'En tot welke conclusie zijn jullie gekomen?' vroeg Räffel terwijl hij de achterklep opendeed.

'Ze raakte steeds meer van de kaart en haar verhaal werd steeds onsamenhangender, maar wij maakten de inschatting dat het geloofwaardig was. Dus namen we haar mee naar het mortuarium voor identificatie. De vermoorde vrouw heet Marie Hansen en ze droeg oorbellen die haar moeder haar voor haar verjaardag had gegeven. Eva kon ook bevestigen wat onze patholoog-anatoom al had geconstateerd: dat Marie hoogzwanger was.'

'Kon zij zeggen hoe lang haar dochter precies zwanger was?'

Räffel huiverde en legde de golfuitrusting weer in de bagageruimte.

'Ze was in haar negende maand, volgens haar moeder, maar ze kon niet zeggen in welke week ze was. De bevalling was uitgerekend voor september. Er zijn al duikers bij Sandby Strand om naar het kind te zoeken, maar het is extreem moeilijk om iets te vinden. Het is alsof je naar een speld in een hooiberg zoekt.'

Räffel zuchtte diep, het was allemaal zo gecompliceerd.

'Wat ik niet begrijp is waarom niemand haar als vermist heeft opgegeven. Dat lijkt onlogisch. Waar is haar man?'

'Marie was onderweg naar het Jesu Moder Mariasklooster in Tomelilla.'

'Naar een klooster?'

'Ja, ze had vrijdag 29 augustus een kamer geboekt en zou er het hele weekend blijven, en misschien nog een paar dagen extra als ze nog langer wilde nadenken.'

'Nadenken over wat?' vroeg Räffel.

'Of ze haar man moest verlaten. Ze hadden blijkbaar een stormachtige relatie. We hebben natuurlijk contact opgenomen met het klooster en ze had inderdaad geboekt, maar ze is nooit op komen dagen. Het komt wel vaker voor dat bezoekers wegblijven. Ze hebben geprobeerd haar op haar mobiele nummer te bereiken, maar zonder succes.'

'Wat weten jullie nog meer over haar relatie? Het lijkt me vreemd dat ze erover dacht om haar man te verlaten op het moment dat ze een kind zou krijgen.'

Moghimi was het daarmee eens.

'We gaan ons nu op hem richten, na het gesprek met Maries moeder. Naar wat zij vertelde heeft de man een crimineel verleden, dat zijn we aan het onderzoeken. En er zijn een paar mannetjes onderweg om hem op te halen. Ik begrijp niet waarom hij niet gemeld heeft dat Marie was verdwenen en vraag me af wat hij als verdediging kan aanvoeren.'

'Wanneer komt er een voorlopig rapport?'

'Zoals gewoonlijk kunnen ze daar geen exact antwoord op geven, maar de zaak heeft natuurlijk prioriteit omdat dit de tweede zwangere vrouw is die in de omgeving is verdwenen. Het kan de oplossing zijn van het Agnesraadsel.'

'Precies, hou je alles goed in de gaten en breng je me op de hoogte?'

'Absoluut.'

'Wat doen we met de media?'

'Denk je dat het al tijd is om het publiek te waarschuwen, in elk geval alle zwangere vrouwen in de omgeving?' vroeg Moghimi.

'Ik denk dat het nieuws zelf wel voldoet als waarschuwing, mensen zijn niet zo dom dat ze een en een niet bij elkaar op kunnen tellen. Een waarschuwing zou aanzienlijke consequenties voor ons kunnen hebben. Mensen worden ongerust en gaan opbellen, we zouden enorm veel mankracht in moeten zetten om al die gesprekken te voeren,' zei Räffel.

'Dat is waar, we wachten ermee. Ik probeer de media in spanning te houden tot morgenochtend en wacht nog met de informatie dat ze zwanger was. Ik wilde voorstellen om negen uur morgen een persconferentie te houden, kun jij dan? Er worden vast ook vragen over Agnes gesteld.'

'Absoluut, we zien elkaar morgen!' zei Räffel en hij gooide de achterklep van de auto zo hard dicht dat de clubs rammelden.

Tobbe voelde zich machteloos. Het enige wat hij kon doen was erop vertrouwen dat de politie haar uiterste best deed. Hij had erover gedacht om naar huis te gaan, maar dan zou het voelen alsof hij het opgaf en accepteerde dat Agnes verloren was. En dat was natuurlijk niet zo. Hij wist bovendien niet of hij het aan zou kunnen om in hun eigen woning te komen, waar haar spullen waren.

Het begon koud en guur te worden in het huis en hij voelde de tocht die door het raam naar binnen trok. Het was moeilijk om te ademen. Het was niet langer alleen de deken die stonk. Luchten en bevriezen of alles dichthouden en het risico lopen te stikken, dat was de keuze.

Hij koos het laatste en liep naar de keuken om koffie te zetten. Daarna at hij de laatste amandelkoeken op die hij in een cilindervormig blik had gevonden. De koeken waren oud en droog, maar ze losten makkelijk op in de koffie als hij ze erin doopte. Hij wilde de kop net op tafel zetten toen hij door het raam een forse man op de deur af zag komen lopen, waggelend als een reuzenpinguïn.

Tobbe was de man te snel af door de deur te openen voordat hij er was aangekomen. Zijn taille was zeker twee meter en als hij van plan was om binnen te komen, zou Tobbe de dubbele deur moeten openen.

'Hallo, ben jij Tobias Malm?'

'Ja, wie ben jij?' vroeg hij wantrouwig.

'Ik ben Göran Rosenlund, we hebben elkaar door de telefoon gesproken.'

'De journalist?' vroeg Tobbe koel.

'Ja, precies. Ik ben hiernaartoe gevlogen om je te ontmoeten.

Ik weet dat je er tot nu toe niet veel zin in hebt gehad om met de pers te praten, maar het kan ook voordelen hebben om je uit te spreken.'

'Zoals wat, dat jullie meer kranten verkopen?'

'Ja, dat ook. Maar ik bedoelde meer voordelen voor jou.'

Zijn uiterlijk stond Tobbe niet aan, maar hij waardeerde zijn eerlijkheid. Hij ontkende tenminste niet dat hij er ook kranten mee wilde verkopen.

'Oké, wat kan ik er concreet gezien aan hebben?'

'Het is maar een theorie van me, maar die is gebaseerd op een jarenlange ervaring als misdaadverslaggever. Een openhartig interview van een treurend familielid, vooral een die zo dichtbij staat als een echtgenoot, zou ertoe kunnen leiden dat de dader zich aangeeft.'

Tobbe paste op zijn tellen, want het klonk als een cliché.

'En als hij de krant niet leest? Hoe groot is de oplage van *Pressen*?'

'Geloof me, hij leest hem. Zonder aandacht zou zijn misdaad niets voorstellen.'

'Weet je dat zeker?' vroeg Tobbe sceptisch.

'Het zijn vaak veronachtzaamde mensen die zich onbegrepen voelen. Ze krijgen misschien geen liefde of respect in hun leven. Daarom volgen ze de berichtgeving over hun misdaad nauwgezet.'

Tobbe liet zich niet zo gemakkelijk overtuigen. Hij wilde echt niet in *Pressen* verschijnen en hij wist niet wat Agnes ervan gezegd zou hebben als hij hun privéleven openbaar maakte. Er was nog steeds een kans dat ze leefde. Hij wist absoluut zeker dat ze niet bekend wilde staan als de vrouw die was verdwenen. Maar aan de andere kant had hij er geen invloed op. De foto van haar paspoort en rijbewijs circuleerde al overal en zou binnenkort de meest gepubliceerde foto van het jaar zijn. Hij woog de voor- en nadelen tegen elkaar af en bedacht een oplossing.

'Oké, maar op één voorwaarde. Ik beslis waarop ik wil antwoorden en waar ik niet over wil praten.'

'Natuurlijk, jij beslist. Kom, dan beginnen we!' zei de journalist, die eruitzag alsof hij een high five wilde geven.

'Nog één ding. Geen foto's.'

'Van jou bedoel je?'

'Ja, of van onze dochter.'

'Oké, afgesproken.'

'En ik wil het stuk lezen en goedkeuren voordat je het publiceert.'

'Ja, ja,' zuchtte Rosenlund, die zich zijwaarts door de deur wrong en aan tafel ging zitten.

'Is het goed als ik het gesprek opneem?'

'Nee.'

Rosenlund hield zich aan de regels. Zonder te zeuren of een chagrijnig gezicht te trekken.

'Om er een goed artikel van te maken moeten we bij het begin beginnen. Eigenlijk hoeven we het nauwelijks nog over de verdwijning zelf te hebben. Het is beter als we over Agnes praten en hoe ze als persoon was.'

Een golf van ergernis trok door Tobbe.

'Als persoon ís. Er is geen enkele aanwijzing dat ze niet meer leeft.'

'Nee, je hebt gelijk. Hoe hebben jullie elkaar ontmoet?'

'Al op het gymnasium, ze zat in een parallelklas. Iedereen was verliefd op haar, wat niet zo vreemd was. Ze was zowel de mooiste als de beste in sport.'

Tobbe had niet zo vaak teruggedacht aan die tijd. Hij herinnerde zich hoe uitverkoren hij zich had gevoeld toen Agnes hem vertelde dat ze verliefd op hem was. Het was met niets te vergelijken om haar hand vast te houden, haar te omhelzen en haar zachte lippen te kussen. De herinneringen aan die vrolijke tienerjaren maakten hem gelukkig maar tegelijkertijd be-

droefd. Terugkijken deed pijn. Zijn handen begonnen te trillen.
'Zijn jullie altijd samengebleven sinds die schooltijd?'
'Ja, we waren onafscheidelijk. Onze vrienden ergerden zich aan ons, omdat we nooit zonder elkaar konden. Het was alsof we onze tweelingziel hadden gevonden, hoe belachelijk dat ook klinkt.'
Tobbes blik was op een plek ergens bij de nokbalk gericht en hij vergat dat hij geïnterviewd werd. Hij begon aan een eindeloze monoloog over zijn huwelijk. Toen hij pauzeerde, zag hij dat Rosenlund notities zat te maken alsof zijn leven ervan afhing. Rosenlund kon niet even snel schrijven als Tobbe vertelde, maar dat was Tobbes probleem niet.
Totaal onverwacht kwamen de tranen.
Tobbe huilde en deed geen moeite om het te verbergen. Het viel niet tegen te houden. Hij besefte nu hoe verliefd hij op haar was. Elke spier deed pijn omdat hij haar zo miste.
Rosenlund wachtte rustig af, terwijl Tobbe op eigen houtje verder praatte. Tobbe kon het uitstekend alleen af. Zo meteen had Rosenlund zoveel informatie dat hij de krant van morgen in zijn eentje kon vullen.
Het begon donker te worden en Tobbe werd steeds zwijgzamer. Hij vermeed het bewust om Nicole te noemen. Ze was veel te klein om voor de schijnwerpers van de publiciteit getrokken te worden.
'Wat is jouw theorie over wat er gebeurd kan zijn?' onderbrak Rosenlund hem, en Tobbe werd er weer aan herinnerd dat hij geïnterviewd werd.
Hij dacht een paar minuten na voordat hij antwoord gaf.
'Geen idee. Er zijn natuurlijk honderden scenario's door mijn hoofd geschoten, maar niet één ervan lijkt waarschijnlijk. Ik kan niet begrijpen waarom iemand een zwangere vrouw kwaad zou willen doen.'
Rosenlund wist niet wat hij daarop moest antwoorden en hij

kon ook geen voorbeeld geven van gelijksoortige gebeurtenissen waar hij over geschreven had. Afgezien van die familietragedies waarbij de man zijn vrouw had vermoord, of de vader zijn dochter. Dat kwam voor, zelfs in Zweden, dus in plaats van antwoord te geven op de vraag, kuchte hij en bedankte Tobbe voor het interview.

Toen Rosenlund overeind kwam om te vertrekken, bedacht Tobbe dat hij nog iets wilde vragen.

'Jij hebt al een eeuwigheid over dit soort zaken geschreven. Wat denk jij?'

Rosenlund draaide zich bezwaard om.

'Ik weet niet langer wat ik moet geloven. Mijn eerste gedachte was natuurlijk dat het iemand moest zijn die dicht bij haar stond. Dan kan ze heel gemakkelijk met die persoon mee zijn gegaan zonder zich te verzetten. Maar ik heb nog nooit een vergelijkbare zaak meegemaakt, dus ik weet het niet. Er zit geen enkele logica in.'

'Maar denk je dat ze nog leeft?' vroeg Tobbe. 'Wees eerlijk,' voegde hij eraan toe toen hij zag dat Rosenlund aarzelde.

'Het ligt voor de hand... Of laat me het zo formuleren: het is niet gebruikelijk dat iemand na zoveel dagen nog levend wordt gevonden.'

'Het had volstaan als je "dood" had geantwoord,' mompelde Tobbe teleurgesteld.

'Ik weet het, maar ik wilde dat woord niet in de mond nemen.'

Na loslippig en open te zijn geweest, had Tobbe zich nu weer teruggetrokken in zichzelf. Hij wilde geen woord meer zeggen en Rosenlund leek de wenk te begrijpen.

'Je hoort van me als de tekst klaar is,' deelde hij plichtsgetrouw mee en hij trok zijn buik in toen hij de deur naderde.

Tobbe knikte. Hij had openlijk over zijn privéleven gepraat en binnenkort zou dat in elke krant van het hele land staan.

Vrijdag 3 september

De camera's klikten toen Lars Räffel en Lisa Moghimi vijf minuten voor de aangekondigde tijd de persruimte binnenkwamen. Ekot en SVT zonden het live uit, wat Räffel extra nerveus maakte. Hij hield er niet van om voor het voetlicht te treden en overrompeld te worden door vragen die hij niet kon beantwoorden. De sfeer was slechter dan bij een voetbalderby. Van verschillende kanten werden vragen geroepen en Räffel wist niet welke hij moest beantwoorden.

'Hebben jullie een verdachte opgepakt?'

'Weten jullie wie zij is?'

'Wat heeft de politie aan extra mankracht ingezet?'

'Zien jullie een verband met de verdwijning van Agnes?'

Moghimi sloeg met haar vuist op tafel om de aandacht op zich te vestigen. 'Eén tegelijk, dan kunnen we misschien proberen de vragen te beantwoorden!'

Het werd stil en ze begon te vertellen.

'De vrouw is geïdentificeerd als Marie Hansen, Zweeds staatsburger, dertig jaar oud, woonachtig in Ystad. Ze was negen maanden zwanger.'

De journalisten hielden geschokt op met bewegen en het werd doodstil.

'We hebben nog geen verdachte opgepakt. Op het moment gaan we uit van de theorie dat de moord op Marie sterk gerelateerd is aan de verdwijning van Agnes Malm. We hebben ondersteuning gekregen van een landelijk rechercheteam. Wat waren de andere vragen?'

'Hoe is ze vermoord?'

'Daar kan ik om onderzoekstechnische redenen niet op ingaan.'

'Wat is er met het kind gebeurd?'

'We hebben het kind niet gevonden,' antwoordde Moghimi, en verschrikte blikken waren haar deel.

De stemming was terneergeslagen, er was niemand in de ruimte die niet onder de indruk van het nieuws was. Afgezien van een forse, zwaarlijvige man die zijn strijdbijl meegenomen leek te hebben. Räffel herkende hem als de misdaadverslaggever van *Pressen*, Göran Rosenlund.

'Hoe komt het dat jullie geen sporen van Agnes hebben gevonden, is dat niet merkwaardig? Kunnen we erop vertrouwen...'

'...ja, je kunt vertrouwen op de politie,' kapte Räffel hem af om niet nog meer kritiek te horen. 'We hebben Brantevik grondig uitgekamd en er zijn enkele interessante sporen gevonden, waar ik op het ogenblik helaas niet op in kan gaan.'

'Je moet toch wel íéts kunnen vertellen?' protesteerde Rosenlund.

'Dit is alles wat ik nu kan zeggen,' antwoordde Räffel en hij merkte tot zijn verbazing dat hij was opgestaan. 'Dan is de persconferentie hierbij beëindigd,' stelde hij vast en ze verlieten de zaal.

Räffel was bezweet. Hij was onzeker geworden van de directheid van Rosenlund. De flitslichten hadden hem tijdelijk verblind, of hij zijn ogen nu open of dicht had, hij zag alleen lichte vlekken. Hij durfde er niet eens aan te denken hoe snel het nieuws van de zwangere vrouwen zich zou verspreiden, ook buiten Zweden. Het had hem min of meer verbaasd dat Moghimi zo genereus met de informatie was omgesprongen, maar hij kon zich vinden in de redenering dat je beter zoveel mogelijk kon vertellen om misvattingen en speculaties te vermijden. De media hadden tenminste niet alle informatie gekregen, bijvoorbeeld niet dat de man van Marie, Willy Hansen, werd gezocht omdat hij spoorloos verdwenen leek te zijn.

Hij zette zijn mobiele telefoon aan en luisterde naar zijn voicemail. Max Samuelsson had gebeld en ingesproken dat het belangrijk was. Maar dat zei hij altijd als hij behoefte had aan een partijtje golf. Räffel wilde het liefst zo snel mogelijk afspreken, vooral omdat hij gisteren een golfrondje was misgelopen. Maar dit was absoluut niet het moment voor vermaak. Hij scrolde in zijn contactenlijst naar het nummer van de arts.

'Jezus, Räffel, ik zag je in de live-uitzending van de persconferentie en ben helemaal ontdaan van het nieuws, wat een afschuwelijke nachtmerrie!'

'Ja, het is vreselijk tragisch.'

'Ik heb belangrijke informatie voor je, heb je even tijd?' vroeg hij en hij ging verder voordat Räffel zijn toestemming had kunnen geven. 'Afgelopen vrijdag werkte ik als dienstdoend arts op de eerste hulp in Ystad toen er een jonge, zwangere vrouw binnenkwam.'

Räffel drukte op de volumeknop en wuifde voor het politiebureau een journalist weg die hem probeerde te onderbreken. Vanuit zijn ooghoek zag hij Rosenlund dichterbij komen en hij liep daarom snel naar zijn dienstauto. Hij stapte in en sloot de auto van binnenuit.

'Ga verder!' zei hij buiten adem en hij zag hoe de journalist zich omdraaide.

'Ja, zij was het, Marie Hansen, de dode vrouw. Ze kwam voor een wond op haar achterhoofd. Ik moest twee hechtingen aanbrengen. Toen ik vroeg wat er was gebeurd, antwoordde ze dat ze tegen een radiator was gevallen.'

'Echt? Wat voor indruk maakte ze?' vroeg Räffel.

'Ik probeerde haar de waarheid te laten vertellen en toen kwam er stukje bij beetje uit dat haar man haar had geduwd. Per ongeluk, beweerde ze, maar het was duidelijk dat ze loog. Ik zei dat ze terug moest komen als ik haar ergens mee kon helpen, maar ze heeft niets meer van zich laten horen. Is er aangifte wegens mishandeling tegen de man gedaan?'

'Dat weet ik eerlijk gezegd niet, maar ik laat het meteen uitzoeken.'

'Heb je haar dossier nodig?'

'Zorg dat het naar Lisa Moghimi wordt gestuurd, politie van Ystad. Zij is verantwoordelijk voor de zaak-Marie. En hé, bedankt dat je me direct hebt gebeld.'

'Geen dank, tot gauw!'

Een vroedvrouw kwam na een korte klop op de deur de kamer binnen. Johanna zat op haar bed en dacht aan Agnes.

'Het wordt zo zoetjesaan tijd om naar huis te gaan. Eerst zal je dochtertje door een arts worden onderzocht en ik hoop dat we daarna de bevalling even door kunnen nemen.'

Johanna schrok op uit haar overpeinzingen. Naar huis? De baby kon de tepel nog maar nauwelijks vinden.

'Maar ze drinkt nog bijna niet,' protesteerde Johanna en ze keek nerveus naar het verrijdbare wagentje waarop het meisje lag te slapen.

'Het laatste verslag dat ik kreeg, was erg positief. Ze had lang en intensief gedronken, als ik goed geïnformeerd ben.'

'Ja, maar het probleem is om haar te laten beginnen. En daar kreeg ik hulp bij. Ik weet niet of het mij alleen wel lukt.'

Johanna wist niet hoe ze het duidelijker moest zeggen. Naar huis gaan was uitgesloten.

'Maak je niet ongerust, dat denken veel vrouwen bij hun eerste kind. Dat komt wel goed. We hebben een borstvoedingsbijeenkomst die je kunt bezoeken als het moeizaam blijft gaan,' zei de vroedvrouw en ze liep achteruit naar de deur.

Net toen Johanna een nieuwe aanloop nam om bezwaren op te werpen, verontschuldigde de vroedvrouw zich en verliet de kamer. Een bevalling riep.

Johanna voelde zich de eenzaamste en de meest veronachtzaamde vrouw ter wereld toen de deur dichtviel. Ze keek om zich heen en zocht naar een teken dat het leven lichter zou worden. Alles leek hopeloos. Ze was bang om naar huis gestuurd te worden terwijl de baby nog steeds niet dronk. Zonder voeding zou ze kunnen uitdrogen. Ze legde de zachte wollen deken goed, zodat hij het meisje helemaal bedekte. Terwijl ze naar de baby stond te kijken, drong het opeens tot haar door dat ze bang was voor haar eigen kind. Ze werd bang als ze schreeuwde en begreep nooit wat ze wilde. En zij was verantwoordelijk voor dit wezentje, terwijl ze niet eens voor zichzelf kon zorgen. Ze voelde zich opgejaagd. De borstvoeding was doorslaggevend. Ze wilde zeker weten dat die goed ging voordat ze er alleen voor zou staan.

Het duurde meer dan een uur voordat er weer op de deur werd geklopt. Johanna stond nog steeds naar het wagentje te staren. Een verpleegster die ze niet eerder had gezien, keek naar binnen en vroeg of alles in orde was. Johanna barstte in huilen uit. De jonge verpleegster schrok en deed haar best om haar te troosten.

Het laatste wat Johanna wilde was terug te moeten keren naar de werkelijkheid thuis. Ondanks alles was de kraaminrichting een rustpunt in de chaos om haar heen. Ook al dacht ze elke minuut aan Agnes, het was niet zo tastbaar als het thuis zou zijn geweest. Thuis hadden ze samen gelachen, gehuild en geprobeerd oplossingen te vinden voor lastige problemen. Deze momenten waren de laatste tijd wel minder voorgekomen. Sinds de geboorte van Nicole was hun omgang niet meer zo makkelijk en vanzelfsprekend. In het begin, toen Nicole nog een baby was, was de vriendschap net als vroeger. Agnes was in elk geval zichzelf nog. Maar naarmate Nicole opgroeide en groter werd, had ze meer aandacht nodig en Agnes werd twee kanten op getrokken. Er was nooit meer gelegenheid om problemen met haar te bespreken, omdat er toch nooit genoeg tijd voor was. Bovendien leek Agnes van mening te zijn dat haar problemen van een ander kaliber waren. 'Geen kinderen hebben' stond gelijk aan 'geen problemen hebben'. Johanna vond dat onrechtvaardig. Ze kon een vreselijke tijd doormaken zonder de steun te krijgen die ze gewend was te krijgen. En dan werd ze kwaad en teleurgesteld. Soms vond ze het moeilijk om Nicole te zien, alleen maar omdat zij hun vriendschap veranderd had. Af en toe ontmoetten ze elkaar zonder Nicole. Die keren waren op de vingers van één hand te tellen, maar ze waren van onschatbare waarde. Ze konden zich allebei ontspannen en met elkaar praten zonder onderbroken te worden. Agnes verontschuldigde zich er dan voor dat het er anders zo hectisch aan toe ging. Johanna was de tel kwijtgeraakt hoeveel keer ze erop was gewezen dat ze het zou begrijpen als ze zelf moeder was.

Ze keek naar de telefoon die op de vensterbank stond, liep ernaartoe en toetste Agnes' nummer in. Ze had gehoopt haar stem te horen, maar het was de stem van iemand anders. *Degene die u probeert te bellen is niet bereikbaar.*

Ze ging op het bed liggen en sloot haar ogen. Ooit zou het lukken om weer in slaap te vallen. Desnoods van pure uitputting. Agnes had haar gewaarschuwd dat je waanzinnig kon worden van slaapgebrek. Na een hele nacht op te zijn gebleven bij Nicole had Agnes serieus verteld dat ze zichzelf zou hebben doodgeschoten als ze een pistool had gehad. Johanna geloofde haar niet. Als ze echt had willen sterven, waren er meer dan genoeg mogelijkheden. Van een balkon springen was eenvoudig. Dan zou ze gegarandeerd dood zijn geweest. Ze stelde het natuurlijk niet voor, maar ze dacht bij zichzelf dat het niet zo ernstig kon zijn dat Agnes echt zelfmoord had willen plegen.

Nu had iemand anders haar misschien van het leven beroofd.

Dood, stel je voor dat Agnes echt dood is.

Johanna bereidde zich op het ergste voor. Ze wreef over haar buik en vroeg zich af wanneer de zeurende naweeën weg zouden blijven.

Het was nu bijna een week geleden dat ze in de havenkroeg waren geweest. Ze voelde zich er schuldig over dat ze er niet was geweest voor haar vriendin toen die haar echt nodig had. Het deed zo verschrikkelijk veel pijn om medeplichtig te zijn aan de dood van haar beste vriendin. Als ze dood was. De misselijkheid spoelde door haar heen als ze eraan dacht hoe ze was opgegaan in die stomme karaoke.

Johanna was bijna vergeten dat ze zich in de kraaminrichting bevond met een pasgeboren kind. Toen ze naar de baby keek, kreeg ze een ingeving. Het meisje zou Mini heten, met als tweede naam Agnes. Ook al betekende het dat ze voor altijd verbonden was aan de vreselijke tragedie, zo wilde ze het. Het was een manier om het nooit te vergeten.

'Hé, Mini Agnes! Het is tijd om wat te drinken!' zei ze dapper zonder antwoord te krijgen.

Ze trok voorzichtig de deken van het meisje naar achteren en keek naar haar. Het rompertje in maat 50 was gigantisch aan het lichaampje. Toen ze haar optilde, bleven haar knieën net als bij een kikker gebogen tegen haar buik. Ze legde de baby aan haar borst en genoot van het huidcontact. Rust verspreidde zich door haar lichaam en Johanna trok haar arm terug, die onderweg was naar de rode knop waarop ze drukte als ze hulp nodig had. Ze wilde proberen om het meisje te laten drinken zonder dat er personeel bij was. Straks zou er geen knop zijn waarop ze kon drukken.

'Zo, meisje, de lunch staat klaar!' zei Johanna en ze haalde haar borst tevoorschijn.

Het meisje deed alles behalve zuigen. Johanna zwoegde en ploeterde. Het zweet liep over haar gezicht. De tranen stroomden uit haar ogen en er was niemand om haar te helpen.

Klote-Eric, klote-Agnes, kloteleven.

De deur ging open en de aardige verpleegster keek ongerust naar binnen.

'Ik hoorde je schreeuwen, is er iets gebeurd?'

Johanna schrok, had ze geschreeuwd?

'O, sorry, het lukt me niet om haar te laten drinken,' zei ze beschaamd.

'Oké, dan doen we het anders. Heb je het liggend geprobeerd?'

Na een halfuur duwen en trekken lag de baby ten slotte aan de borst en Johanna's ademhaling nam het normale ritme weer aan. Na de borstvoeding voelde ze zich rustiger. Ze liep naar de tv-kamer om naar het nieuws te kijken. Het meisje jammerde toen ze haar de gang op reed. Op de bank zat nog een vrouw die pas bevallen was en Johanna kwam net op tijd binnen. Ze ging zitten en luisterde.

'De vermoorde vrouw die op het strand van Österlen werd gevonden, is geïdentificeerd. Eerder op de dag gaf de politie in Ystad een persconferentie en daar werd bekendgemaakt dat ze hoogzwanger was. Het kind is echter niet teruggevonden.'

Langzaam drong het tot haar door dat er echt iemand was die het op zwangere vrouwen had voorzien. Eric had gelijk gehad toen hij niet wilde dat ze meedeed aan *Opsporing*.

Een plotselinge misselijkheid overviel Johanna en ze voelde nog net dat ze het heel erg warm kreeg. Daarna zakte ze weg.

'Hallo, hallo! Gaat het? Roep snel een arts!'

Drie keer in haar leven was ze echt bang geweest. Een keer toen ze achtervolgd werd door een zich verdacht gedragende man terwijl ze vanuit de kroeg naar huis liep en ervan overtuigd was dat ze verkracht zou worden. De tweede keer toen ze beroofd werd door een groepje jongeren in een straat in Bangkok. De derde keer was niet zo onverwacht: dat was tijdens haar bevalling, toen de pijn haar op een overrompelende manier in zijn macht kreeg en de dood de enige uitweg leek.

Niet een van die drie keren kwam zelfs maar in de buurt van hoe totaal hulpeloos en verlamd van schrik Agnes Malm zich op dit moment voelde. Haar leven was beperkt tot een kleine kelderruimte van niet meer dan twee bij twee meter, zonder ramen. De vloer was van beton en in de ene hoek was een voortdurend stromend toilet, maar er was geen wastafel en geen schoon water. Agnes had geen idee hoe lang ze al opgesloten zat. Het voelde als meerdere weken, maar dat kon niet kloppen, want de baby zat nog steeds in haar buik en maakte totaal geen aanstalten om eruit te komen. Ze had nu iets gemeen met haar ongeboren kind – ze kregen allebei geen daglicht te zien. Maar in tegenstelling tot het gat waarin Agnes haar eindeloos lange dagen doorbracht, was het in haar buik warm, behaaglijk en veilig. Er zat weinig zuurstof in de lucht en het vocht en de kou kropen onder haar huid. Ze rilde en hoopte dat de baby geen schade zou oplopen.

Een paar keer had ze een glimp daglicht gezien, maar dat was alleen als er een luikje onder aan de deur werd geopend en het eten werd gebracht. Elke keer zag ze heel kort een grove, harige hand en ze nam daarom aan dat de persoon daarbuiten een man was. Het luik kon van binnenuit natuurlijk niet geopend worden.

Ze wist nooit wanneer hij zou komen, maar begreep dat hij zich nauwkeurig aan zijn gewoontes hield. Het eten was goed klaargemaakt maar smakeloos. Kruiden gebruikte hij niet. Agnes' smaakpapillen hadden zich aanzienlijk aangepast sinds ze ontvoerd was. De tijd voor die fatale zaterdag in Brantevik was zo stressvol en onrustig geweest dat ze alleen maar had gegeten om de honger te stillen. Ze was er niet zo mee bezig geweest dat ze het eten echt had geproefd. Nu had ze niet veel anders te doen dan eindeloos kauwen en proeven. Ze dwong zichzelf alles te eten wat ze aangeboden kreeg, ook al was het niet lekker. Het was weerzinwekkend om iets te eten waarvan je niet kon zien wat het was.

Het eten was eigenlijk helemaal niet interessant. Het enige wat belangrijk was, was om te proberen te ontsnappen, maar ze had aan de stevige deur gevoeld en ingezien dat haar kansen minimaal waren.

De duisternis begon ze te accepteren. Ze had toch niets aan licht, omdat er geen boeken of andere vormen van tijdverdrijf waren en gaandeweg was ze gewend geraakt aan het donker. Voor zover ze kon zien zonder contactlenzen tenminste. Ze waren droog geworden en schuurden zo in haar ogen dat ze ze had weggegooid. In elk geval was ze niet meer zo bang voor het donker als in het begin. Ze was onder de indruk van hoe de mens functioneerde, van de onwaarschijnlijke verdedigingsmechanismen en overlevingsinstincten die in een noodgeval aanwezig bleken te zijn.

Ondanks de tijd die inmiddels was verstreken, kon ze nog steeds niet begrijpen hoe ze in de kelder was terechtgekomen. En ze had de babyfoon niet kunnen vinden die ze bij zich had gehad. Het enige wat ze zich herinnerde, waren de vermoeidheid en de woede toen ze in de richting van de Lapphörnan liep met de babyfoon in haar hand. Ze was even op een stapel hout gaan zitten en had erover nagedacht of ze terug moest om Tobbe mee naar huis te nemen. Na kort te hebben getwijfeld, had ze besloten alleen naar de jeugdherberg te gaan. Hij was dronken en zij was moe. Dat was meestal een waardeloze combinatie. Toen ze opstond, merkte ze dat haar jurk bleef haken en ze hoorde de stof scheuren. Ze vloekte in zichzelf. Haar woede nam toe. Ze was zo bezig geweest met haar eigen gevoelens dat er niets anders voor haar bestond toen ze verder liep naar de Lapphörnan. Er was niemand te zien, iedereen was in de havenkroeg om de hoek. En plotseling greep iemand haar beet. De man kwam uit het niets. Ze had hem niet gezien, alleen een vochtige doek over haar mond gevoeld die haar hulpgeroep had gesmoord.

Dat was alles wat ze kon opdiepen uit haar geheugen, ondanks de eindeloze tijd die ze had gehad om erover na te denken.

‘Het is bijna tijd om te landen. Mag ik u verzoeken uw veiligheidsgordels vast te doen en de stoelrug rechtop te zetten,’ klonk het uit de luidsprekers.

Hoe dichter Tobias bij Stockholm kwam, hoe groter zijn angst werd om thuis te komen. Opeens stond hij op de Industrigatan vlak bij Kungsholms Strand. Op een minuut afstand lag het water met het uitzicht over Karlbergs Slot, dat baadde in het zonlicht. De taxichauffeur hielp hem met de bagage. Tobias had om meerdere redenen besloten Skåne te verlaten. Het was hoogst onwaarschijnlijk dat Agnes het zou overleven nu een andere zwangere vrouw zo bruut vermoord was. Door dat nieuws had hij het laatste restje hoop verloren dat Agnes nog in leven was en hij kon dus net zo goed naar Stockholm gaan. Het maakte niet meer uit. Bovendien was het behoorlijk akelig in Brantevik geweest en moest hij naar huis om voor zijn dochter te zorgen nu Johanna en Eric hun handen vol zouden hebben aan hun eigen kind.

Normaal gesproken kwam Nicole aanrennen om hem bij de deur te begroeten wanneer hij thuiskwam in de etagewoning, die zich boven in het gebouw bevond. Maar vandaag was het gebruikelijke vreugdemoment in de hal in totale stilte en duisternis voorbijgegaan. Thuiskomen was nog nooit zo troosteloos geweest. De geur was vertrouwd. Het rook naar Agnes. Hij deed de spotlights in de hal aan en zijn blik viel meteen op het boordevolle schoenenrek. Sandalen en gymschoenen waren lukraak op elkaar gestapeld op de bovenste rij. Als je het voor het eerst zag, zou je kunnen denken dat Agnes een schoenenfetisj had, maar dat was niet zo. Het kostte haar enorm veel moeite om tevreden te zijn met de schoenen die ze had aangeschaft en daarom kocht ze de hele tijd nieuwe in de hoop dat die mooier zouden zijn. Tobbe kon het niet laten om te glimlachen toen hij aan al haar schoenenprojecten dacht. De hal had niet alleen te lijden onder Agnes' schoenen, ook haar prullen en kleren lagen her en der verspreid. Van hemzelf lagen er helemaal niet zoveel dingen. Agnes had zelfs meer spullen dan Nicole. Tobbe keek ernaar zonder ze aan te raken, die confrontatie zou te groot zijn.

Het deed pijn om te bedenken hoe alles was geweest voor de noodlottige reis naar Skåne. De geluiden en de bewegingen leken nog in de woning aanwezig te zijn. Het was maar een paar dagen geleden dat ze alles wat ze mee moesten nemen op vakantie haastig hadden ingepakt. Tobbe had zich er een beetje aan geërgerd dat ze zoveel zaken onopgelost achterlieten, die ze weer zouden moeten oppakken zodra ze thuiskwamen. Rekeningen, papieren die ingevuld moesten worden voor de kleuterschool en de verzekering en sowieso van alles wat moest worden uitgezocht. Nu beefde hij bij de gedachte dat hij Agnes' dingen zou moeten uitzoeken.

Met zware stappen liep hij verder door de hal en bleef staan in de keuken. Agnes stond meestal het eten klaar te maken als hij binnenkwam. Dat was iets waar ze zich helemaal op gestort had, Nicole moest opgroeien met gezond voedsel. Koolhydraten, vezels, vet en proteïne in precies de juiste hoeveelheden, veel verse groenten en het liefst biologische ingrediënten. Hij glimlachte toen hij dacht aan haar voedselcolleges, die een eeuwigheid konden duren als hij er niet in slaagde ze te onderbreken. Ze ergerde zich aan zijn laksheid en liet hem dat ook weten. Als hij eten klaarmaakte, werd het altijd iets makkelijks, vaak worst in verschillende constellaties. Niet bepaald verstandig met het oog op de beroerde voedingswaarde. Tot nu toe had hij zich er niet mee beziggehouden, maar nu hij hier alleen in de keuken stond, bedacht hij dat de manier waarop hij eten maakte zou veranderen: met meer kwaliteit en een grotere inzet. Hij opende de koelkast en werd achterovergeduwd door de ingesloten lucht. Er zat niets eetbaars in, maar daar had hij ook niet op gerekend.

De hal en de keuken had hij overleefd. De slaapkamer was moeilijker, hun intiemste omgeving. Hij haalde diep adem en stapte naar binnen. Vreemd genoeg stortte hij niet in, niet eens toen hij de bruiloftsfoto zag die naast het antwoordapparaat op Agnes' nachtkastje stond. Zijn hart begon sneller te slaan toen hij bedacht dat ze voor hetzelfde geld gewoon in bed had kunnen liggen. Het bed zag er nog net zo uit als voordat ze vertrokken. Het behang met de krullerige beige rozen die omhoogklommen naar het plafond was een verrassing van Agnes geweest voor zijn verjaardag, nog maar twee maanden geleden. Champagne, aardbeien, chocola en dan de rozen, al zaten ze op de muur. Hij herinnerde zich hoe gelukkig hij zich had gevoeld en vooral hoe verbaasd hij was geweest dat ze kon behangen. Nog maar twee weken geleden kropen ze samen in dit bed en vonden dat vanzelfsprekend. Nu schreeuwde het van leegte.

Zijn hart sprong op toen de telefoon ging.

'Hoi, met Johanna, ben je thuis?' hoorde hij haar verbaasd vragen toen hij opnam.

'Ja, had je iemand anders verwacht?'

'Nee, natuurlijk niet,' antwoordde Johanna gekwetst. 'Ik ben alleen verbaasd dat je thuis bent.'

'Waarom bel je dan hiernaartoe?' Hij was niet nors of zo, alleen nieuwsgierig.

'Eh, ik...' ze schraapte haar keel, 'wilde alleen Agnes' stem op het antwoordapparaat horen. Het voelt zo vreselijk leeg. Ik mis haar ongelooflijk veel en voel me zo bedroefd nadat ik het nieuws op tv heb gezien. Wat is dat voor een gek die daar rondloopt?'

Ze huilde en hij voelde zich hulpeloos. Het huilen sloeg op

hem over. Ze zeiden allebei niets. Nadat ze allebei een paar minuten in de hoorn hadden gesnikt, herpakte Tobbe zich.

'Hé, probeer niet te veel aan Agnes te denken. In elk geval niet zo dat de baby er last van heeft. Want hoe moeilijk het ook is, we hebben geen invloed op wat er gebeurt. Helemaal niets. Het helpt niet als we het onszelf moeilijk maken,' zei Tobbe en hij meende het.

'Ik weet het. Het is gemakkelijk om verstandig te denken, maar moeilijker om ernaar te handelen,' zuchtte Johanna en ze snoot haar neus. 'Wat zegt de politie van de situatie?'

'Het is compleet hectisch nu die andere vrouw gevonden is. Ze zoeken nu naar de zogenoemde "zwangerevrouwenmoordenaar". Ze denken dus dat Agnes ook dood is, maar dat zeggen ze natuurlijk niet tegen mij. Maar ik heb alle hoop verloren als ik heel eerlijk moet zijn,' zei hij en hij verzweeg dat hij opnieuw met de politie had gesproken.

'Ik begrijp het, maar het is wel heel merkwaardig dat ze nog niet gevonden is.'

'Ja, dat is waar. Hoe gaat het meisje trouwens heten?' vroeg Tobbe in een poging om van onderwerp te veranderen. Hij kon het niet meer opbrengen om over Agnes te praten.

'Mini als roepnaam en Agnes als tweede naam.'

'Aha, wat mooi. Agnes is een mooie naam,' gaf hij als commentaar en hij voelde hoe het verdriet weer kwam opzetten. 'Hoe gaat het met haar?'

'Goed.'

Het gesprek was vastgelopen.

'We zien elkaar morgen, dan praten we verder. Ik beloof dat ik Nicole dan kom ophalen, er zijn alleen nog een paar dingen die ik eerst in orde moet brengen,' zei Tobbe en hij maakte een einde aan het gesprek.

Hij dacht nostalgisch terug aan de tijd dat Agnes en hij voor Nicole naar de kraaminrichting waren geweest. Alles om hen heen was compleet verdwenen, alleen zij drieën deden er nog toe. Eindelijk had hij een eigen, echte familie. Agnes had hard moeten werken bij de bevalling en Tobbe was onder de indruk. Ze werd zijn nieuwe idool. Hij had zichzelf na die zware nacht beloofd om nooit van zijn leven te beweren dat hij wist wat fysieke pijn was.

Als het leven gewoon zijn gang was gegaan, dan was hij nu misschien bij Agnes' bevalling geweest, en zou het jongetje op weg naar buiten zijn. Nicole was drie weken te vroeg gekomen. Stel je voor dat haar kleine broertje al geboren was en ergens ver weg van hen was. Hij huiverde bij de gedachte.

Tobbe trok de deur van de slaapkamer achter zich dicht en liep door de hal naar de achterkant van de woning, waar de kamer van de baby was. Agnes had veel tijd besteed aan de kleine kinderkamer, die eerst van Nicole was geweest. Vlak voor de vakantie moest de aankomende grote zus verhuizen naar het kantoor annex de logeerkamer, en de computers waren tijdelijk in de hal gezet. Het was niet helemaal goed doordacht en ze zouden nog een betere oplossing moeten bedenken. Nicole had het in elk geval enorm naar haar zin in haar nieuwe kamer en ze was vooral helemaal weg van het juniorbed met de vlinderhemel.

Tobbes benen begonnen te trillen toen hij de kinderkamer binnenliep. Hij voelde zich zo draaierig dat hij met een hand tegen de deurpost moest steunen. Het was alsof iets hem ertoe dreef zich hieraan bloot te stellen. Vlug dwong hij zichzelf rond te kijken door de schoongeboende kamer. Hij zag de laden met babykleertjes, de luiertafel en de borstvoedingsstoel. Het oude spijlenbedje was opgemaakt. Een kleurig IKEA-mobiel met stoffen vissen bungelde erboven. Even snel als hij was binnengekomen, trok hij de deur weer achter zich dicht en besefte dat hij niet een keer adem had gehaald toen hij binnen was. Hij miste Agnes en het kind in haar buik zo erg dat hij er niet meer tegen kon. Natuurlijk verlangde hij ook naar Nicole, maar zij was tenminste in veilige handen. Eigenlijk zag hij op tegen de ontmoeting met zijn dochter omdat ze zoveel op Agnes leek, zowel in uiterlijk als in manier van doen. Hij wist niet of hij het aan zou kunnen. Bovendien wilde hij niet dat Nicole zou merken hoeveel zorgen hij zich maakte, anders zou het misschien op haar overslaan. Het arme, kleine meisje dat misschien zonder haar moeder zou moeten opgroeien.

Hij bleef in de hal en zette zijn computer aan. Toen besefte hij pas dat de journalist Rosenlund hem niet had gebeld zoals hij had beloofd. Ze waren overeengekomen dat Tobbe het artikel eerst zou lezen voordat het werd gepubliceerd, dat had de misdaadverslaggever nog bevestigd voordat hij vertrok. En nu stond het interview toch op internet. Hij voelde de woede in zich opborrelen. De drang om het te lezen verdween voordat hij op de pagina had geklikt. Hij was er nog niet klaar voor. In plaats daarvan las hij het artikel over de dode vrouw op Sandby Strand. Hij huiverde toen hij een foto van haar zag op een moment dat ze nog leefde. Ze leek echt op Agnes.

De beelden van de identificatie flitsten voor zijn ogen. Hij wilde dat hij de scène in het mortuarium kon terugspoelen en wenste dat hij discreter en normaler had gereageerd. Maar wat zou normaal zijn geweest in die absurde situatie? Het haar van de dode vrouw had er hetzelfde uitgezien als Agnes' blonde lokken, maar door de slechte staat van het lichaam was het onmogelijk om te zien of haar gezicht, voordat het onder het wateroppervlak belandde, even mooi was geweest als dat van zijn vrouw.

Het was voor het eerst dat hij een lijk had gezien, omdat hij de mogelijkheid had afgeslagen om aanwezig te zijn bij een autopsie tijdens zijn studie. De dode vrouw was bovendien bruut en meedogenloos vermoord. De wond op haar buik had hij niet gezien, haar gezicht en oorbellen waren voldoende geweest om de identificatie af te ronden. Het beeld van de jonge, vermoorde vrouw zou hij nooit vergeten, hoe hij zijn best er ook voor zou doen. Van elke seconde die zich in die kamer had afgespeeld, zou hij de rest van zijn leven op elk moment van de dag verslag uit kunnen brengen. Niet eens in zijn fantasie had hij geloofd dat het Agnes niet zou zijn, hij was er zo op ingesteld dat hij afscheid zou moeten nemen.

Achteraf kampte hij met enorme schuldgevoelens. Dat het Agnes niet was, betekende dat iemand anders een geliefde had verloren. Hij zag een foto van de bedroefde moeder die over het lot van haar dochter vertelde. Er waren vast meer familieleden die zich zorgen hadden gemaakt over haar verdwijning en die nu het bericht van haar dood hadden gekregen. Hij kon zich voorstellen hoe de vader van het ongeboren kind zich voelde. Wat een ramp. Maar die man wist tenminste wat er met zijn vrouw was gebeurd, behalve dan dat het kind nog steeds vermist was. Misschien zou hij ermee moeten leven dat hij nooit te weten zou komen wat er met Agnes was gebeurd. Dat was wreed. Hij had nu al zo lang gewacht en wilde het weten. Of het nu goed of slecht nieuws was.

Agnes' moeder Viola Hammarsten liep nerveus in haar ochtendjas door haar huis en trok dode bladeren van de kamerplanten. Ze stelde bedroefd vast dat een van de geraniums bladluis had. Het was de eerste keer dat zoiets gebeurde in haar zesenvijftigjarige leven. De luizen hadden een zwart peervormig lichaam. Viola moest kokhalzen toen ze zag dat het krioelde van de indringers. Als ze niet zo gestrest was geweest, had ze de plant behandeld met zelfgemaakt zeepwater, maar nu liep ze rechtstreeks naar het grijze trappenhuis en gooide de plant in de stortkoker. Ze huiverde toen ze de plant omlaag hoorde vallen door de cilindervormige buis.

Ze kon niet eens meer omgaan met zoiets eenvoudigs als bladluis.

Het leven had niet gebracht wat ze ervan verwacht had. Vooral het beroepsleven niet. Viola had een zucht van verlichting geslaakt toen haar wens in vervulling ging om voortaan parttime te werken op het postkantoor. De voortdurende reorganisaties en verhuizingen hadden haar uitgeput en ze had het zo weinig naar haar zin, dat ze erover dacht om een nieuw beroep te kiezen of te proberen er ziekengeld uit te slepen. De gedachte was vijf jaar geleden voor het eerst bij haar opgekomen, maar ze had nog steeds geen concrete stappen ondernomen. Ze had een schop onder haar kont nodig, maar er was niemand die dat voor zijn rekening wilde nemen. Daarom liet ze het allemaal maar op zijn beloop.

Op de een of andere manier voelde ze zich verantwoordelijk voor de verdwijning van haar dochter, al begreep ze niet goed waarom ze dat gevoel had. Maar stel je voor dat hij erachter zat? Er was een aantal dingen dat ze misschien aan de politie had moeten vertellen.

Ze liep langs de langwerpige spiegel in de hal en sloeg op het laatste moment haar blik neer om zichzelf en haar twijfel niet te hoeven zien. Alles wees erop dat de ergste nachtmerrie van een moeder werkelijkheid was geworden. Waarom had ze er niet eerder goed over nagedacht? Er waren zes dagen verstreken sinds het was gebeurd. *Zes lange dagen.* Dat was enorm veel tijd. In zes dagen kon je een charterreis maken, een cursus volgen, een woning verkopen, een nieuwe baan vinden of naar het buitenland gaan. *Of iemand vermoorden.* Daar had je niet eens zes dagen voor nodig. Zes minuten konden genoeg zijn, of misschien zes seconden al wel. Ze had de politie allang benaderd moeten hebben, maar angst had haar tegengehouden.

Er was weer een belangrijke dag door haar vingers aan het glippen zonder dat ze zich ertoe kon zetten iets concreets te ondernemen. Heel even haatte ze zichzelf erom, maar ze borg haar gewetenswroeging snel weer weg. Ze was gewoon te bang.

Midden in haar angstige overpeinzingen werd er aan de deur van haar huurwoning in Norrköping gebeld. Ze schrok hevig. Er was niemand die haar bezocht. Behalve één persoon. Het duurde een paar seconden voordat de bel nog een keer oorverdovend rinkelde. Ze kwam langzaam overeind uit de fauteuil en sleepte zich op haar pantoffels naar de hal, terwijl ze zich afvroeg waarom ze de bel niet uit had gezet. Zodra de bezoeker voor haar deur er genoeg van had en wegliep, zou ze dat alsnog doen. De vloer kon knarsen, dus ze deed haar best om geen enkel geluid te maken.

Het moest hem wel zijn.

De adrenaline schoot door haar lichaam en ze voelde haar hart bonken. Ze dankte God dat ze de veiligheidsketting goed vast had gemaakt en dat ze een kijkgat had waardoor ze kon zien wie er voor de deur stond. Ondanks haar angst kon ze het niet laten om zich voorzichtig naar de deur te begeven. Nieuwsgierigheid kreeg de overhand. Toen ze nog maar vijf meter te gaan had, werd er weer aangebeld en ze verstijfde. *Wist hij dat ze thuis was?*

Het stukje van de woonkamer naar de deur voelde als een marathon. Ze was nog maar een haarbreedte van de finishlijn verwijderd en overwoog of ze zou kijken wie het was. Voordat ze een besluit had kunnen nemen, hoorde ze de stem door de brievenbus en haar hartslag ging nog een niveau omhoog.

'Hallo, ik weet dat je er bent! Doe verdomme open!'

De stem was even koud en van haat vervuld als de vorige keer. Slechts een dunne deur scheidde hen van elkaar. Ze deed onwillekeurig een stap achteruit en keek om zich heen om een vluchtroute te bedenken. Het raam was geen optie omdat ze op de vierde verdieping woonde. Er was ook niemand die ze kon opbellen. Niemand zal me missen, dacht ze vertwijfeld.

Toen hoorde ze opeens stemmen in het trappenhuis. Als een reddende engel was er iemand verschenen. De stem waarvan de haren over haar hele lichaam overeind gingen staan, was weer te horen, deze keer sprak hij beduidend sneller en zachter.

'Ik kom terug en dan zul je opendoen. Anders doe ik het zelf,' siste hij net luid genoeg zodat ze elk woord kon verstaan.

Toen ze hoorde hoe de voetstappen zich verwijderden, begon ze te trillen. Het beven ging al snel over in een hulpeloos huilen. Ze overwoog de politie te bellen. Het kon zijn dat alles dan alleen nog maar veel erger zou worden, maar dit hield ze niet uit. In een dubbele onzekerheid leven was gewoon te veel. Eerst Agnes' verdwijning en daarna de bedreigingen. Had hij maar niet vanaf het begin zo'n enorme angst in haar opgeroepen, dan zou ze allang met de politie hebben gepraat. Ze richtte haar blik op het keukenraam en zag het gapend lege gat waar de geranium vijf minuten geleden nog had gestaan.

Zaterdag 4 september

Door het incident van de vorige dag had Johanna een extra nacht ter observatie mogen blijven. De artsen konden niets bij haar vinden en waren van mening dat het flauwvallen veroorzaakt was door een bloeddrukdaling. Nu had ze geen keuze meer: ze moest naar huis.

Eric zag er moe uit toen hij hen met Nicole kwam ophalen. Johanna snapte niet waarom Tobbe zijn dochter nog niet had opgehaald.

Eric had een autostoel voor de baby gekocht. De stof was marineblauw en het patroon was afschuwelijk, overal kleine bruine beertjes. Het waren van die truttige Amerikaanse met een rode strik om hun keel en Johanna bedacht dat dat patroon al lang geleden verboden had moeten worden. Haar adem stokte toen ze de autostoel zag.

'Waren de oude modellen in de uitverkoop of heb je hem bij de supermarkt gekocht?' vroeg ze ontevreden.

'Supermarkt? Ik wil tekenen!' schreeuwde Nicole.

'Sst, niet schreeuwen,' suste Eric snel. 'We gaan tekenen als we thuis zijn.'

Hij draaide zich naar Johanna en probeerde er opgewekt uit te zien.

'Wat vroeg je?'

Johanna slikte.

'Het was niets, vergeet het,' antwoordde ze zachtjes.

In de auto leunde ze achterover in de passagiersstoel en deed haar ogen dicht. Zolang ze niets zag, kon ze tenminste doen alsof ze ergens anders was, in een ander leven. Een gelukkig leven.

Na een poosje opende Johanna haar ogen en keek door het raam. De wereld leek groot en vol bedreigingen. Het verkeer was een complete chaos en Stockholm was boordevol boze fietsers die hun middelvinger opstaken naar automobilisten die door rood reden. Uitlaatgassen vulden de lucht en Johanna wilde niet dat haar dochter dat vergif zou moeten inademen met haar onaangetaste longen.

Eric stopte precies voor de ingang in de Bergsgatan en parkeerde de auto.

'Welkom thuis!' zei hij en hij glimlachte tegen haar.

Thuis zag alles er nog precies hetzelfde uit, afgezien van wat speelgoed dat Eric voor Nicole gekocht moest hebben omdat het geschikt was voor een tweejarige. Het was alsof ze twee jaar in de toekomst keek. Misschien zouden ze dan twee kinderen hebben, dat was niet ondenkbaar. Maar ze liet die gedachte gauw los. Een nieuwe bevalling zou de komende twintig jaar niet aan de orde komen.

Zodra ze binnen waren, werd Nicole aan de keukentafel gezet met papier en krijtjes en Eric kreeg eindelijk de kans om te genieten van zijn slapende dochter. Maar na een tijdje stond hij op en pakte Johanna's handen. Hij zag eruit alsof hij iets op zijn hart had.

'Ik heb nog niet alles kunnen regelen, we hebben bijvoorbeeld niets te eten voor de lunch. Ik ga even boodschappen doen.'

'Doe dat, ik verdedig het fort. Koop de goedkoopste luiers die je kunt vinden!' antwoordde Johanna.

'Overigens is Tobbe weer thuis,' zei Eric.

'Ik weet het.'

'Kun je hem bellen en vragen wanneer hij Nicole komt ophalen? Zeg maar dat we om twaalf uur lunchen als hij honger heeft.'

Zodra Eric vertrokken was, belde Johanna Tobbe. Hij klonk terneergeslagen, maar vrolijkte iets op bij het vooruitzicht dat hij Nicole kon komen ophalen en mee kon lunchen.

'Ik ben er over een halfuur,' zei hij.

Het halfuur duurde lang. Pas nadat beide kinderen in hun luier hadden gepoept en Nicole een glas melk op de grond had laten vallen, werd er op de deur geklopt. Johanna stond op het punt van instorten toen ze opendeed, maar ze vermande zich. Tobbe had het tenslotte zwaarder dan zij, daar kon geen misverstand over bestaan. Hij zag er getekend uit. Ze begroetten elkaar onhandig met een haastige omhelzing, daarna liep hij naar binnen, naar zijn dochter, die aan de tafel zat met een hoopje boetseerklei voor zich.

'Papa!' riep ze.

'Hé, hartje van me, wat heb ik jou gemist!'

Nicole keek Tobbe ernstig aan.

'Papa, hou van je,' zei ze, en daarna: 'Ik heb wenkbrauwen.'

Tobbe en Johanna barstten in lachen uit, al was het maar voor een paar seconden. Het was bevrijdend, maar de duistere werkelijkheid liet zich maar al te gauw weer gelden. Het lachen ebde weg.

Tobbe omhelsde zijn dochter tot zij hem vroeg ermee op te houden. Ze had geen tijd voor klef gedoe, ze wilde net een puzzel gaan maken. Johanna voelde zich belachelijk terwijl ze er als een figurant bij stond. Gelukkig begon de baby te huilen zodat ze zich aan iets concreets kon wijden.

'Mag ik het wonder zien?' vroeg Tobbe.

'Natuurlijk, hier is ze, de kleine kopie van Eric,' zei Johanna trots.

'Wat een mooi, klein meisje, dat hebben jullie goed gedaan!'

Johanna merkte dat Tobbe zijn best deed om positief te klinken. Hij zag er jaren ouder uit dan een week geleden en ze kon alleen maar vermoeden hoe slecht hij zich voelde. Zijn haar zat in de war, zijn kleren waren vies en hij stonk.

'Wil je koffie?' vroeg Johanna.

'Ja, waarom niet, een espresso zou fijn zijn.'

Daarna gebeurde alles snel.

Tobbe liep mee naar de keuken om zijn koffiebeker en een amandelkoekje te halen. Johanna merkte eerst niet dat hij achter haar aan kwam. Toen ze zich omdraaide om te vragen of hij er suiker in wilde, stond hij vlak naast haar. Hij had een vreemde blik in zijn ogen en ze kon er niet aan aflezen wat die betekende. Hij trok haar dicht naar zich toe en ze kon geen stap achteruit doen omdat ze al zo dicht bij het aanrecht stond.

Ze liet het gebeuren zonder tegenstand te bieden. De omhelzing was zo wanhopig en zijn spieren waren zo gespannen dat ze bijna geen adem kon krijgen. Zo bleven ze even staan en Johanna voelde hoe Tobbe zich langzaam ontspande en begon te beven. Hij huilde, maar liet haar niet los. Voorzichtig streek ze over zijn rug.

'Klaar!' hoorde Johanna Nicole roepen.

De betovering werd verbroken en Tobbe liet Johanna gauw los en keek haar ernstig in de ogen.

'Ik mis haar zo. Het was niet de bedoeling om je zo hard te omhelzen.'

Agnes had nooit problemen gehad met kleine ruimtes, maar toen ze geschokt en niet-begrijpend wakker werd op die benauwde, donkere plek, kreeg ze een aanval van claustrofobie. Ze was opgeklauterd en had naar een uitweg gezocht. Eerst had ze de deur niet kunnen vinden en alleen maar koude cementen muren gevoeld. Toen ze eindelijk de deur vond en besefte dat die van buitenaf was afgesloten, had ze er niets van begrepen.

De paniekerige angst wilde niet echt wijken, maar de aanvallen kwamen steeds minder vaak voor. Nu er een paar dagen waren verstreken, was ze in een apathische toestand terechtgekomen die haar het gevoel gaf dat ze de controle over haar leven nooit meer terug zou krijgen.

Ze wist nog steeds niet of het toeval was dat juist zij in de pikdonkere cel was beland, omdat de man nooit met haar praatte. Geen woord had hij gezegd.

Gedurende de dagen in gevangenschap had Agnes kunnen nadenken over het leven. Meer dan ooit. En het was pijnlijk. De hele tijd keerde ze terug naar de ergste vraag: zou het zo eindigen, opgesloten in een schimmelige kelder? Ze had geen idee waar ze was. Stel je voor dat ze de man met de grove handen kende?

Af en toe stond ze het zichzelf toe om te huilen, ook al had het geen enkele zin. Er was geen troost. Al die tijd in eenzaamheid maakte haar gek. Opgesloten zijn en weten dat ze niet in staat was iets aan haar situatie te veranderen, was al na een paar uur verschrikkelijk. Ze zat er waarschijnlijk al een week, op zijn minst vier, vijf dagen. En daarvoor was ze compleet onmogelijk voor haar vrienden geweest, constateerde ze bedroefd. Johanna zou zich haar herinneren als een zeurderig en ondankbaar mens. Ze dacht eraan hoe ze in het zomerhuisje had liggen huilen omdat er niemand was die haar begreep. Johanna had geprobeerd haar te troosten en gezegd dat ze heel goed begreep hoe moeilijk het was. Mijn God, hun levens verschilden als dag en nacht, had ze toen gedacht. Johanna was alleen verantwoording aan zichzelf verschuldigd en kon onmogelijk begrijpen hoe moeilijk het leven als zwangere moeder van een klein kind was. Eric legde zijn zwangere vrouw in de watten en lette de hele tijd op haar, masseerde haar voeten, deed boodschappen en reed midden in de nacht naar het benzinestation om snoep voor haar te kopen. Dat was helaas niet overgeslagen op Tobbe. En duidelijke hints in die richting hielpen niet. Haar gedachten waren zo donker geweest. En toen was het de laatste avond ontspoord en met Tobbe viel er niet eens meer te praten. Ze schaamde zich toen ze aan zijn uitbarsting in de logeerkamer dacht. Het moeilijkste was het geweest om daarna weer naar de keuken te gaan en Johanna en Eric onder ogen te komen. Achteraf begreep ze niet waarom ze überhaupt mee was gegaan naar Branterögen. Maar het was tenslotte hun laatste avond samen en daarom had ze niet geprotesteerd. Daarna had het slechte humeur van Tobbe zo aanstekelijk gewerkt dat ze er alleen maar weg wilde. Ze herinnerde zich hoe ongelooflijk onbegrepen en eenzaam ze zich had gevoeld toen ze ervandaan liep. Tobbe had zichzelf onmogelijk gemaakt en ze was bedroefd en kwaad. Onderweg naar de Lapphörnan was haar woede omgeslagen in bedachtzaamheid. Ze had erover nagedacht of het kwam doordat ze dertig werd. Het zou nog maar een halfjaar duren, maar zo'n soort crisis was volgens haar voorbehouden aan mensen die niets bereikt hadden in hun leven. Mensen die niet eens een relatie hadden en de biologische klok als een tijdbom hoorden tikken. Daar kon ze zich moeilijk zorgen over maken. In haar geval zou het om haar baan gaan. Ze haatte het om in ploegendienst te werken en zich voortdurend minderwaardig te voelen ten opzichte van de artsen. Maar die keuze had ze zelf gemaakt. Nee, er was geen sprake van een crisis. De oplossing van haar probleem was eenvoudig: slaap. Ze herinnerde zich dat ze had gedacht dat ze de weken tot aan de bevalling eigenlijk een winterslaap zou moeten houden.

En die gedachte was ironisch genoeg met donderend geraas werkelijkheid geworden. Hier zat ze nu en vervloekte haar dol-drieste wens. Kon ze de klok maar terugdraaien. Ze probeerde te vluchten in fantasieën over een leven buiten de afgesloten kamer. In dat leven was ze nog steeds moe, maar tevreden. Er waren problemen, maar ze zag het als een uitdaging om ze op te lossen op een manier die niet al te veel energie kostte. Tobbe en zij hadden hun aanvaringen, maar ze weigerde om in de val te lopen en alleen uit slaapgebrek ruzie te gaan maken over iets onbelangrijks. Ze pakte de conflicten met Nicole aan op een manier waardoor ze minder gespannen met elkaar om konden gaan. Ze was precies de moeder van wie ze als kind had gedroomd. Volgens de regels van het handboek weigerde ze zich te laten provoceren en haalde de angel uit ruzies door afleiding te zoeken. Als ze zo kwaad was dat ze er hard tegenaan wilde gaan, hield ze zich even afzijdig om tot rust te komen en te kunnen nadenken voordat ze ruzie begon te maken. De bevalling, waar ze eigenlijk doodsbang voor was, zag ze als iets wat pijnlijk zou zijn, maar hanteerbaar.

Het leven lachte haar toe. Tot het luik werd geopend en even snel weer dichtviel. De dagdroom werd plotseling afgebroken en ze besefte dat alles wat zich in haar hoofd bevond daar zou blijven en misschien nooit werkelijkheid zou worden. Dat inzicht deed enorm veel pijn.

'Hallo, wat wil je van me?' riep ze vertwijfeld, zoals ze al zo vaak had gedaan, maar ze kreeg weer geen antwoord.

Ze hoorde hoe de voetstappen wegstierven en schopte demonstratief tegen het bord op de grond. Het landde naast een stapel serviesgoed met hard geworden etensresten erop.

De onzekerheid over hoe het met het kind in haar buik zou gaan, was onverdraaglijk. Ze had geen idee wat ze zou moeten doen als de weeën begonnen. Voorlopig was het nog enkele weken te vroeg, maar ze wist niet hoe lang ze opgesloten zou blijven en of het kind het niet in zijn hoofd zou halen om er voortijdig uit te willen. De fysieke pijn moest ze natuurlijk gewoon verdragen, ze had geen keuze. Maar ze was bang dat er iets zou gebeuren tijdens de bevalling. Dat het kind misschien verkeerd zou liggen en er niet uit kon komen. Direct voelde ze hoe het onrustwekkend samentrok in haar onderrug. *Niet baren, niet baren.* Dat was haar nieuwe mantra. Als ze haar leven hier en nu had kunnen beëindigen, zou ze misschien in verzoeking zijn gebracht. Maar iets in haar wilde overleven en dat spoorde haar aan om verder te vechten.

Hoop is het laatste wat sterft, probeerde ze zichzelf in te prenten. Maar ze kon er niet omheen dat de onzekerheid en angst hun klauwen in haar hadden geslagen. Het voelde zelfs zinloos aan om tot God te bidden. En in haar hoofd echode de moeilijkste vraag: *wat wilde hij van haar?*

De verhoorkamer was klein en neutraal met lichtgele muren, een vierkante tafel en drie stoelen. De taperecorder stond op tafel en Lars Räffel en Lisa Moghimi zaten tegenover een geschokte Willy Hansen, die door de politie op was gepakt op het vliegveld van Sturup.

Räffel noteerde de tijd, 11.23 uur, en zette de dictafoon aan.

Moghimi leidde het verhoor en hij moest genoegen nemen met de rol van begeleider. Hij had er daarom voor gekozen om zich op de achtergrond te houden en zich er alleen mee te bemoeien als het noodzakelijk was.

'Je weet dat je vrouw Marie Hansen vermoord gevonden is op Sandby Strand, op dinsdag 31 augustus?' begon Moghimi.

Willy keek omlaag naar het tafelblad.

'Ja.'

'Wanneer hoorde je dat?'

'Vandaag, toen ik terugkwam uit Kopenhagen.'

'Lees je geen kranten?'

'Ik heb er de afgelopen dagen geen kans toe gezien.'

'Wat was het voor reis?'

'Ik was op inkoopreis. Ik ben zelfstandig ondernemer.'

'Waarin?'

'Ik repareer en verkoop motorfietsen.'

'Reisde je alleen?'

'Ja.'

'Hoe komt het dat je niet bereikbaar was? We hebben begrepen dat je vrouw in het laatste stadium van haar zwangerschap was.'

Hij schudde weemoedig zijn hoofd.

'Ze had om een pauze gevraagd zodat ze weg zou kunnen

gaan om haar zinnen te verzetten. We... hadden het een beetje moeilijk, en toen ze niet terugkwam uit het klooster dacht ik dat ik net zo goed mijn geplande reis kon maken. Ik ging ervan uit dat ze besloten had om de scheiding door te zetten.'

'Een beetje moeilijk?' vroeg Moghimi.

Willy keek met een lege blik op.

'Ja, zoals iedereen dat wel eens heeft. We maakten af en toe ruzie, maar we hadden het ook heel goed samen. Maar ze was niet helemaal tevreden met me, nee, dat was ze niet...'

Hij begon te huilen, jezus, Räffel vond dat hij oprecht en eerlijk overkwam, niet als een geschifte seriemoordenaar. Bij het doorzoeken van hun woning had de politie niets verdachts gevonden, maar toch spraken de omstandigheden tegen hem.

'Waarom liet je niets van je horen toen we je zochten? We hebben meerdere keren gebeld en boodschappen achtergelaten.'

'Ik heb geen boodschappen van jullie gekregen, dat zweer ik. Als ik had geweten wat er was gebeurd, had ik mijn reis direct afgebroken en was ik naar huis gegaan. Het is afschuwelijk wat er is gebeurd. Mijn hele leven ligt in scherven.'

'Is er iemand die kan bevestigen dat je in Kopenhagen was?'

Willy leek even na te denken.

'Ik ben er maandagochtend naartoe gegaan en zou het kaartje nog wel moeten hebben.'

Moghimi keek vragend naar Räffel en hij vatte het op als een teken dat hij het moest overnemen.

'Waar was je op vrijdag en zaterdag?' vroeg hij.

'Thuis, ik was aan het klussen in het appartement. Heb een kast in elkaar gezet, een muur geverfd in de babykamer en nog wat andere dingen gemaakt. Ik wilde Marie verrassen als ze thuiskwam, zodat ze zou begrijpen hoeveel ik van haar hou.'

Räffel vond zichzelf hardvochtig toen hij doorging zonder enig teken van medeleven te laten zien.

'Met andere woorden, je hebt dus geen alibi?'
'Alibi, waarom, ik word toch niet verdacht of zo?' barstte Willy uit, die nu de ernst van de situatie begon in te zien.
Hij stak vertwijfeld zijn armen uit.
'Jawel, je staat boven aan onze lijst,' antwoordde Räffel meteen. 'En nu moet je vertellen hoe het met die twee hechtingen zit die Marie op haar achterhoofd had.'
'Hechtingen, wat voor hechtingen?'
'Marie is vrijdag naar de eerste hulp gegaan voor een wond op haar achterhoofd. We hebben aanwijzingen dat jij daarvoor verantwoordelijk was.'
Er verscheen iets donkers in Willy's blik.
'Kom op zeg, ik zou haar nooit slaan!'
'Haar slaan? Dat heb ik helemaal niet beweerd, ik zei alleen dat jij de oorzaak van de wond was.'
'Allemachtig.'
'Wat zei je?'
'Niets. Ik wil een advocaat.'
Räffel en Moghimi begrepen dat ze niet verder zouden komen.
'Je zult zeker een advocaat nodig hebben, want je blijft hier.'

Rosita Andersson had het al duizenden keren betreurd. Ze had vreemde dromen en kon afgelopen zaterdag maar niet uit haar hoofd krijgen. Ze wilde die avond het liefst vergeten, maar ze werd er elke keer weer aan herinnerd. Als het niet om beelden in haar eigen hoofd ging, werd ze er wel mee geconfronteerd zodra ze de tv aanzette of een krant opensloeg. Er viel niet te ontkomen aan alle berichten over de verdwenen Agnes in Brantevik.

De serveerster uit Simrishamn had de zaak-Agnes met afschuw gevolgd. Vooral de laatste dagen, door de moord op Marie. Rosita had de hele week rondgelopen met de beelden van die avond en haar angst. Ze wist niet aan wie ze haar geheim zou durven vertellen. Wat er gebeurd was, deugde tenslotte niet helemaal. Maar ze kon het nu niet langer voor zich houden. Misschien kon ze haar hart luchten bij Andrea, haar beste vriendin. Zij gaf haar altijd goede adviezen. Ze hadden alles met elkaar gedeeld, het eerste biertje en de eerste sigaret – de eerste keer seks niet, godzijdank, maar dat was dan ook het enige. Andrea was de zus die ze nooit gehad had en ze wist dat ze haar volledig kon vertrouwen.

Ze hadden afgesproken elkaar om één uur in de bibliotheek te ontmoeten. Andrea was daar bijna een deel van het meubilair geworden, ze zat er elke dag te blokken, zelfs in het weekend.

Onderweg naar de bibliotheek dacht ze erover na wat haar omgeving voor indruk van haar kreeg. Of ze alleen haar grote borsten zagen. Ze kon er toch niets aan doen dat ze cup D had. Ze had er niet om gevraagd. Ze had uitgezocht wat het zou kosten om haar borsten te laten verkleinen, maar er kon geen sprake zijn van zo'n ingreep zolang ze niet meer werkte.

De automatische schuifdeuren naar de vide schoven gehoorzaam open toen ze de ingang naderde. De deur van de bibliotheek was minder verwelkomend. Ze moest hem zelf opendoen en het ging nog moeizaam ook. De inwoners van Simrishamn moesten een inspanning leveren als ze naar de gratis boeken wilden. Alle vier de computers bij de ingang waren bezet, maar Andrea was er niet. Ze zat in de computerkamer achter de uitleenbalie en was diep geconcentreerd bezig. Rosita was onder de indruk van haar vriendin, die kunstgeschiedenis studeerde op afstand. Het leek zo troosteloos, maar toch vocht ze zonder te klagen door. Rosita wou dat ze de helft van haar wilskracht had. Dan zou ze niet werkloos hoeven te zijn.

'Hoi, ik ben een beetje vroeg!' zei Rosita en ze ging op een extra stoel zitten die in het kamertje aan de straatkant stond.

Andrea keerde zich verbaasd om.

'Hoi! Oei, is het al bijna één uur? Wat gaat de tijd toch snel als je het naar je zin hebt,' zei en ze knipoogde. 'Hier kunnen we niet zitten, dit is te claustrofobisch. Waar zullen we heen gaan?' vroeg ze en ze stond op.

Het liefst wilde Rosita zich verbergen in de poppenkast op de kinderafdeling, maar dat kon ze moeilijk voorstellen. Nee, daarvandaan kon je bovendien het bakstenen gebouw van het politiebureau zien. En in de vide voor de bibliotheek echode het al wanneer je fluisterde.

'Kunnen we niet gewoon ergens in de bibliotheek gaan zitten waar het een beetje rustig is?' vroeg ze na haar stille overwegingen.

'Goed, kom mee!' zei Andrea.

Er waren niet veel bezoekers deze middag, dus de twee vriendinnen konden ongestoord plaatsnemen aan een tafel bij het raam dat uitkeek op de parkeerplaats. Rosita keek naar buiten en dacht erover na hoe ze zou moeten beginnen. Het was een slecht idee om het uit te stellen. Ze had een week gewacht met over haar dilemma te praten, bijna 168 uur. Het leek heel lang.

'Ik ben ergens vreselijk bang om,' zei ze ten slotte.

Andrea moest aan Rosita hebben gezien dat het niet goed met haar ging, want ze keek ernstig en drong niet aan zoals ze anders altijd deed.

'Je weet dat ik afgelopen zaterdag in Branterögen werkte, voordat ze dichtgingen voor de rest van het seizoen?'

Andrea knikte. 'Ja, toen die vrouw die in verwachting was is verdwenen. Die avond bedoel je? Heb je iets gezien?'

'Nee, dat niet echt. Maar er is iets gebeurd.'

'Wat dan?' Andrea zag er geschokt uit. 'Wat is er dan gebeurd?'

'Agnes' man, Tobias, hij en ik...' begon Rosita.

'Nee echt, heb je met hem zitten rommelen?' Andrea schreeuwde het bijna de zaal in.

Rosita vroeg of ze zachter wilde praten, keek daarna omlaag naar de tafel en bracht een bijna onverstaanbaar ja uit.

'Shit, dat is echt nieuws, ja. Je bent bijna beroemd, zou je kunnen zeggen! Maar wat een klootzak, zeg!'

'Wacht. Ik ben nog niet klaar. Want op het moment dat zijn vrouw, Agnes, verdween...'

'Ja, wat?' Andrea was ongeduldig.

Rosita aarzelde of ze door moest gaan. Was het wel verstandig? Het was eenvoudiger om het verhaal voor zich te houden, maar ze had Andrea er nu al bij betrokken. *Wie a zegt, moet ook b zeggen.* De uitdrukking echode plagerig in haar hoofd en spoorde haar aan om door te gaan.

'...was ik met hem op het toilet.'

'Was je met hem op de wc? Wás met. Wás zoals in samen zijn met elkaar? Naaien?'

'Nee, dat niet, maar hij was hartstikke dronken,' piepte Rosita als een bange haas.

'Mijn God, wat een varken!'

'Ik weet het, het spijt me!'

'Nee, jíj niet, die man.'

'Toen ik Agnes naar de boten zag lopen, ging ik naar hem toe en vroeg hoe het met hem ging, hij zag er zo bedroefd uit. Hij trok me mee naar de wc en we begonnen te zoenen. Na een tijdje hield hij ermee op en zei dat ik het tegen niemand mocht zeggen. Meer was het niet. Het was eigenlijk allemaal mijn schuld.'

Rosita keek nog steeds omlaag naar de tafel terwijl ze praatte, maar ze voelde zich nu gedwongen om haar vriendin in de ogen te kijken.

Andrea zag er ontsteld uit.

'Hé, Andrea, je vertelt het toch niet verder, hè?' vroeg Rosita en ze keek haar ongerust aan.

'Natuurlijk niet. Hoe durf je dat zelfs maar te vragen,' antwoordde Andrea en ze kneep in haar hand.

Dat hij de enige journalist was die Tobias had geïnterviewd, maakte dat Rosenlund zich behoorlijk tevreden voelde, om niet te zeggen zielsgelukkig. Wat het nog beter maakte, was dat Myggan besloten had om het artikel te plaatsen ondanks dat gezeur over vakantie. Maar Rosenlund wist dat hij niet heel lang kon teren op één artikel. Het was op dit moment al gepubliceerd en vergeten. Zo werkte dat bij een avondkrant. Na de persconferentie van de politie was het Rosenlund niet gelukt om een eigen invalshoek te vinden en hij had precies dezelfde rommel moeten schrijven als alle andere journalisten die erbij aanwezig waren. Hij wilde nu Maries man, Willy Hansen, zoeken om weer grip op de zaak te krijgen. Dat leek helaas onmogelijk te zijn.

Terwijl hij daarover zat te treuren, ging zijn mobiele telefoon in zijn tijdelijke werkkamer, de ruime lobby van het Hamngården in Brantevik, op een paar meter afstand van de plek waar Agnes was verdwenen. Aan de andere kant van de lijn was een jongevrouwenstem, die klonk alsof ze belde onder bedreiging van een pistool.

'Hallo, de receptie heeft me doorverbonden met je mobieltje. Ben jij degene die over Agnes schrijft?'

'Ja, dat ben ik,' antwoordde hij vlak. Er waren elke dag zoveel gekken die hem belden. Hij was eraan gewend geraakt om met een half oor te luisteren.

'Ik heb een vraag. Hoeveel geld krijg je als je een tip kan geven die een nieuwsbericht wordt?'

Die ene zin was voor Rosenlund voldoende om zijn oren te spitsen. Hij nam zijn klassieke gesprekshouding aan, die erin bestond dat hij half achterover ging liggen in zijn stoel met zijn voeten op het tijdelijke bureau. Het blauwgeruite tafelkleed viel op de grond.

'Soms betalen we niets, maar we kunnen vast wel een paar briefjes van duizend ophoesten als het iets goeds is.'

Ze leek na te denken, dus praatte hij verder om haar op gang te laten komen.

'Weet je iets wat te maken heeft met Agnes?' vroeg hij.

'In zekere zin. Maar hoe kan ik weten dat ik betaald krijg als ik iets zeg?'

'Je zult me gewoon moeten vertrouwen. Als het een unieke tip is waar een artikel uit voortkomt, beloof ik dat ik je zal betalen.'

'Oké, ik zal erover nadenken. Ik bel terug.'

Dit hoorde je vaak als de tipgever een andere avondkrant wilde bellen om te kijken wat hem daar geboden werd. In zo'n situatie kon je gemakkelijk als verliezer uit de strijd komen.

'Wacht even,' vroeg hij. 'Als je me zegt wat je weet, beloof ik dat ik meteen een prijs zal noemen en ervoor zal zorgen dat het geld per ommegaande wordt overgemaakt.'

'God, ik weet het niet... Ah, wat maakt het ook uit, vooruit dan maar.'

'Ja?' Rosenlund begon zich eraan te ergeren dat hij de informatie uit haar moest trekken.

'De avond waarop Agnes verdween, is er iets gebeurd waar Tobias Malm niets over heeft gezegd.'

'Wat dan? En waarom zou hij niet alles hebben verteld?'

'Omdat het een beetje gevoelig ligt, op zijn zachtst gezegd.'

'Aha, maakte hij een nummertje op het moment dat zijn vrouw verdween?' vroeg hij en hij lachte rauw.

Het bleef volkomen stil. Hij had direct spijt van zijn plompe woordkeuze.

'Hallo, ben je er nog?' vroeg hij en hij probeerde zijn hoofd erbij te houden. Dit kon heel erg interessant zijn. 'Was dat het?' vroeg hij voorzichtig.

'Tja,' stamelde ze.

'Was het met jou?'

'Ik? Nee, ik zou zoiets nooit doen. Het was de serveerster over wie je al hebt geschreven, Rosita Andersson, die met hem op de wc heeft gerommeld. Maar je mag absoluut niet vermelden dat ik het heb gezegd. Ze zou me vermoorden.'

'We beschermen onze bronnen altijd, dus daar hoef je je geen zorgen over te maken. Wie ben jij?'

'Ik ken haar.'

'Heeft ze het je persoonlijk verteld?'

'In zekere zin, ik hoorde het toen ze er met een vriendin in de bibliotheek over praatte.'

'En je weet heel zeker dat je het goed hebt gehoord?'

'Ja.'

Hij schreef haar gegevens op en beloofde haar meteen te betalen. Ze kreeg drieduizend kronen omdat ze op het juiste moment naar de bibliotheek was gegaan. Hij stelde opnieuw vast hoe gemakkelijk mensen zichzelf verkochten voor een paar extra centen. Voor zover hij wist had Rosita Andersson het niet eens aan de politie verteld en dat betekende dat ze echt niet wilde dat het bekend werd.

Dat kon Rosenlund echter geen ene donder schelen, hij zou het artikel hier meteen gaan schrijven. Het was het beste om het waarheidsgehalte niet eens te controleren bij Tobias. Het zou voldoende zijn om het artikel af te sluiten met de opmerking dat hij vergeefs had geprobeerd Tobias om commentaar te vragen. Die uitwijkmanoeuvre was altijd waterdicht.

Maar hij moest iemand interviewen, anders kon je het nauwelijks een onderbouwd artikel noemen. Hij zocht het nummer van Rosita Andersson op, die meteen opnam. De laatste keer dat ze elkaar spraken was ze buitengewoon behulpzaam geweest, maar nu was ze zo gesloten als een oester.

'Heb je soms met Andrea gesproken?' was het eerste wat ze zei.

Ze leek compleet overrompeld te zijn.

'Helaas kan ik niet zeggen wie mij getipt heeft,' zei hij en hij vestigde zijn blik op het vuur in de kachel.

'Het maakt niet uit of je dat niet kunt. Ik weet dat het Andrea was. Die bitch!'

'Ah, kijk eens, het is dus waar. Mag ik je citeren?'

Langer duurde het gesprek niet, maar dat maakte niet uit. Hij had alles wat hij nodig had.

Mousserende wijn, rode rozen en toast met garnalensalade. Ze werd geen wijs uit hem, deze jongen was onwerkelijk. Isabelle Haag kneep in haar arm en vroeg zich af hoe ze zoveel geluk kon hebben dat ze zijn gezelschap mocht zijn.

'Hebben we iets te vieren?' vroeg ze vol verwachting en ze veegde een haarlok weg die voor haar gezicht was gevallen.

'Ja,' bevestigde hij plechtig. 'We vieren dat jij zo geweldig bent,' zei hij en hij kuste haar als een gentleman op haar hand.

Ze ging rechtop zitten uit trotsheid, maar durfde niet in zijn ogen te kijken.

Simon Arp was te mooi om waar te zijn. Ook in Skåne waren parels, maar deze oversteeg alles. Simon was lang en statig, had gemillimeterd haar, donkere intense ogen en een tandpastaglimlach waar je een levenslang abonnement op het bleken van tanden voor nodig leek te hebben. Ze was heel erg verliefd en er zou heel wat voor nodig zijn om haar zover te krijgen dat ze hem zou opgeven. Iedereen zat achter Simon aan, maar hij was verliefd op haar geworden. Ze voelde zich uitverkoren.

Ze waren bij hem thuis in zijn gezellige houten villa in Tomelilla. Alle jongens met wie ze vóór Simon was gegaan, woonden nog thuis of hadden een piepklein kamertje, maar hij had een eigen huis. En het was niet zomaar een huis. Het was groot en smaakvol ingericht. Ze liet zich meeslepen door haar fantasie en zag hun gemeenschappelijke kinderen rondrennen en achter elkaar aan zitten in de woonkamer waarin ze nu aan de eettafel zat. De wijn had zijn werk al gedaan.

Het voorgerecht was op en Simon serveerde maïskip met rijst en een lichtgele saus waarvan ze niet wist wat het was. Ze pakte het vierkante designbord aan en knikte geïmponeerd. Simon was niet alleen leuk, hij kon nog koken ook. Het eten, of liever gezegd het kunstwerk, was met zorg gearrangeerd en ze wilde het niet verwoesten door haar vork erin te zetten. Haar ex had haar een paar keer mee uit eten genomen naar een hamburgertent. Dat was natuurlijk lachwekkend vergeleken met dit. Zwijgend en geconcentreerd aten ze de maaltijd op. Klassieke muziek klonk op de achtergrond.

'Mozart, je bent fantastisch,' zei hij glimlachend.

'Wat? Ik heet Isabelle,' antwoordde ze een beetje gekwetst.

'O ja, is dat zo?' zei hij en hij lachte. 'Dat weet ik natuurlijk, ik bedoelde de muziek.'

'Ja, dat begreep ik wel,' zei Isabelle beschaamd en ze vertelde niet dat haar eerste associatie met de naam Mozart de meeuw in de tekenfilm *De kleine zeemeermin* was. Ze had zomaar het idee dat hij daar de grap niet van zou kunnen inzien.

Het eten smolt in haar mond. Morgen zou ze zich weer aan haar dieet houden.

Simon vroeg of ze wilde wachten terwijl hij in de keuken het dessert ging maken.

'Ik kan je helpen!' bood Isabelle aan, maar Simon wuifde het aanbod snel weg.

'Absoluut niet, daar zorg ik voor,' zei hij gedecideerd.

Hij liep naar de keuken en ging aan de slag. Ze hoorde hoe hij dingen uit het vriesvak pakte en kastdeuren opende. Uit pure nieuwsgierigheid sloop ze erheen om naar haar toekomstige man te gluren.

Het dessert stond in kleine bruine schaaltjes klaar en zag er vrij normaal uit. Ze zag hoe Simon nog meer spullen uit de provisiekast pakte en erin verdween. Het klonk alsof hij ergens een trap op liep. Hij heeft misschien katten, dacht ze en ze struinde rusteloos door de woonkamer om een diepgaandere analyse van Simon te maken.

De boekenkast was enorm, hij had meerdere rijen met boeken van Stephen King en Jan Guillou. Isabelle had er niet één gelezen, behalve *Het kwaad*, waar ze op school een boekverslag over had moeten schrijven. Toen ze beter naar de boekenruggen keek, ontdekte ze een paar prentenboeken voor kinderen en glimlachte bij zichzelf. Ze had aangevoeld dat hij van kinderen hield en werd helemaal warm vanbinnen. Voorlopig had hij er nog geen, voor zover ze wist. Maar nu is aan alle voorwaarden voldaan, dacht ze en haar benen begonnen te trillen.

Er was iets vreemds aan de woonkamer en het duurde even voordat ze begreep wat het was. Foto's, er waren geen foto's van mensen. Bijna iedereen had hier en daar wel foto's van familie of vrienden. Maar in Simons huis was niets persoonlijks te vinden. Isabelle keek vlug in de hal en daar ontdekte ze een ingelijste foto van een jong, schattig, blond tienermeisje. Ze dacht dat ze de brede glimlach herkende, maar kon niet bedenken waar ze haar eerder had gezien. Eerst werd ze jaloers, toen bedacht ze dat het misschien zijn zusje was.

Afgezien van de foto was haar eerste afspraak met Simon boven verwachting goed verlopen. Ze keek uit naar het vervolg. Maar waarom treuzelde hij nu zo enorm lang met het dessert, ze begon ongeduldig te worden. Net toen ze hem wilde gaan zoeken, stond hij plotseling in de deuropening met de dessertschaaltjes in zijn handen.

'Een zoete afronding van het eten zou misschien wel op zijn plaats zijn,' zei hij glimlachend. 'Niet zo zoet als jij, maar het scheelt niet veel,' zei hij flirterig en hij zette iets neer dat tiramisu heette.

Ze nam een hap en deed alsof ze het lekker vond. Het was niet helemaal haar ding, het smaakte naar koffie en ze had nooit van oudemensensmaken gehouden, zoals gomballen, Engelse drop en likeurbonbons.

Ze trok een grimas en Simon lachte liefdevol.

'Je vindt het niet lekker, hè? Je bent zo speciaal, Isabelle. Belle Isabelle.'

Hij lachte weer en het was zo aanstekelijk dat Isabelle de bittere smaak op haar tong vergat.

'Dit was maar een schijndessert. Het echte dessert wordt een verdieping hoger geserveerd,' zei hij met een verleidelijke blik en hij trok haar omhoog uit haar stoel.

Ze zag dat hij de fles wijn meenam. Glazen waren overbodig, ze dronken direct uit de fles terwijl ze de trap op liepen naar de bovenverdieping. Ze voelde hoe het begon te draaien in haar hoofd. Ze dronk niet zo vaak mousserende wijn en ze was verbaasd dat die zoveel effect had. Ze liepen de slaapkamer binnen.

'Ga op het bed zitten,' droeg hij haar op. 'Ik kom er zo aan!'

Ze werd opeens heel erg nerveus, wat moest ze nu doen? Voordat ze een antwoord kon bedenken, keerde hij spiernaakt terug met iets enorm groots tussen zijn benen. Ze had nog nooit zoiets gezien, niet in het echt in elk geval.

'Alsjeblieft!' zei hij eenvoudig.

Ze snapte er niets van, maar toen hij discreet naar zijn opgerichte lid knikte, begreep ze de wenk. Ze ging op haar knieën zitten en boog zich over zijn geslacht. Ze begon aarzelend, begeleid door zijn steeds luidere gesteun.

'Draaien met spuug, dat is een goede truc,' mompelde hij tussen de steeds diepere zuchten door.

Terwijl ze deed wat hij van haar vroeg, trok hij haar trui uit en streelde haar huid, waar ze helemaal beverig van werd. Hij legde haar op het bed en trok haar broek uit.

'Ben je er klaar voor?' vroeg hij terwijl hij met zijn tong over haar borst ging.

Hij vatte het uitblijven van een antwoord op als een ja en drong voorzichtig bij haar binnen voordat ze had kunnen antwoorden.

Na afloop voelde Isabelle zich bibberig. De avond had een andere wending genomen dan ze had verwacht. De lakens waren vochtig en roken naar zweet. Ze legde haar hand op iets nats en kleverigs en deed haar best om er niet geschokt uit te zien.

Haar moeder zou gek worden. Simon had net zo goed haar vader kunnen zijn en zelf mocht ze nog niet eens op een brommer rijden. Het was mooi om vijftien te worden – dan waren zowel brommers als seks wettelijk toegestaan. Dus juridisch gezien zou hun eventuele relatie binnenkort geen problemen meer opleveren, maar het was misschien niet zo verstandig dat ze zich had laten ontmaagden door haar leraar.

'Je begrijpt zeker wel dat je hier tegen niemand iets over mag zeggen?' zei Simon.

Isabelle knikte. Ze was niet achterlijk.

Zondag 5 september

Tobbe trok zijn onderbroek aan, die op de grond lag, een versleten boxershort die hij al een paar dagen droeg. Tijd besteden aan wassen was uitgesloten. Hij ging op de rand van het bed zitten wachten tot zijn ochtenderectie was gaan liggen. Nicole riep steeds geïrriteerder vanuit haar slaapkamer en hij probeerde te denken aan Ann-Louise Dahlström, die op het gymnasium in een parallelklas had gezeten. Dat was een beproefde methode die altijd werkte. Hij had al heel wat penisverslappingen aan die arme onaantrekkelijke vrouw te danken. Zijn gespannen lid nam inderdaad snel af en hij liep naar Nicole.

Hij nam haar in zijn armen en las haar favoriete sprookje *Wie bloedt* voor, dat over een kat ging die in zijn eigen been zaagde. Agnes had haar verwend met voorlezen, tien verschillende boeken per avond, gevolgd door evenzoveel liedjes. Nicole was er dol op.

Ze gingen helemaal op in de sprookjeswereld en vergaten de tijd. Ze hadden niet ontbeten en er was ook helemaal geen eten in huis. Hij kleedde Nicole aan en liep het trappenhuis in. Op weg naar beneden kwam hij op de trap zijn buurvrouw Lene tegen. Ze keek hem met een moeilijk te duiden blik aan en knikte alleen kort naar hen. Ze zag er heel erg bedrukt uit en hij begreep het niet. Misschien deed je zo tegen iemand die zijn vrouw had verloren? Hij snapte niet goed waarom ze niet zei dat ze het erg vond wat er gebeurd was. Een gewone clichézin moest ze toch wel op kunnen brengen. Het was wel erg onwaarschijnlijk dat ze het nieuws over Agnes' verdwijning gemist zou hebben. Beledigd en bedroefd liep hij door de garage om de wandelwagen te halen en ging toen verder de straat op naar de Västermalmsgallerian. Toen hij bij de kiosk op de hoek kwam, verstijfde hij. Het aanplakbiljet van *Pressen* schreeuwde hem recht in zijn gezicht:

MAN OPGEPAKT IN
ZWANGEREVROUWENZAAK

Maar dat was niet de reden dat hij van slag was, dat kwam door een kleinere kop met een foto van hemzelf en de tekst:

AGNES' MAN ONTROUW BIJ HAAR VERDWIJNING

Hij verloor zijn evenwicht, stond op het punt te vallen en de wandelwagen mee te sleuren, maar hij kon nog net een voorbijlopende man in een pak en met een koffertje vastgrijpen voordat hij tegen de grond zou slaan.

'O, het spijt me!' zei hij verontschuldigend.

'Geeft niets, gaat het?' vroeg de man bezorgd en hij trok zijn jas recht.

Tobbe mompelde iets cryptisch, liep naar binnen, kocht een exemplaar van *Pressen* en sloeg pagina zes open. Een onherkenbaar gemaakte foto van een man besloeg de hele pagina en Tobbe liep de tekst door over de persoon die verdacht werd van de moord op Marie. Hij maakte deel uit van haar intiemste kennissenkring, volgens het artikel. Tobbe bladerde gespannen verder en stuitte op een foto van zichzelf. De serveerster uit Brantevik had gepraat, of nee, een anonieme bron had onthuld dat Tobias seks had gehad met de serveerster op dezelfde avond dat Agnes verdween. Er was duidelijk iemand die het slecht met hem voorhad. Want áls Agnes nog in leven was, hoe zou ze het hem dan ooit kunnen vergeven? Hij begreep niet hoe ze zulke leugens konden publiceren.

'Ik heb honger!' liet Nicole van zich horen, maar Tobbe was verzonken in zijn eigen wereld. Hij las dat hij nu een alibi had voor het tijdstip waarop Agnes vermoedelijk was verdwenen. *Nou, heel erg bedankt!*

Toen hij Göran Rosenlunds naam onder het artikel zag staan, stikte hij bijna. Die man deinsde nergens voor terug. Zo onderdanig als de pest toen ze elkaar ontmoetten in Skåne, maar vervolgens had hij zich aan niet een van zijn beloftes gehouden. En nu maakte hij van de gelegenheid gebruik om een mes in zijn rug te steken. Het deed pijn. Mensen trappen die al op de grond liggen. En het afronden door je voet extra hard neer te drukken, zoals rokers doen om zeker te weten dat de sigaret uit is. Hij pakte zijn mobieltje en belde de redactie van *Pressen* en vroeg om doorverbonden te worden met Göran Rosenlund.

'Rosenlund!' zei de journalist nors.

'Waar ben je in godsnaam mee bezig? Vind je dat ik het verdien om totaal vernederd te worden voor het hele land? Is dat je dank nadat ik je zo'n openhartig interview heb gegeven?' schreeuwde hij en hij deed geen enkele moeite om zich te beheersen voor zijn dochter, die hem met grote ogen aankeek.

'Pardon, met wie spreek ik?' vroeg Rosenlund.

'Heb je zoveel mensen gekrenkt in je leven dat je niet kunt raden wie ik ben?'

Tobbe kookte nog meer van woede door Rosenlunds doorzichtige uitwijkmanoeuvre – te doen alsof hij niet begreep dat het Tobias was.

'Rustig nou maar, Tobias, de eerdere verdenkingen tegen je zijn aanzienlijk afgenomen met de nieuwe informatie. Je hebt immers een alibi.'

'Ah, dus ik moet je dankbaar zijn? Dan wil ik je heel erg bedanken dat je een artikel bij elkaar hebt gelogen dat totaal uit de lucht gegrepen is. Begrijp je wat je me aandoet, vind je niet dat ik het al zwaar genoeg heb?'

Hij was zo kwaad dat hij trilde.

'Waarom heb je hier niet eerder over verteld?' vroeg de journalist.

'Denk maar niet dat ik ooit nog antwoord ga geven op je vragen. We zijn voor altijd uitgepraat. Als je me nog één keer belt, klaag ik je aan voor smaad en laster,' zei hij. 'Verdomde huichelaar!'

Tobbe drukte het gesprek weg en kon de impuls niet weerstaan om de telefoon tegen de muur te gooien van het huis waar hij net langsliep. Het mobieltje viel in twee stukken uiteen op de stoep en het kon hem niets schelen dat iedereen keek. Mensen konden staren wat ze wilden.

Er werd haastig op de deur van de inspecteur geklopt voordat die met een knal openvloog en Håkan Fors de kamer binnenkwam. Dan heeft het ook geen zin om te kloppen, dacht Räffel geïrriteerd. Hij werd niet graag op die manier gestoord, zijn hart klopte in zijn keel. Bovendien was hij al in een slecht humeur omdat Moghimi hem net had laten weten dat ook het tweede verhoor met Willy Hansen niets had opgeleverd. Ze zouden hem niet lang meer kunnen vasthouden, en daar was Räffel gestrest door geraakt.

'Sterfgeval in Brantevik!'

Zijn collega klonk opgejaagd.

'Het is een oude vrouw die het hoekje om is. Gelukkig maar, als je begrijpt wat ik bedoel. Of nou ja, je snapt het wel.'

'Weet je wie het is?'

'Ingrid Boman, eenentachtig jaar. Haar man Bo heeft gebeld. Hij vond haar in de tuin. Vermoedelijk een beroerte of een hartinfarct, maar de leiding wil dat we het voor de zekerheid onderzoeken.'

Ze reden meteen naar de Pantaregatan en kwamen er gelijktijdig met de ambulance aan. De echtgenoot Bo stond hen bij het hek op te wachten. Hij zag er verloren uit en wilde niet in de buurt komen van zijn vrouw, die midden in de tuin lag met een omgevallen gieter naast zich. Räffel condoleerde de bevende man en stelde hem alleen een paar routinevragen. De vrouw had geen uiterlijke verwondingen en Bo vertelde dat hij haar precies zo had gevonden als ze er nu bij lag, wat Räffel geloofwaardig achtte.

'Is het goed als ik even binnenkijk?' vroeg Räffel en hij kreeg een vage knik als antwoord.

De inspecteur stapte over de drempel en vond meteen dat het huis van het bejaarde echtpaar er niet uitzag alsof er de laatste vijftig jaar iets aan was veranderd. Aan de muren in de woonkamer hingen keurige borduurwerken en schilderijen met oude schepen erop. Er was niets opmerkenswaardig te zien. Hij liep de krakende trap op en ging de slaapkamer binnen. De muren waren van onder tot boven versierd met schilderijen van gedroogde bloemen. Eigenlijk was de houten vloer het enige wat geen bloemetjespatroon had. Hij zag een medicijnenverpakking op het nachtkastje bij het raam liggen. Toen hij het doosje met Zopiklon oppakte, uitgeschreven voor Ingrid Boman, viel er een briefje op de grond. In een beverig handschrift had iemand er OSA 8/9 op geschreven. Hij draaide het om, maar er stond niets anders op. Hij legde het briefje terug op het nachtkastje.

Toen de inspecteur buitenkwam, stuitte hij weer op de weduwnaar bij het hek en condoleerde hem nog een keer. Net toen hij zich had omgekeerd, kreeg hij spijt en had het gevoel dat hij zijn nieuwsgierigheid moest bevredigen. Hij draaide zich weer om.

'Zou ik mogen vragen wat het voor iets was waar jullie op 8 september naartoe zouden gaan?'

Bo zag eruit alsof hij er helemaal niets van begreep.

'Ik vond een briefje op Ingrids nachtkastje waar dat op stond. Kan het een doop, de verjaardag van een kleinkind of een ander feest zijn geweest?'

Bo schudde verbaasd zijn hoofd.

'Nee, het is al jaren geleden dat we voor iets feestelijks zijn uitgenodigd.'

'Kunt u iets anders bedenken?' vroeg Räffel.

'Nou, er was wel iets. Ingrid was vreselijk overstuur van het nieuws over die verdwenen vrouw.'

'Ja, dat begrijp ik. Die gebeurtenis heeft veel mensen aangegrepen.'

'Maar zo bedoel ik het niet. Ze was van streek omdat ze zich iets vreemds herinnerde dat gebeurd was op de avond waarop die vrouw verdween.'

'En wat was dat dan?'

'Er was een auto die plotseling remde, precies voor ons huis, en Ingrid maakte zich er kwaad over dat hij zo hard wegreed.'

'Wat? Waarom heeft ze geen contact met de politie opgenomen?'

Bo keek beschaamd de andere kant op.

'Ik heb het haar afgeraden. Het enige wat ze van de auto gezien had, was dat hij groot en donker was, niets belangrijks eigenlijk. Ik was bang dat jullie zouden denken dat ze raaskalde.'

Het ambulancepersoneel liep langs met de brancard en Räffel besefte dat er een belangrijke getuige voorbijkwam onder dat laken.

De deur van de kerk ging met een bons open en ze liepen langzaam naar binnen, zij aan zij. Een paar minuten ervoor hadden ze elkaar voor de eerste keer gezien. Dat gevoel had ze tenminste gehad. Agnes zag eruit als een porseleinen pop in de mooie, witte bruidsjurk met sleep. Haar hart sloeg over toen ze Tobias zag, die in een smoking stond te wachten met een zelfgeplukt bruidsboeket. Ze had nog nooit zo'n knappe man gezien. En nu liepen ze samen naar het altaar, langs hun vrienden en familieleden die er glimlachend bij stonden. Agnes' kapsel was sprookjesachtig, met witte bloemen en kleine parels. Ze was zo trots. Ze waren zo verliefd en gelukkig. Er zou nooit iets tussen hen in komen.

Een halfuur later waren ze getrouwd.

Agnes draaide zich ongemakkelijk om op de grond. Er waren een paar vochtige dekens die ze om zich heen sloeg, maar als ze het eenmaal koud begon te krijgen, ging het meestal niet gauw meer over. Ze legde haar ijskoude hand op haar voorhoofd en vroeg zich af of ze koorts had. Daarna verdween ze weer in de mist.

De bruiloft was tot in de puntjes verzorgd. Het kapsel had ze meerdere keren uitgeprobeerd en ze had er een halfjaar over gedaan om de jurk uit te kiezen. De ring had ze zelf ontworpen, bij een edelsmid die het geduld van een engel moest hebben gehad. Tobbe durfde niet eens langs te komen in de winkel omdat ze zo lastig was.

Hun bruiloft was perfect geweest, net als in een sprookje. De hele dag was magisch en het enige wat er verkeerd aan was, was dat hij veel te snel voorbijging. Al in het begin van de middag raakte ze de tel kwijt hoeveel keer ze tot tranen toe geroerd was.

Ze hoefden elkaar maar aan te kijken of de tranen begonnen al te stromen. Ze had er geen idee van gehad dat ze allebei zo emotioneel waren.

De enige smet op de bruiloft was Agnes' moeder Viola, die het punt van discussie was geweest in de taxi 's nachts op weg naar het hotel. Tobbe en Agnes konden allebei niet begrijpen hoe iemand zo'n onheilspellende rede kon houden. Tijdens het eerste deel van het eten had ze zo stil als een muis aan de eretafel gezeten en geproost en gegeten. Toen Viola tegen een glas had getikt en was opgestaan, zweeg het gezelschap en iedereen keek haar kant op. Agnes verheugde zich erop en was benieuwd wat haar moeder voor mooie woorden en gelukwensen voor hen had bedacht. Maar in plaats van blijk te geven van haar vreugde, leidde ze haar speech in door te zeggen dat ze niet in het huwelijk geloofde. Volgens haar was met zijn tweeën leven onmogelijk. Mensen waren solitaire wezens en vroeger of later zouden Agnes en Tobbe zelf begrijpen hoe moeilijk het was om je leven met iemand te delen. Ze sloot af door te zeggen dat ze ondanks alles hoopte dat er uitzonderingen waren, voor wie haar denkbeelden over het huwelijk niet opgingen. Want ze wilde natuurlijk niet dat het met haar dochter even treurig zou aflopen als het haar was vergaan, aangezien ze nu alleen leefde. Daarna proostte ze en goot alle wijn naar binnen die in het glas zat. De stemming was even terneergeslagen, maar al snel kwamen de gesprekken weer op gang en iedereen deed alsof ze Viola's hardvochtige woorden niet hadden gehoord.

Agnes tastte in het donker om iets warms te vinden dat ze om zich heen kon slaan, maar ze vond niets wat zacht was. Ze stak haar handen per ongeluk in enkele oude etensresten die ze weg moest vegen. Ze vroeg zich af of Viola nu tevreden was. Viola, die Agnes in haar buik had gedragen, had gevoed en grootgebracht. Een bruiloft was een goede gelegenheid om iemand te vertellen hoeveel die persoon voor je betekent, niet om iets erger af te schilderen dan het was. Agnes had er vaak over gepiekerd waarom Viola zo gehandeld had en ze dacht dat het misschien met een soort merkwaardige moeder-dochterjaloezie te maken had. Haar moeder had waarschijnlijk nooit een grote liefde meegemaakt.

Die afschuwelijke redevoering werd een keerpunt. Na de bruiloft werd het contact verbroken. Ze spraken elkaar alleen nog sporadisch, plichtmatig, om dingen door te nemen.

Nu was ze bereid om haar moeder te vergeven. Ze voelde hoe ze haar al die jaren had gemist. Een moeder was nog altijd een moeder. Agnes ging in gedachten meerdere jaren terug in de tijd en werd een klein meisje met vlechten, die op haar moeders knieën klom en haar hoofd tegen haar borst liet rusten. Mama was de grote veiligheid. Ze deed alsof haar moeder hier in de kelder was en haar troostend vasthield.

Agnes begon te ijlen. Ze had de laatste drie keer dat haar gevangenbewaarder met eten kwam, niets genomen. Ze had geen honger. Ze had het gevoel dat ze een reis door het leven maakte en nostalgisch bij de wittebroodsweken hoopte ze dat ze daar voor altijd kon blijven.

Het had Tobbe niet uitgemaakt waar ze naartoe gingen, hij hield er vooral van om in luxehotels te verblijven. Ze vlogen via Bangkok naar Krabi. Op het vliegveld werden ze opgehaald door een limousine met een chauffeur van het hotel. Ze reden zo ver als ze konden. Het laatste stukje moest per boot. Niet een of andere gammele langstaartboot, maar een luxemotorjacht met kajuit. Toen ze aan land stapten op het vijfsterrenresort Rayavadee hadden ze anderhalve dag niet geslapen. Na een welkomstdrankje kregen ze een persoonlijke escorte in een elektrische auto naar hun weergaloze bungalow van twee verdiepingen. Speelse meerkatten wierpen zich van palmboom naar palmboom. Ze was in het paradijs. Toen ze een glimp opving van het smaakvol ontworpen zwembad, begreep ze dat ze het enorm naar hun zin zouden gaan hebben. Daarna gingen ze in het breedste bed liggen dat ze ooit had gezien. Een kleiner bed zou een voordeel zijn geweest met het oog op hun doel, het maken van een kind.

Negen maanden later waren ze met zijn drieën. Ze was totaal onvoorbereid geweest op al het werk dat een kind met zich meebracht, maar ze genoot ook van het speciale gevoel dat ze nu een kleine familie waren. Tobbe voelde zich daarentegen soms buitengesloten en moest zijn best doen om een band met zijn dochter op te bouwen. En in hetzelfde tempo dat Agnes en Nicole naar elkaar toe groeiden, dreven zij en Tobbe steeds verder uit elkaar. De liefde was er nog wel, maar ze was ergens weggestopt, waar wist ze toen niet.

Nu had ze alle tijd van de wereld om erover na te denken en in te zien hoeveel ze van hem hield. Hij was de man van haar leven en de droomvader voor haar kind. Maar ze wilde niet dat hij de belangrijkste persoon in Nicoles leven zou worden door het feit dat er geen concurrentie was. Ze raakte buiten zichzelf als ze eraan dacht dat Nicole zich haar niet eens zou herinneren. Voor haar zou het zijn alsof haar moeder er nooit was geweest.

Hij was een gevaar op de weg, dat begreep hij. Maar er was niets aan te doen. Hij had haast. Het bloed raasde door zijn lichaam en hij had het gevoel dat hij oververhit was. De autorit gaf hem tijd om na te denken, veel anders was er niet te doen. Hij had er bijna 350 kilometer op zitten en nog 100 kilometer te gaan tot Norrköping. Sleutels had hij natuurlijk niet, maar hij was handig in het openen van sloten. Het flatgebouw was oud en vergaan en waarschijnlijk nauwelijks iets waard, maar er waren stiftcilindersloten, dat had hij bij zijn vorige bezoek gezien. En dan had ze nog een veiligheidsketting, gestoord als ze was. Een zwakke variant die met één knip van zijn betonschaar zou bezwijken. Hij lachte in zichzelf en zette de geluidsinstallatie in de auto op haar hardst. Alles om zich op te peppen.

Het nadeel van het gebouw was dat het enorm gehorig was, hij moest het stil doen. Als ze zou schrikken, zou hij ontdekt worden. En hij had niet zoveel zin om een nieuwsgierige buurman af te moeten tuigen.

Hij had lang over deze dag gefantaseerd. Als kind had hij Viola maar een paar keer ontmoet. En toen vond hij de gedachte om haar de stuipen op het lijf te jagen al aanlokkelijk. Hij had een paar onhandige pogingen gedaan door plotseling luid schreeuwend van achter een deur tevoorschijn te springen. Ze schrok wel, maar het effect was nooit groot genoeg om zijn honger te stillen.

Eigenlijk kon hij er de vinger niet op leggen wat ze nu precies had gedaan waardoor hij zo verblind van haat was geraakt. Behalve dat ze zijn vader van hem had afgenomen. En er niet voor gezorgd had dat hij het gevoel kreeg dat hij bij een gezin hoorde. Ze had wel wat meer haar best kunnen doen. Ze woonden aan een grote binnenplaats met meerdere woonhuizen, dus het was niet uit plaatsgebrek dat hij nooit langs mocht komen. Als ze in een eenkamerwoning hadden gewoond, had hij misschien begrepen waarom ze het lastig vond om er een kind bij te krijgen. Viola was gemeen en na zijn laatste bezoek was ze ongetwijfeld doodsbang, dat voelde hij. En dat was precies volgens het plan. Het was alleen de vraag of ze dacht dat hij Agnes ontvoerd had.

Om geen argwaan te wekken parkeerde hij bij een containerpark op ongeveer honderd meter afstand van Viola's huis. Het was nergens voor nodig om vlak bij het gebouw met zijn kentekennummer te pronken. Hij keek op zijn horloge en zag dat het vlak voor middernacht was. De perfecte tijd voor een nachtelijk bezoek. Niet één van de buren zou nog wakker zijn.

De entree van het flatgebouw had hij in een mum van tijd open. Hij stapte de lift in, drukte op de knop voor de vierde verdieping en hoopte dat het ding in godsnaam geen lawaai zou maken. Het rook er naar urine en hij zag spatten in de ene hoek. Waarschijnlijk een hond, of liever gezegd, hopelijk een hond. Hij ergerde zich aan hondenbezitters. Waarom namen mensen een hond? Vast omdat ze geen vrienden hadden. Dan had hij er al lang geleden een moeten kopen, bedacht hij.

De lift gaf een klik toen hij stopte en hij stapte naar buiten. Tegenover zich zag hij het naambordje met HAMMERSTEN op de deur. Hij maakte snel het slot open. Ze was niet thuis of ze lag te slapen, want hij hoorde geen enkel geluid in het appartement. Hij sloop naar de kamer die tegenover de hal lag en liep door de open deur naar binnen. Het licht brandde en Viola zat op het bed.

'Ik wist dat je zou komen,' zei ze zonder een spoor van angst.

Haar gebrek aan gastvrijheid kwam niet onverwacht.

'Vrouwelijke intuïtie?' vroeg hij sarcastisch.

'Doe me geen pijn! Ik weet dat je me haat en ik wil de kans

krijgen om een aantal dingen te zeggen,' smeekte ze met een beverige stem.

Pijn doen? Hij wilde alleen een paar dingen uit zijn jeugd opgehelderd zien. Waarom Viola hem zijn vader niet had laten ontmoeten. Hij werd opeens heel onzeker. Hij had nog nooit iemand pijn gedaan. Het onwettigste wat hij op zijn geweten had, was het plukken van beschermde bloemen en het stelen van appels. Iets anders vermeldenswaardigs kon hij zich niet herinneren.

Hij spitste zijn oren.

'Ik was niet klaar voor nog een kind erbij en kon niet goed met de situatie omgaan. Je vader wist niet wat hij met je moeder aan moest en ik stond ertussenin.'

'En dat ik geboren werd, was mijn schuld?'

'Nee, echt niet. Maar het was ook niet míjn schuld. Wat je ook denkt, ik heb er alles aan gedaan om te zorgen dat je vader je zou accepteren, maar het haalde niets uit.'

Simon begon onrustig om zich heen te kijken. Hij had niet gerekend op zo'n slotpleidooi. Als enig jurylid moest hij toegeven dat het moeilijk was om te bepalen of ze de waarheid sprak. Ze kletste nerveus verder.

'Ik kan net zo goed de waarheid vertellen, ook al is die hard. Kent probeerde van alle verantwoordelijkheid voor jou af te komen en hij zag mij als een bruikbaar hulpmiddel. Toen wij elkaar ontmoetten, kon hij zijn droom verwezenlijken om de wereld rond te reizen. Ik volgde hem alleen maar. Maar het probleem was dat je moeder ook geen verantwoordelijkheid wilde nemen. Daarom was je zo vaak bij Elsa, je oppas. Kent heeft het vaderschap nooit erkend, zoals je weet. En daarna kwam Agnes en werden we een gezin waarin voor jou geen plaats was.'

Dat was de druppel.

Eerst vertelde ze onzin over zijn vader, die niet eens meer leefde, en daarna ging ze ook nog eens zijn eigen moeder belasteren. Viola was slecht. Door de woede vergat hij alles wat hij had willen vragen. Simons lichaam bereidde zich voor op een aanval. Zijn spieren stonden strakgespannen en zijn blik boorde zich in Viola. Hij trok haar van het bed en smeet haar tegen de muur. Viola kwam in een merkwaardige positie op de vloer naast het bed terecht en bleef bewegingloos liggen. Bloed sijpelde van haar hoofd. *Wat had hij gedaan?* In plaats van discreet te vertrekken, rende hij zo hard als hij kon de trappen af. Het had zich allemaal in minder dan vijf minuten afgespeeld.

De buren konden loeren wat ze wilden, het maakte hem niet uit. Pas toen hij bij de auto kwam, werd hij rustiger, al was zijn plan om Viola met de rug tegen de muur te zetten gewelddadiger verlopen dan de bedoeling was. Ze had hem aan zichzelf laten twijfelen en hij voelde zich de lafste zelfverloochenaar van de wereld. Hij werd bang van zichzelf en overwoog rechtstreeks naar de politie te rijden.

Ondanks zijn kracht en superioriteit had zij op de een of andere manier gewonnen. Ze was voorbereid en had ingestudeerd wat ze wilde zeggen. Hij had ingebroken, maar zij had hem verrast. Hij kon zich niet voorstellen dat hij hier niet mee weg zou komen. Het was totaal niet zijn bedoeling geweest dat het zover zou komen.

Toen hij met zijn auto van de parkeerplaats de straat op draaide, zag hij dat er achter meerdere ramen in het gebouw licht brandde. Hij sloeg af naar het zuiden, de E4 op.

Maandag 6 september

'Viola? Hallo, ben je thuis?'

Henrik Björck, die naast Viola woonde, riep door haar deur, die op een kier stond. Toen hij geen antwoord kreeg, begon hij steeds luider te roepen. De buren van de appartementen erboven en eronder sloten zich bij hem aan.

'Ik zag een man de trap af rennen,' vertelde een geschrokken vrouw die op de derde verdieping woonde.

'Ik werd wakker van een harde bons,' zei een ander.

Ze praatten allemaal door elkaar heen, behalve Henrik. Hij stond al in de hal en hield in gedachten dat hij niets mocht aanraken.

'Niets aanraken!' schreeuwde hij in de richting van het trappenhuis.

'Viola! Hoor je me?' riep hij opnieuw en hij merkte dat hij erop voorbereid was om de strijd aan te gaan, mocht er zich een gek op hem werpen.

Henrik was niet eens bang.

Hij wist in welke kamer hij moest kijken. Het was duidelijk dat de man of de mannen haar in de slaapkamer mishandeld hadden. Alles was zo snel gegaan en hij was kwaad op zichzelf dat het hem zoveel tijd had gekost voordat hij tot handelen was overgegaan. Een van de daders was er in elk geval vandoor gegaan, als er al meer bij betrokken waren. Hij dacht dat het maar om één man ging, maar je kon het nooit zeker weten.

Toen Henrik de slaapkamer binnenkwam, zag hij bloedspatten op het bloemetjesbehang. Maar Viola lag niet op het bed zoals hij had verwacht. Hij moest om het bed heen lopen om te kunnen kijken. Er stak een voet uit. Het been lag in een vreemde hoek gebogen. Hij vond Viola bewusteloos op de vloer met een zich uitbreidende bloedplas rond haar hoofd. Toen besefte hij pas dat ze de politie en de ambulance moesten bellen. De wekker op Viola's nachtkastje wees vijf over twaalf aan.

'Bel 112, met heel veel spoed!' brulde hij naar de anderen in het trappenhuis.

Hij probeerde zich de eerstehulpcursus te herinneren die hij op het Rode Kruiskamp had moeten volgen toen hij klein was. Maar het enige wat hij daar had geleerd was rolstoelslalommen. Hij vermande zich en voelde Viola's pols om te zien of haar hart klopte. Het leek van wel, maar dan heel zwak.

'Ze heeft een hartslag, maar is er slecht aan toe!' riep hij opgejaagd.

Hij durfde haar niet te verplaatsen, ook al deed het pijn om dat been er zo bij te zien liggen.

'De ambulance is onderweg!' riep iemand.

Het verbaasde hem dat geen van de anderen de kamer binnenkwam. De buren waren misschien bang voor wat ze zouden zien.

'Wat doet de ambulance er lang over!' riep hij verontwaardigd. 'Weet iemand hoe dat komt?'

'Nee, ik weet alleen dat ze onderweg zijn. Maar ik heb ze nog niet zo lang geleden gebeld,' hoorde hij een vrouw antwoorden vanuit de deuropening.

'En de politie? Heeft iemand die gebeld?'

'Göran heeft ze nu aan de lijn,' antwoordde dezelfde vrouw.

Henrik probeerde in te schatten of Viola het zou redden. Het was moeilijk te zeggen. Ze was niet bij bewustzijn, maar ze leefde. Het hing ervan af hoe snel de broeders hier waren. Als hij had geweten dat de ambulance al een paar minuten beneden op straat stond, zou hij waanzinnig zijn geworden. Het probleem was dat de politie niet even snel ter plekke was, en omdat er vermoed werd dat er een misdaad in het spel was, mocht het ambulancepersoneel niet eerder dan de politie naar binnen. Niet eens als er iemand in levensgevaar verkeerde.

Na nog een paar onrustige minuten stond Henrik besluiteloos in de slaapkamer en had het idee dat de tijd kroop. Hij wilde iets concreets doen, maar stond vastgeklonken aan de vloer. Elke minuut voelde als een uur. Toen hij voetstappen op de trappen hoorde, ademde hij uit. Hij vond dat Viola's gezicht lijkbleek was en wilde er niet aan denken hoeveel bloed ze had verloren. De wond op haar hoofd zag er akelig uit.

Toen het team de slaapkamer binnenkwam met brancard, verbandkist, zuurstof en nog een hoop andere spullen, trok hij zich terug in de hal om niet in de weg te staan, maar hij kon het niet laten om in de deuropening te blijven kijken hoe snel en effectief ze te werk gingen.

Een blonde vrouw van in de dertig, die een groengeel jack droeg met het woord ambulancebroeder op de rug, voelde haar pols en beoordeelde de ademhaling en gezichtskleur.

Ze pakte drukverband uit een van de kisten en wond dat om Viola's hoofd terwijl ze de ambulanceziekenverzorger, een man van middelbare leeftijd, instructies gaf.

'Ik voel geen radialispols, we brengen een infuus aan. Bereid een nekkraag en een vacuümmatras voor. We laden haar in en vertrekken,' zei ze rustig en zakelijk.

De ziekenverzorger legde het vacuümmatras op de brancard, deed de nekkraag om en bleef daarna bij haar zitten om haar hoofd vast te houden.

'Bent u familie?' vroeg iemand met een Östergötlands accent achter Henriks rug.

Hij draaide zich om en zag een stevige, mannelijke agent.

'Ik? Nee, ik ben de buurman van hiernaast.'

'Bevindt er zich een familielid onder het gezelschap?'

'Nee, we zijn allemaal buren.'

Een vrouwelijke agent riep vanuit de woonkamer dat ze Viola's legitimatiebewijs en adressenboekje had gevonden.

Toen Henrik weer naar Viola keek, had ze een zuurstofmasker voor en een infuus in haar arm.

'We hebben hulp nodig om de brancard op te tillen,' riep de verpleegkundige en ze keek voor de eerste keer op sinds ze de kamer binnen was gekomen.

Henrik wees vragend op zichzelf, maar ze sloeg totaal geen acht op hem. Hij moest zich zelfs uit de voeten maken toen de politieagenten binnenkwamen.

'Een, twee, drie, op!' riep de ziekenverzorger, die haar nek vasthield terwijl ze haar op de brancard legden.

Geroutineerd maakten ze haar vast en verdwenen over de trappen naar beneden. Alles bij elkaar had het minder dan vijf minuten geduurd.

'Pardon, ik moet u vragen het appartement te verlaten omdat we het gaan verzegelen,' zei een van de agenten, en Henrik schaamde zich dat hij er als een idioot bij had staan staren. Waar hij zich altijd zo aan ergerde als anderen het deden.

Op weg naar buiten botste hij tegen een sleutelsmid op die bezig was het slot van Viola te vervangen. Een agent die het appartement moest bewaken tot de technische recherche kwam, knikte hem kort toe.

Geen van de buren wilde meteen terug naar huis. Het was de eerste keer dat er zoiets verschrikkelijks in hun gebouw was gebeurd.

'Jullie zijn welkom om bij mij nog een kop thee of koffie te komen drinken,' bood Henrik aan.

Iedereen ging mee.

Al heel snel constateerden ze dat niemand van hen de politie een goed signalement van de dader had kunnen geven. Hij had zo hard gerend.

'Zijn we het erover eens dat de aanvaller alleen was?' vroeg Henrik en het antwoord was een eenstemmig ja.

Zoveel was duidelijk, en ook dat hij een spijkerbroek droeg.

Verder liepen de opvattingen uiteen: omstreeks vijfendertig jaar, van gemiddelde lengte of iets groter, haarkleur donker- of lichtbruin, grijze of beige trui. Meer konden ze niet bedenken en ze voelden zich er allemaal ongemakkelijk onder.

'Ik vind dat we voor Viola moeten bidden,' zei de vrouw die de ambulance had gebeld, en ze vouwden allemaal hun handen.

Er klopte iets niet. Hij was altijd ongelooflijk zorgvuldig met het brengen van eten op gezette tijden, maar nu had ze al een eeuwigheid niets gekregen. Ze was zo wanhopig dat ze overwoog om de oude borden in de hoek van de kamer uit te pluizen, maar ze kon niet eens opstaan. Ze lag op haar zij, dezelfde houding die ze de laatste uren had ingenomen, en haar heup deed pijn. De honger had plaatsgemaakt voor een apathische toestand waarin haar maag maar af en toe protesteerde. Ze had vreselijk dorst en zocht lusteloos met haar hand naar de waterfles, die nergens te vinden was. De vermoeidheid en de dorst maakten haar verward en het verlangen naar Nicole trof haar als een vuistslag.

Haar lieve kleine meisje.

Het beeld van haar vrolijke, ijverige dochter bleef door haar hoofd spoken, hoe ze het ook weg probeerde te jagen. Nicole was overal. Ze had alles willen doen om haar kind nog één keer te kunnen omhelzen en haar te zeggen dat ze de mooiste van de hele wereld was, dat mama altijd van haar zou houden. Maar ze kon niet eens te weten komen hoe het met haar ging. En ze had toch geen invloed op wat er gebeurde.

Dat inzicht kon ze niet accepteren. Het mocht simpelweg niet zo eindigen en ze huiverde bij de gedachte dat haar ontvoerder gewond of zelfs dood kon zijn. Als niemand anders wist dat zij hier in de kelder zat, zou het niet lang duren voordat ze weg zou kwijnen. Ze zag voor zich hoe iemand twintig jaar later haar skelet vond. En dat van de kleine baby – een huiveringwekkend beeld. Ze moest denken aan de catastrofe in Amstetten in Oostenrijk, waar een gestoorde vader zijn dochter opsloot en zich vierentwintig jaar lang aan haar vergreep. Dat was zo lang dat het niet te begrijpen viel. En het was ook onvoorstelbaar dat de dochter de kinderen van haar vader in de kelder ter wereld moest brengen.

Agnes wilde geen kind ter wereld brengen in dezelfde afschuwelijke omstandigheden. Het enige positieve aan doodgaan is dat de bevalling dan niet doorgaat, dacht ze, terwijl ze haar nagels zo hard als ze kon in haar been zette. Ze wilde proberen de psychische pijn te overstemmen. Pas toen ze warm bloed op haar vingers voelde, hield ze ermee op. Ook dat hielp niet om haar gedachten te verstrooien.

Ze begon na te denken over haar relatie met Johanna. Eigenlijk was ze best jaloers op de carrièrewisseling van haar beste vriendin. Ze waren gedurende hun hele jeugd met elkaar opgetrokken als zusjes en ze kon zich niet meer herinneren wie van hen had besloten om op het gymnasium het verpleegstersprogramma te volgen. Het belangrijkste was dat ze samen waren. Na hun studententijd kregen ze een baan als ziekenverzorgster op de orthopedieafdeling van het Vrinneviziekenhuis in Norrköping. Alle patiënten waren tachtig jaar of ouder en hadden veel zorg nodig. Het was hun taak om de patiënten uit bed te helpen, de bedden te verschonen, ze er weer in te leggen, ze op hun andere zij te draaien, ervoor te zorgen dat ze in hun rolstoel kwamen enzovoort. Als ze geen eten moesten rondbrengen, moesten ze met de patiënten naar het toilet. Als iemand had overgegeven, moesten zij en Johanna het opruimen. Het was geen ondankbaar werk, ze kregen genoeg waardering van de patiënten. Maar uiteindelijk hadden ze de laagste rang op afdeling 9. Na dit rotwerk een paar jaar te hebben gedaan, maakte Johanna haar drastische keuze en liet zich omscholen tot journalist.

Het kostte Agnes meerdere maanden om de teleurstelling te verwerken, en nu ze op haar dood lag te wachten, besefte ze dat ze er nog steeds niet helemaal overheen was. Het had toch iets positiefs opgeleverd, want door die schok begon ze bij gebrek aan iets anders aan een opleiding tot verpleegkundige. Direct na haar examen kreeg ze een baan in de gynaecologische kliniek in het ziekenhuis van Danderyd en daar werkte ze nog steeds, al had ze het er niet altijd naar haar zin.

Haar lichaam begon oncontroleerbaar te schudden toen ze eraan dacht dat de bijna volgroeide baby in haar buik er misschien nooit uit zou komen. Nooit het leven zou ervaren. Het was zo onrechtvaardig en treurig.

Tobbe zou gebroken zijn als hij haar nooit zou vinden en verder zou moeten leven zonder te weten wat er was gebeurd. Ze zouden elkaar nooit meer vast kunnen houden en hij zou zichzelf er steeds aan herinneren dat ze de laatste keer dat ze elkaar zagen, ruzie hadden gemaakt. Zo bezien was het voor hem erger. Als zij dood was, zou ze niet meer lijden. Maar haar tweelingziel, met wie ze haar hele volwassen leven had doorgebracht, zou gehalveerd worden. Ze vroeg zich af hoe hij het zou redden zonder haar en of hij Nicole op kunstschaatsen of paardrijden zou doen.

De pijn dat ze er niet bij zou zijn, was ondraaglijk.

Ze wist dat Tobbe niet zou ophouden met naar haar te zoeken. Hij had een ijzeren wil en gaf nooit op. Tranen verwarmden haar ijskoude wangen. Ze begon nog harder te huilen toen ze eraan dacht dat ze haar man en dochter waarschijnlijk nooit meer zou zien. Ze hield grenzeloos veel van ze, ook al was ze de laatste tijd vreselijk vervelend geweest. Ze had er nu enorm veel spijt van, maar dat hielp niet. De mogelijkheid dat ze in een kelder zou worden opgesloten, was geen moment bij haar opgekomen toen ze zich omdraaide en Branterögen uit liep. Het enige wat toen in haar hoofd zat was dat ze Tobbe moest straffen door weg te gaan. Laat hem zich maar waardeloos voelen. Trots kwam voor alles. Dat verdomde prestige. Ze werd dag en nacht gekweld door schuldgevoelens.

Agnes had al urenlang niet geslapen, hoeveel uur wist ze niet. Ze lag maar met wijd open ogen in de duisternis te staren. Misschien kon ze niet slapen omdat ze geen eten meer kreeg. De gedachten wervelden door haar hoofd en ze voelde zich slecht. Ze vroeg zich af of haar ontvoerder echt gestorven was en ze weg zou rotten in deze hel. De claustrofobie kreeg de overhand en gaf haar de kracht om op te staan. Ze kwam zo goed als overeind en sloeg wild met haar vuisten in de lucht. Plotseling gaf ze een rechtse directe tegen de deur, waardoor een botje in haar hand kraakte. De pijn was zo hevig dat elke spier in haar lichaam verkrampte.

Toen gebeurde wat absoluut niet mocht gebeuren.

Het was alsof iemand een emmer water leegde tussen haar benen. Al na enkele minuten begon de zeurende pijn in haar onderrug. De paniek sloeg toe. De baby mocht nu niet komen. Vertwijfeld bonkte ze tegen de muur en schreeuwde om hulp.

Zoals gewoonlijk reed Räffel in burgerkleding en in zijn eigen auto naar het werk. Pas als hij zijn uniform aanhad, werd hij politieagent. De rest van de tijd was hij gewoon Lars, een doodgewone man die ook kookte, afwaste, het gras maaide en met de buren kletste aan de andere kant van de seringenheg. Nu hij tot politiecoördinator was benoemd, was hij niet helemaal zichzelf. Hij was autoritairder en nauwgezetter als hij zo'n belangrijke rol moest vervullen. Vandaag kwam hij laat op zijn werk, maar hij trok zich er niets van aan. Dat was het voordeel van de baas zijn. Bepaalde voorrechten mocht hij zich wel toe-eigenen met alle verantwoordelijkheid die op zijn schouders rustte. Hij kreeg lof als de politie een zaak oploste, maar hij kreeg ook shit over zich heen als alles in het honderd liep. Zoals nu met de zaak-Agnes.

'Is er vannacht nog iets gebeurd?' vroeg hij aan de dienstdoende agent toen hij het politiebureau binnenkwam.

'Nee, de gebruikelijke telefoontjes van mensen die dachten dat ze Agnes Malm hadden gezien. Een grapjas beweerde dat hij met haar had gerommeld op de avond dat ze verdween. En er was een angstige en verwarde oude vrouw die iets over Agnes uitbracht en toen ophing,' antwoordde hij en hij klikte ijverig verder met zijn draadloze muis. Hij was druk bezig met iets op zijn computer en Räffel kon aan de andere kant van het scherm niet zien wat het was. Blijkbaar was het belangrijker dan de vragen van zijn baas.

'Wat zei ze nog meer? Die vrouw?' vroeg Räffel.

Anders keek met een moeilijk gezicht op.

'Dat kan ik niet goed zeggen, ik werkte toen niet. Björn heeft alleen een korte samenvatting gegeven toen ik het van hem overnam.'

'Hebben jullie de contactgegevens vastgelegd?'

'Tuurlijk, dacht je nu echt dat het anders zou kunnen gaan?' zei Anders.

'Hou op met die onzin! En zit niet naar je scherm te kijken als ik met je praat. Ik wil dat je het nu nazoekt!' zei Räffel geïrriteerd. 'Ik wil de gegevens van die vrouw en ik wacht erop in mijn kamer,' beval hij en hij nam deze keer geen kop koffie mee zoals hij anders altijd deed.

Hij had zeker een oppepper nodig, maar niet van de cafeïne.

Anders belde binnen vijf minuten op. De vrouw had haar naam niet gezegd, maar ze hadden het telefoonnummer nagezocht en het was uit de 011-omgeving, Norrköping.

Na tien pogingen zonder dat er opgenomen werd, raakte hij nog geïrriteerder. Dat mens had niet eens een antwoordapparaat. Hij zocht het nummer op en het bleek dat Viola Hammarsten midden in de nacht had opgebeld. Agnes' moeder. Verdomme, hoe had Björn dat kunnen missen? Hij belde hem en het kon hem niets schelen dat hij iemand wakker maakte die de hele nacht gewerkt had.

'Hallo?' antwoordde Björn slaapdronken.

'Dit is Lars Räffel, neem me niet kwalijk dat ik je wakker moet maken.'

'Is er iets gebeurd?'

'Ik moet precies weten wat die verwarde vrouw die belde je heeft verteld over Agnes.'

'Om te beginnen klonk ze bang, ze fluisterde. Laat me denken, ik geloof niet dat ze haar naam heeft gezegd.'

'Oké, en verder?'

'Ze jammerde en noemde de naam Agnes. Het was moeilijk om te verstaan wat ze zei.'

'Verder?' vroeg Räffel.

'Daarna hing ze gewoon op. Klik, dus.'

'En dat was alles?'

'Dat was alles. Mag ik vragen waarom het zo belangrijk is?'
'Omdat het Agnes' moeder was die belde.'
'Hou je me voor de gek?'
'Vind je dat ik de indruk wek dat ik me amuseer? Slaap maar verder. Zoals ik al zei, neem me niet kwalijk dat ik je wakker heb gemaakt.'
'Geeft niets,' zei Björn beteuterd en ze beëindigden het gesprek.
Hij probeerde Viola te bellen, maar er werd weer niet opgenomen. Hij nam contact op met het gemeentelijk communicatiecentrum om te zeggen dat ze iemand naar het adres moesten sturen. Toen kreeg hij te horen dat ze er al waren geweest en haar hadden meegenomen omdat ze mishandeld was. De politie was in het ziekenhuis om haar vragen te stellen, maar ze moesten wachten op akkoord van de dokter.

Toen Tobbe wakker werd zag hij dat het antwoordapparaat knipperde. Ze hadden zo'n ouderwetse met een cassettebandje.

Het apparaat was zo lelijk als wat en nam het halve nachtkastje van Agnes in beslag. Hij drukte op PLAY en hoorde eerst niets. Daarna dacht hij dat hij een vrouwenstem iets hoorde fluisteren. Hij drukte op de REPEAT-knop om het nog een keer te horen.

'Viola?' zei hij verbaasd bij zichzelf.

Waarom fluisterde ze?

Tobbe deed alle ramen dicht en zette de radio uit. Hij was ongeduldig en daardoor duurde alles twee keer zo lang. Hij voelde dat dit belangrijk kon zijn.

Toen hij klaar was met de provisorische geluidsisolering van het appartement ging hij gespannen op de rand van het bed zitten en spitste zijn oren. Volledig geconcentreerd drukte hij op PLAY. Er klonk een krassend geluid en hij hoorde haar ademhaling, snel en nerveus. Daarna kwam het. Plotseling hoorde hij precies wat ze fluisterde.

'Vergeef me. Simon Asp. Hij...'

Het bericht werd onderbroken.

Simon Asp. Tobbe begreep er niets van, de naam was hem volslagen onbekend. Meer details dan dit gaf ze niet en het klonk alsof ze zich opgejaagd voelde en abrupt werd onderbroken.

Hij ging snel naar de computer in de hal en zocht op internet naar Simon Asp. Twee treffers. Eentje woonde in Gusum, ergens in Östergötland, en een in Tomelilla in Skåne.

Hij probeerde eerst die in Tomelilla te bellen, maar er werd niet opgenomen. Toen koos hij het nummer in Gusum. Dat was in de buurt van de streek waar Agnes was opgegroeid.

'Simon, een moment!' zei een mannenstem zonder op antwoord te wachten. 'Toen je de trap op rende bleef je zusje helemaal alleen achter, foei!' las de man een kind de les op de achtergrond.

Tobbe wachtte geduldig tot de aandacht op hem gericht zou worden, maar het opvoeden van kinderen leek in Gusum voorrang te hebben op telefoongesprekken en hij kreeg het gevoel dat dit niet de Simon Asp kon zijn die Viola de stuipen op het lijf had gejaagd. Omdat hij geen tijd en geen zin had om zich nog meer te verdiepen in het Östergötlandse dialect, verbrak hij de verbinding.

Hij besloot zich te richten op de Simon in Tomelilla. Hij probeerde hem weer te bellen, zowel op het vaste nummer als op zijn mobiel, maar er werd niet opgenomen. Toen moest hij weer aan Viola denken. Zij wist waar het over ging. Hij toetste het nummer in, maar kreeg alleen een pieptoon. Hij vloekte geïrriteerd en vroeg zich af waarom mensen telefoons hadden als ze ze niet gebruikten.

Simon Asp.

Tobbe probeerde nog een keer uit zijn geheugen op te delven of hij die naam ooit eerder had gehoord. Nee, er kwam niets boven. Een snelle speurtocht op internet leverde een foto op van Simon Asp, die als leraar werkzaam was op een middelbare school. Op de een of andere manier zag hij er bekend uit.

Hij belde Johanna.

'Wat klink je gespannen. Is er iets gebeurd?'

'Ja, dat kun je wel zeggen. Simon Asp in Tomelilla, zegt jou dat iets?'

'Nee, zou ik hem moeten kennen?'

'Ik weet het niet, ik vroeg het me alleen af. Ik kom erop terug!' zei hij en hij verbrak de verbinding.

Hij toetste het nummer in van inspecteur Lars Räffel.

'Hallo, dit is Tobias Malm. Ik heb een vreemd bericht van Agnes' moeder op het antwoordapparaat. Ze probeert iets te zeggen en noemt de naam Simon Asp.'

Räffel onderbrak hem. 'Ik heb net een rapport uit Norrköping gekregen. Agnes' moeder is vannacht zwaar mishandeld en noemt Simon Asp als de dader. Ze ligt op de intensive care maar zal er weer bovenop komen.'

Het liefst wilde Tobbe het uitschreeuwen. Hadden ze hem erbuiten willen houden? Maar hij concentreerde zich in plaats daarvan op waar het werkelijk om ging.

'Wie is Simon Asp?'

Räffel slikte. 'Hij is Agnes' halfbroer.'

Tobbe viel bijna van het bed.

'Halfbroer? Dat kan niet kloppen, dan zou ik er wel van geweten hebben.'

'Het is niet eens zeker of Agnes wel van zijn bestaan af weet. Het ligt allemaal erg gecompliceerd en de politie heeft nog geen kans gehad om Viola serieus te ondervragen.'

Räffel werd onderbroken door iemand op de achtergrond.

'We gaan nu naar het huis van Simon, ik moet ophangen,' zei hij en hij liet Tobbe achter met een pieptoon in de hoorn.

De politieradio was zijn beste vriend. Rosenlund kon zijn geluk niet op toen hij besefte dat hij precies op het juiste moment op de juiste plek was. Hij was zelfs eerder dan de politie bij het huis van Simon Asp. Puur geluk, omdat hij zich in de omgeving had bevonden. De adrenaline pompte door zijn lichaam toen hij besefte dat hij de kans had om een daad te verrichten waar Myggan zijn voeten voor zou kussen en de dozen met alcohol door zou vergeten. Hij moest nu snel handelen. Hij wilde op de foto's staan, hand in hand met Agnes. Het zou de voorpagina van het jaar worden en alles wat hij in zijn carrière had meegemaakt overtreffen.

Er brandden een paar lampen in het huis van Simon, maar hij zag niemand bewegen. Hij zakte onderuit in de stoel van de huurauto en haalde diep adem. Wat was het plan?

Hij voelde of de zaklamp aan zijn sleutelbos in zijn broekzak zat. Daarna stapte hij uit en duwde het portier voorzichtig dicht zonder hem te sluiten. Het was niet verstandig om vier knipperlichten te laten branden terwijl op hetzelfde moment de deursloten dichtklikten. Voordat hij de weg overstak naar het huis van Simon Asp, haalde hij het enige wapen tevoorschijn dat hij kon bedenken, een dommekracht.

Tot dusver was er niets wat erop wees dat er iets aan de hand was. Er was een bloemenperk voor het huis en drie appelbomen leunden tegen het hek van de tuin ernaast. Het huis leek drie verschillende ingangen te hebben, waarvan er een direct naar de kelder leidde. De tuindeur en de normale entree kwamen niet in aanmerking. Hij voelde aan de kelderdeur, die natuurlijk op slot zat.

Rosenlund had nog nooit van zijn leven een slot opengebroken en begreep dat het in de huidige situatie een onmogelijke opgave zou zijn. Hij voelde voorzichtig aan het keukenraam en ontdekte een kier. Met behulp van een sleutel probeerde hij het raam open te krijgen, maar het was van binnenuit afgesloten. Na een paar wanhopige pogingen waarbij hij al zijn lichaamskracht gebruikte, knapte er iets en het raam vloog met een dof geluid open. Hij keek nerveus om zich heen om te zien of de buren achter een gordijn naar hem stonden te loeren. Geen levensteken. Rosenlund schatte in dat het mogelijk moest zijn om door het raam naar binnen te klimmen, maar hij rekende er niet op dat hij er ongeschonden doorheen zou komen. De opening was ontegenzeggelijk krap voor een forsgebouwde man, en het risico dat hij zou blijven steken was groot. Hoewel hij doorgaans onhandig was, slaagde hij er verbazingwekkend snel in om zich naar binnen te wurmen, met zijn voeten eerst. Zijn doel stond hem zo helder voor ogen dat hij geen hindernissen zag, vooral niet nu hij al zo ver was gekomen.

Hij liet zich gauw op de vloer zakken, bleef met zijn ene mouw aan iets scherps hangen en hoorde dat hij scheurde. Maar hij was binnen! Hij haalde zijn sleutelbos met de platte halogeenzaklamp tevoorschijn. Toen hij het licht op de ruimte richtte, zag hij dat hij in een waskamer was beland. Witte lakens hingen keurig en schoon aan een lijn en er stond een wasmand met vuile was. Hij keek om zich heen. Er was maar één deur en daarna kon hij naar rechts of naar links. De keuze viel op de linker deur. Het probleem was alleen dat die op slot zat. Net toen hij zich wilde omdraaien om de andere kant op te gaan, kreeg hij een harde klap op zijn hoofd.

Alles werd zwart.

Simon gooide de kastieknuppel op de grond en drukte op de schakelaar zodat de tl-buis aanging. Hij draaide zich naar de indringer die voor hem op de grond lag en begreep niet hoe die grote man erin geslaagd was door het kelderraampje te komen. Maar hij begreep bovenal niet waarom de man had ingebroken.

Mijn god, dit was krankzinnig.

Hij zag het scenario voor zich: hoe de politie met getrokken wapens aan zou komen zetten. Dan zou hij geen tijd hebben om een vluchtplan te bedenken. Eigenlijk was hij verbaasd dat de politie nog niet was gekomen om hem te arresteren. Het was tenslotte al uren geleden dat hij op bezoek was geweest bij Viola. Misschien lag ze in coma. Hij dacht snel na. De waarheid was dat hij het niet meer volhield. Hij was volledig doorgeslagen bij Viola en was zich rot geschrokken van zichzelf. De aanval met het slaghout net was iets heel anders. Iemand had ingebroken in zijn huis. Hij liep de trap naar de keuken op en keek door het raam naar buiten. Nog steeds geen blauwe lichten. De man moest maar in de kelder blijven liggen, want Simon had geen idee wat hij met hem aan moest. Het zou nog wel even duren voor hij bijkwam en dan had de politie vast en zeker zijn deur al ingetrapt.

Maar er kwam geen politiemacht met getrokken wapens. In plaats daarvan ging zijn telefoon en hij nam op en zei zijn naam zoals hij altijd deed.

'Dit is Lars Räffel van de politie. Het huis is omsingeld en we willen dat je naar het raam loopt en je handen laat zien.'

Hij bromde iets terug en volgde de instructies van de politie op. Toen hij naar buiten keek, zag hij enkele donkergeklede gestalten naderbij komen. De deur vloog met een geweldige knal open en drie politieagenten stormden naar binnen en dwongen hem op zijn buik op de grond te gaan liggen.

'Lig stil!' brulde een agent.

Simon had geen keuze, hij zat zo vast als in een bankschroef. Een koude handboei bleef steken in het haar rond zijn pols voordat hij dichtklikte. Hij vond al die maatregelen overdreven.

'Kom overeind!' beval de agent die net tegen hem had geschreeuwd, en Simon krabbelde snel op zijn voeten.

'Ga tegen de muur staan!' ging hij verder.

Simon deed wat hem werd opgedragen en er stapte een vrouw naar voren die hem van top tot teen fouilleerde.

'Geen wapens,' constateerde ze en hij begon het een onwerkelijke situatie te vinden.

Ze draaide hem met een ruk om en keek hem dwingend aan.

'Waar is ze?'

Simon wist niet wat hij moest antwoorden.

'Ze? Bedoel je híj?'

De vrouw keek naar haar mannelijke collega, die de vraag verduidelijkte.

'Waar is zé? Niet híj.'

'Ik begrijp niet waar jullie het over hebben,' antwoordde hij en hij zag aan hen dat ze dachten dat hij loog.

'Moghimi, blijf bij Simon, dan doorzoeken wij het huis!' zei een agent en hij liep de trap op naar de bovenverdieping terwijl twee andere agenten naar de kelder gingen en er een in de woonkamer verdween.

Simon wilde behulpzaam zijn met de sleutels, maar zag dat ze alles al hadden gevonden wat ze nodig hadden. Het vreemde was dat niemand een woord over Viola zei.

De agenten gingen met zijn spullen om alsof ze niets voorstelden, en Simon zag de vernielingen die ze aanrichtten met lede ogen aan. De agent kwam terug van de bovenverdieping en schudde zijn hoofd. De vrouw die Simon bewaakte liet de moed niet zakken, ze leek ervan overtuigd te zijn dat ze zouden vinden wat ze zochten.

'Simon, zeg nu waar Agnes is,' zei ze en ze keek hem strak aan.

Agnes, natuurlijk dachten ze aan haar. Simon vervloekte zichzelf dat hij niet vlugger van begrip was geweest. Net toen hij antwoord wilde geven, werd hij onderbroken door een kreet uit de kelder.

'We hebben iemand gevonden!'

Hij voelde hoe de vrouw hem het liefst alleen zou laten, maar ze moest haar nieuwsgierigheid bedwingen. De rest van de agenten rende naar beneden en ze kwamen met verbaasde gezichten weer boven.

'We hebben een bont en blauwe Göran Rosenlund in de kelder gevonden.'

Simon begreep dat hij het een en ander uit te leggen had.

'En verder?' vroeg de vrouw terwijl ze haar collega's hoopvol aankeek.

'Niets. We hebben geen spoor van Agnes gevonden.'

Ze bestudeerde Simons gezichtsuitdrukking en hij haalde alleen hulpeloos zijn schouders op.

'We praten verder op het bureau,' zei ze kil en ze greep zijn arm om hem mee naar buiten te nemen.

Dinsdag 7 september

'Help, help, help!' brulde ze in paniek en ze merkte met afschuw dat haar stem het aan het begeven was. De bevalling, waar ze in normale omstandigheden al doodsbang voor was geweest, was nu in volle gang en ze zat opgesloten in een kelder zonder enige hulp. Niemand hoorde haar. Omdat het kind eigenlijk nog niet hoorde te komen, was ze bang dat er iets mis was. Als ze de dagen goed had geteld, zou ze nu in de zesendertigste week zijn. Dat was eigenlijk niet zo moeilijk geweest om bij te houden, omdat haar zwangerschapsweken exact de weken van het jaar volgden. Maar nu wist ze niet langer hoeveel dagen er waren verstreken. Ze durfde er niet aan te denken wat er zou gebeuren als er complicaties zouden optreden. De baby zou misschien in een stuitligging liggen en zou er snel uit moeten komen in verband met zuurstofgebrek. De tijd die Agnes in de kelder had doorgebracht, had hem misschien op de een of andere manier schade toegebracht. Of de man had haar iets te eten gegeven wat slecht was voor het kind. Ze schreeuwde om hulp tot haar stem brak.

Waarom kwam hij niet?

De weeën werden heviger en ze probeerde ze uit alle macht tegen te houden. Zonder erbij na te denken legde ze haar gewonde hand tegen de muur en brulde van de pijn die door haar hele lichaam schoot. Maar de fysieke pijn was niet het ergste. De angst voor wat er met het kind zou gebeuren was groter. Zolang de baby in haar buik had gezeten, had de ontvoerder niets gedaan, haar niet eens aangeraakt. Daardoor had de angst zich langzaam bij haar opgebouwd dat hij op het kind uit was. Een afschuwelijke gedachte. Wat zou er in dat geval met haar gebeuren als de baby was geboren? Een krachtige wee onderbrak haar doodsangst enkele seconden, maar snel keerde die weer terug.

Ze was verbaasd over het tempo. Deze baby wilde eruit, nu. Dat ze zich ertegen verzette, maakte niet uit. Ze dacht aan Tobbe en probeerde kracht bij hem te vinden. Hij bevond zich ergens daarbuiten en dacht aan haar.

Ze deed alsof hij bij haar was, zoals toen ze samen de psychoprofylaxecursus hadden gevolgd. Tobbe was een perfecte coach die ervoor zorgde dat zij zich concentreerde op de ademhaling en op positieve gedachten. Na de weekendcursus, waar zij hem mee naartoe had genomen, hadden ze elke avond vijf minuten ademhalingsoefeningen gedaan. Ze wist dat ze meer dan drie minuten lang oppervlakkig kon ademen. Nu had ze helemaal niet geademd tijdens de weeën en ze hoorde hoe Tobbe op haar schold.

'Kijk me aan, je weet dat je het kunt!' zei hij dwingend.

Ze hield het beeld van Tobbes vastberaden gezichtsuitdrukking vast en sloot haar ogen. Tobbe pakte haar hand, de goede hand. Ze glimlachte en hoorde hoe hij meetelde met de weeën. Hij masseerde haar door middel van cirkelbewegingen met zijn vrije hand over haar onderrug en ze smeekte hem het tegen te houden met zijn hand onder haar buik.

Opeens begonnen de persweeën en Agnes vergat tijd en ruimte. Tobbes warme hand verdween. Er was geen vroedvrouw die haar instructies kon geven. En niemand kon haar vertellen wanneer het tijd was om te persen en wanneer ze zich moest inhouden en alleen moest hijgen. Daardoor deed ze het een noch het ander. Ze begon te hyperventileren. Ze had het gevoel dat ze ging flauwvallen en wist niet of ze leefde of dood was. Ze dacht dat ze boven zichzelf zweefde, maar het lukte haar niet om los te breken uit haar gevangenis. Tobbe streelde haar voorzichtig over haar wang. Ze voelde zijn vochtige lippen over haar voorhoofd strijken. Hij fluisterde in haar oor. *Je redt het.*

Voor Tobbe, dacht Agnes en ze schakelde haar wil weer in.

Na zeven persweeën was de baby eruit. Eerst hoorde ze alleen

een licht gepiep, daarna werd de stem luider en begon het kind vertwijfeld te schreeuwen. Ze had niets om de navelstreng mee door te knippen en perste met alle kracht die ze nog overhad om de moederkoek eruit te krijgen. Daarna wurmde ze zich uit haar jurk om iets zachts te hebben om hem mee te verwarmen. Voordat ze de gebloemde jurk om haar kind wikkelde, voelde ze tussen zijn benen. De echoscopie had gelijk gehad. Mijn eerste jongen, dacht ze, en ze werd vanbinnen warm van geluk.

Midden in haar vreugde ging de deur van de kelderruimte open en de grove hand waar ze normaal gesproken alleen een glimp van opving, gleed nu naar binnen en tastte rond in het donker. Ze werd verblind door het tl-licht uit de kamer erachter, maar ze kon de vage contouren van een man onderscheiden. Voor de eerste keer deed hij een stap in de kelder. Ze zag de grote, angstaanjagende schaduw dichterbij komen en wist niet wat ze moest doen. Instinctief trok ze zich terug. Haar lichaam zocht bescherming in een hoek in een wanhopige poging om zich te verbergen. Hoe dichter hij haar naderde, hoe krampachtiger ze de jongen tegen zich aan klemde. Hij boog zich naar haar voorover en wrikte haar vingers los, een voor een. Agnes verweerde zich, zelfs met haar gebroken hand, maar ze had niet veel kracht meer. Vertwijfeld voelde ze hoe hij haar zoon optilde, inclusief navelstreng en moederkoek, naar buiten liep en de deur sloot. In minder dan zestig seconden was ze haar jongen kwijtgeraakt en ze had niet eens kunnen protesteren.

Ze wilde schreeuwen, maar haar stem werkte niet.

Er ging een flits door zijn hoofd en hij schrok op. Het bonkte onaangenaam in zijn achterhoofd en hij probeerde zijn ogen te openen, maar had daar direct spijt van. Het licht verergerde de toch al ondraaglijke pijn. Langzaam probeerde Rosenlund aan het licht te wennen door zijn oogleden steeds verder te openen, en toen hij weer een beetje kon zien, zag hij een lichtblauw gordijn voor zich.

Hij zocht naar iets wat hij herkende, maar tevergeefs.

De wanden waren lichtgeel en hij lag in een verstelbaar stalen bed met een gele deken over zich heen. De omgeving schreeuwde het woord 'ziekenhuis' en aanvankelijk begreep hij niet wat hij daar deed. Fragmentarische beelden van een donkere kelder flitsten door zijn hoofd. Hij herinnerde zich hoe hij met zijn zaklamp in de hand rondsloop en aan een deur voelde die op slot zat. Daarna was alles pikzwart geworden. In een fractie van een seconde had hij paniek gevoeld over zijn misgelopen heldenrol. Waarschijnlijk was er maar één wand geweest die hem van Agnes scheidde. Hij was simpelweg gestruikeld over de eindstreep. Hoe hij van de kelder in het ziekenhuis was beland, was hem een raadsel, maar hij vermoedde dat het niet de ontvoerder was die hem ernaartoe had gebracht. Hij had geen idee hoeveel tijd er was verstreken. En ook niet wat hij moest doen om daar antwoord op te krijgen.

De gedachte dat hij zo dicht bij de oplossing van het drama was geweest, irriteerde hem. Hij had nooit kunnen vermoeden dat een onbekende halfbroer erachter zat. Het was alleen nog de vraag waar hij Agnes heen had gebracht. Vermoedelijk was ze al dood en had hij haar in de tuin begraven.

Instinctief probeerde hij op te staan, maar dat had geen zin.

De wil zei het een en het lichaam het ander. Hij zat vast in zijn bed.

Toen ontdekte hij een rode knop en drukte erop om de aandacht van het personeel te trekken. Er verscheen een verpleegster.

'Kan ik wat water krijgen?'

Hij kreeg een beker water en een pil, hopelijk pijnstillend. Het jeukte vreselijk op zijn voorhoofd en Rosenlund strekte zijn hand uit om met zijn nagels te krabben, maar voelde alleen een bandage. Het moest een flinke klap zijn geweest, dacht hij verbaasd.

De tijd tikte verder en Rosenlund dommelde weer even in. Hij werd wakker van een vrouwelijke agent die op een stoel bij zijn bed zat. Haar haar was opgestoken in een knot in haar nek en ze knikte respectvol en ernstig naar hem.

'Het spijt me als ik je wakker heb gemaakt.'

Enkele seconden lang werd hij door een soort onzekerheid getroffen. Hij deed zijn ogen dicht. Zou hij erachter komen of Agnes dood was of nog leefde? Zijn gevoel vertelde hem dat de politie vast en zeker met een bericht zou komen dat hij niet wilde horen. Hoe langer het duurde voordat ze iets zei, hoe meer hij ervan overtuigd was dat ze geen goed nieuws te vertellen had.

'Ik heet Lisa Moghimi en ik zou u graag enkele vragen willen stellen,' zei ze ten slotte.

'Hebben jullie Agnes gevonden?' vroeg hij.

'Nee, we hebben niets gevonden bij Simon Asp thuis. Helemaal niets wat met Agnes te maken heeft. Ik wil alleen weten waarom je er hebt ingebroken.'

Hij keek haar niet-begrijpend aan. *Dat kon niet waar zijn.* Hij was er zelf geweest, zo dicht bij de oplossing. Als hij die gesloten deur maar opengekregen had, dan zou hij het hele drama hebben opgelost. Nu was hij de scoop van zijn leven misgelopen.

Rosenlund vond het jammer dat hij überhaupt wakker was geworden. Zoals de situatie nu was, kon hij net zo goed gewoon doodgaan. Zijn carrière was voorbij. Hij dacht erover na of hij zich zou laten cremeren in een gratis kist en daarna de as ergens zou laten verspreiden waar hij thuishoorde. De enige plek zou dan op zijn werk zijn, dacht hij sarcastisch en hij voelde een steek van angst. Niemand van de redactie zou zijn as onder zijn hoede willen nemen. En wat werkelijk beklagenswaardig was, hij had geen andere plek. Hij zag voor zich hoe hij door het personeelstoilet met de urinevlekken op de bril werd gespoeld.

Hij concludeerde dat hij zich er niets van aan moest trekken. Als hij doodging, was hij meteen van het probleem verlost waar hij naartoe zou moeten. Die taak liet hij met genoegen aan een ander over.

Rosenlund lag in het ziekenhuisbed en beantwoordde de vragen van de agent. Toen zij hem bedankte en de kamer verliet, voelde hij zich eenzaam. Hij was mislukt en vergeten en had het gevoel dat hij even laag aangeschreven stond als een van de bijfiguren in de tekenfilm *Flushed Away*.

Hij bleef zichzelf kwellen met zelfverwijten. Rosenlund had nooit kinderen gekregen en hij had er ook nooit naar verlangd. Hij wist dat ze een bedreiging zouden vormen voor zijn ambities. Maar op dit moment kreeg hij het onbehaaglijke gevoel dat hij iets had gemist in zijn leven. Waar had hij eigenlijk voor geleefd? Best tragisch, als hij een snelle analyse moest maken. Hij woonde in een armoedig appartement en stopte al zijn tijd in zijn werk. Wie bedankte hem daarvoor?

Geen sterveling.

Wie zou een extra rondje met hem lopen als hij in een rolstoel in het verpleeghuis zat?

Alleen degene die ervoor betaald werd.

Rosenlund was kwetsbaar. Als hij gepensioneerd was, zou hij eenzaam worden en smeken om op de redactie te mogen komen om de sportuitslagen te checken. Alleen om bezig te blijven en het gevoel te hebben dat iemand hem nodig had. En er stond hem niets te wachten na zijn vijfenzestigste, behalve de oude getrouwe dood.

Hij dwong zichzelf het bed uit te komen, ondanks de pijn, en liep naar het toilet. Per ongeluk zag hij zichzelf in de spiegel en hij rilde bij de gedachte dat hij religieus leek te worden. De ziekenhuisomgeving wakkerde dat blijkbaar aan. Daarna lachte hij over zijn inzicht dat kinderen de zin van het leven waren. Zijn baan was het leven of het leven was zijn baan, dat was een kwestie van interpretatie. Maar zijn ego kon de gedachte niet goed loslaten hoe een Rosenlund junior geworden zou zijn. Een verdomd goede misdaadverslaggever, daar was hij van overtuigd.

De zonnestralen drongen hardnekkig door de donkere zonnebrilglazen en ze had moeite om iets te zien na al die tijd zonder daglicht. Ze besloot rechtstreeks naar de geasfalteerde promenade bij de zee te lopen. O, wat had ze die gemist. De geur van zeewier kwam haar tegemoet en een gevoel van veiligheid verspreidde zich door haar lichaam. Het was een ongelooflijk vreemde gewaarwording om buiten te zijn en te lopen. Nog verrassender was het om te wandelen zonder haar handen te bewegen. Dat was compleet nieuw voor haar. Ze was gewend dat haar armen meehielpen, maar nu hield ze stevig een kinderwagen vast met een bijpassende verschoningstas over het handvat.

Alles was tot in het kleinste detail uitgedacht. De kinderwagen hadden ze besteld en ruim voor de uitgerekende datum thuisbezorgd gekregen. Ze liep over het fietspad langs het water en keek uit over de rozenstruiken. Er waren geen boten te zien, wel meerdere meeuwen en reigers.

Gunilla glimlachte naar haar geliefde Brantevik. Ze werd helemaal warm vanbinnen door het feit dat alle toeristen en mensen van de media het dorp eindelijk enigszins met rust leken te hebben gelaten. In haar euforie voelde ze opeens een onverwachte hand op haar schouder en ze schrok. Het laatste wat ze wilde was iemand tegenkomen die ze kende. En juist daarom stond haar oude kunstenaarscollega Anette er met een nieuwsgierige blik in haar ogen.

'Sorry, het was niet mijn bedoeling om je te laten schrikken!'

'O, ik was compleet in gedachten verzonken. Hoi Anette, dat is een tijd geleden.'

'Ja, gefeliciteerd! Ik begreep dat er iets aan de hand was toen jullie nergens meer verschenen. Hoe gaat het met je?'

'Goed, heel goed, en met jou?'
'Met mij is het net als altijd. Wat is het geworden?'
Gunilla voelde zich ongemakkelijk en wilde met rust gelaten worden. Ze beet hard op haar lip en proefde een bloedsmaak in haar mond.
'O, een klein meisje, zie ik,' zei Anette verrukt en ze friemelde aan het roze kant op de jurk van de baby. 'Ik weet nog dat Pelle net geboren was, hij sliep alleen maar,' lachte de vriendin, die zin leek te hebben om over koetjes en kalfjes te praten. 'Is ze gezond, ja, natuurlijk is ze dat, hoe kan ik nou zo'n domme vraag stellen?'
Gunilla was niet in staat om te luisteren en liet het gekwetter van haar vriendin langs haar heen gaan.
'Ze heeft tien vingers en tien tenen,' zei ze in een poging haar gebrek aan concentratie te verbergen.
'Wat fijn dat alles goed is gegaan, ik werd een beetje ongerust toen ik je niet te pakken kreeg. We begonnen ons al af te vragen of er misschien iets mis was.'
Gunilla begreep dat haar vriendin het goed bedoelde, maar een voorzichtige houding aannam. Godzijdank sliep het kind, zodat ze het niet op hoefde te pakken. De baby was een kopie van de vader en al was het vergezocht, ze kon nooit weten of iemand niet een of andere onaangename conclusie zou trekken. Gunilla deed haar best om ontspannen en natuurlijk over te komen. Eigenlijk had ze wild om zich heen willen slaan.
'Het was even kritiek, daarom moesten we langer dan normaal in het ziekenhuis blijven,' loog ze en ze maakte aanstalten om door te lopen. 'Ze wordt wakker als de wagen stilstaat,' verontschuldigde ze zich.
Ze had genoeg verteld en wilde doorlopen, maar Anette was niet van plan haar te laten gaan.
'Mogen we straks even langskomen met een cadeautje?' vroeg Anette.

Geen denken aan. Gunilla moest moeite doen om niet te kokhalzen. Maar in plaats van hysterisch te worden, koos ze voor een andere aanpak. Ze lachte en begon sneller te lopen.

'Hartstikke gezellig, maar het komt nu helaas niet uit. Ik bel je later,' zei ze en ze liep weg.

Anette kwam achter haar aan.

'Heb ik iets verkeerds gezegd?' vroeg ze.

Haar hartslag nam toe en Gunilla voelde hoe rode vlekken zich over haar wangen en keel verspreidden, zoals altijd als ze onder druk stond. Daar kon ze niets aan doen.

'Nee, ik heb alleen haast. Doe ze thuis de groeten!' zei ze om duidelijk te maken dat ze er een punt achter wilde zetten.

De wenk kwam blijkbaar over en ze kon Anettes teleurgestelde blik in haar rug voelen branden.

'Doe Max de groeten en feliciteer hem!' riep ze en ze liep daarna als een teleurgestelde hond de andere kant op.

De afgelopen periode was de vreselijkste tijd in Gunilla's leven geweest. Zonder enige twijfel. Ze zeiden dat je leven veranderde als je een kind kreeg. En dat klopte zeker. Het leven zou nooit meer hetzelfde zijn.

De windvlagen die van zee kwamen, waren heerlijk fris en roken naar thuis. Gunilla trok de deken over het kleine wonder recht. Ze voelde zich redelijk tevreden. Het was allemaal hartstikke goed afgelopen, terwijl het er in het begin zo hopeloos uitzag. Ze had haar schaapjes op het droge en na verloop van tijd zou het kind op haar gaan lijken, in elk geval wat houding en uitdrukking betrof.

De hoofdpijn had hem de hele dag geterroriseerd, zijn hoofd zeurde en bonkte. Lars Räffel besefte dat het alleen maar erger zou worden als hij de hele dag door zou blijven werken. De tijd die hij aan zijn werk besteedde, leek ook niet te helpen in de zaak-Agnes. Twee mogelijke daders zaten vast, maar beiden ontkenden. Er was geen direct verband tussen Willy Hansen en Agnes zoals bij Agnes en Simon Asp. Maar Räffel twijfelde eraan of ze wel schuldig waren. Hij begon scheel te zien van vermoeidheid.

Om zijn zinnen te verzetten nam hij een paar uur vrij. Misschien zou hij daardoor nieuwe invallen krijgen. Er was een aantal belangrijke zaken blijven liggen doordat hij zich de laatste tijd volledig op zijn werk had gericht. Er bestond tenslotte nog een leven naast het werk, al voelde het niet altijd zo. De bank en het postkantoor stonden boven aan zijn lijst en dat was snel geregeld. Daarna had hij opgeschreven 'golftas terugbrengen' en hij schaamde zich dat hij die al zo lang had. Hij wist dat Max Samuelsson verslaafd was aan golf en dat hij vast verlangde naar de nieuwe uitrusting die hij aan Räffel had uitgeleend. Hij had die weliswaar nog niet kunnen proberen, maar Räffel wilde geen slecht geweten meer hebben omdat hij de golfclubs ongebruikt in zijn bezit had. Hij dacht erover om een soortgelijke uitrusting te kopen, zijn eigen oude gerei begon op leeftijd te raken. Het was altijd mooi om met iets te pronken nu zijn handicap gelijk bleef.

Zoals hij al zo vaak had gedaan, draaide hij de Briggengatan in en parkeerde voor het bakstenen huis waar zijn vriend woonde. Max zat op zijn knieën voor zijn geliefde auto en boende het nummerbord schoon met een spons. Hij zag er bijna plechtig uit, alsof hij een aanzoek ging doen. Räffel stapte uit de auto met de golftas over zijn schouder. 'Hallo!' groette Räffel en Max zag er geschrokken uit, alsof hij zijn overleden moeder op straat voorbij had zien lopen.

Räffel schoot in de lach.

'Lasse, jezus, wat laat je me schrikken!' zei Max terwijl hij de spons uitkneep. 'Heb je de clubs al kunnen uitproberen?'

Räffel vertelde dat hij de golfuitrusting in elk geval in zijn handen had gehad, maar dat hij er nog niet mee had kunnen spelen. Ze kletsten wat en werden toen onderbroken door een regenbui.

'Bied je me een kop koffie aan? Dat is al een tijd geleden,' zei de inspecteur en Max knikte. Eindelijk zou hij over iets anders kunnen praten dan over zijn werk.

'Hoe gaat het trouwens met Gunilla, ze zal nu wel elke dag kunnen gaan bevallen?'

Stiekem feliciteerde hij zichzelf ermee dat hij er deze keer aan gedacht had om ernaar te vragen.

'Weet je dan niet dat ik vader ben geworden? Heb je mijn sms'je niet gekregen?' vroeg Max met merkbare trots in zijn stem.

'Is dat zo? Je moet me verdomme ook bellen als dit soort belangrijke dingen gebeuren,' zei Räffel gekwetst, omdat hij zeker wist dat hij geen berichtje van zijn vriend had gekregen.

Hij slikte de teleurstelling weg. 'Dan moet ik je feliciteren. Als ik het had geweten, had ik de obligate sigaren meegenomen,' zei Räffel terwijl hij hem op zijn rug sloeg. 'Wat is het geworden?'

'Een meisje,' lachte Samuelsson en hij zag er zielsgelukkig uit.

'Wat fijn! Is Gunilla thuis?'

'Nee, ze maakt voor de eerste keer een wandeling met de kinderwagen. Ze komt straks.'

'En jij maakt van de gelegenheid gebruik om de auto te wassen? Is het geen tijd om op te groeien en in te zien dat er belangrijkere zaken in het leven zijn?' plaagde Räffel en hij legde zijn hand op de schouder van zijn vriend.

'Dat moet jij nodig zeggen,' mopperde Max.

Ze liepen het huis in en Räffel ging aan de keukentafel zitten.

'Je lust er vast ook wel een boterham bij?' vroeg Max alsof hij Räffels gedachten had kunnen lezen.

'Ja, heel graag, dank je.'

De inspecteur voelde zich thuis bij de Samuelssons. Het was er gezellig en deed hem aan zijn eigen huis denken, vooral door de geruite gordijntjes. Hij zou kunnen zweren dat het precies hetzelfde patroon was.

Terwijl hij op Max wachtte, die problemen leek te hebben met het koffiefilter, bladerde hij doelloos door de regionale krant.

'Hé, kijk even naar de advertentie die ik heb omcirkeld op pagina zestien, ik ben van plan een aanhangwagen aan te schaffen,' riep Max en hij vloekte toen hij koffieprut op de grond en over zijn broek liet vallen. 'Verdomme, ik moet me even gaan omkleden!'

'Oké, maar ik heb geen verstand van aanhangwagens. Is de prijs oké?'

'Nee, maar je kunt altijd afdingen,' riep Max terwijl hij de trap op liep.

Op dat moment viel Räffels oog toevallig op de overlijdensadvertentie van Ingrid Boman. Hij keek door het raam en zag het nummerbord van Max' auto. Daarna keek hij weer naar Ingrids overlijdensadvertentie. Terwijl zijn hart sneller begon te kloppen, hoorde hij langzaam de woorden van Bo Boman in zijn hoofd toen die vertelde dat zijn net overleden vrouw iets had gezien in de nacht dat Agnes verdween. *Er was een auto die plotseling remde, precies voor ons huis, en Ingrid maakte zich er kwaad over dat hij zo hard wegreed. Het enige wat ze van de auto gezien had, was dat hij groot en donker was.*

Hij was compleet verlamd. OSA 8/9, de schuine streep moest een 1 zijn, hoe dom kon je zijn? Precies de letter- en cijfercombinatie op het nummerbord van Max' auto, die voor het raam stond waar Räffel zat. *Groot en donker.* Maar zou het echt iets betekenen?

De gebeurtenissen van de afgelopen tijd trokken aan hem voorbij. Hij maakte in zijn hoofd de balans op. Eerst de dorpsgek Kenny Kjol die beweerde dat hij had gezien hoe Max' auto met hoge snelheid wegreed van de haven op dezelfde avond dat Agnes voor het laatst gezien was. Daarna de woorden van Bo Boman. En Max' eigen verhaal dat hij Marie Hansen had gezien en de wond op haar hoofd had gehecht. Het leek een vreemde samenloop van omstandigheden.

De trek in koffie en zijn honger verdwenen in één ogenblik. Räffel wist niet wat hij moest doen, hij moest op de een of andere manier bewijzen zien te vinden voor zijn theorie. Hij hoorde Max vloeken en aan een kraan draaien op de bovenverdieping. Het zou op zijn minst nog een minuut duren voor hij terugkwam en aangezien de trap kraakte, zou Räffel ruim op tijd gewaarschuwd worden. Zachtjes kwam hij overeind uit de stoel en liep naar het fornuis. Daar lag Max' agenda en hij bladerde erdoorheen om te zien of hij iets kon vinden wat belastend was. Tegelijkertijd hoorde hij hoe Max de badkamer op de bovenverdieping uit kwam. Bij elke stap kraakte het plafond.

Het wist niet waar hij moest zoeken omdat hij geen idee had wat hij zocht. Hij keek om zich heen in de keuken. Alles zag er net als anders uit. Nu was het opeens stil boven. Räffel bleef staan luisteren, maar hij hoorde niets. Hij liep naar de koelkast om melk te pakken, zodat hij een excuus zou hebben waarom hij niet langer aan de keukentafel zat. De koelkast en vriezer stonden naast elkaar en zagen er precies hetzelfde uit. Toen er ijskoude lucht tegen Räffel aan sloeg, begreep hij dat hij de verkeerde deur had geopend. Aanvankelijk wilde hij hem meteen weer dichtdoen, maar hij bedacht zich halverwege. Hij dacht dat hij iets vreemds zag door de la van het vriesvak. Tegelijkertijd hoorde hij stappen op de trap en het zweet brak hem uit. Zo stil als hij kon, trok hij de la open en hij schrok. Hij was er niet honderd procent zeker van of het klopte wat hij dacht te zien en hij moest een dunne doek optillen die om het voorwerp gewikkeld zat. Lieve God, het zag eruit als een zuigeling. Zijn adem stokte even. Hij schoof het lichaam voorzichtig aan de kant en ontdekte nog een ingevroren baby. Vlug duwde hij de la dicht en sloot de deur. Hij vermoedde dat de ene baby Marie Hansens verdwenen kind was, maar wie was de andere? Hij hapte naar lucht en probeerde de indrukken op zich in te laten werken toen hij werd onderbroken.

'Zoek je iets?' vroeg Max, die opeens in de deuropening stond. Zijn stem was veranderd.

'Ja, melk,' antwoordde Räffel rustig.

Hij moest zich bijeenrapen voordat hij zich kon omdraaien. Het was onmogelijk om de indruk te wekken dat er niets gebeurd was wanneer je zo ontdaan was als hij.

'Je wil toch geen melk in je koffie?' vroeg Max argwanend.

'Nee, maar jij toch wel?' antwoordde Räffel.

'Nee, je weet best dat ik mijn koffie zwart drink.'

Max stapte naar voren en keek hem aan. Met wankele passen liep Räffel terug naar de tafel en ging zitten. De koffie en de beloofde boterham werden voor hem op de tafel gezet en Max ging tegenover hem zitten, zo dichtbij dat hij zijn adem kon voelen. Het zweet parelde op zijn voorhoofd zonder dat Räffel er iets aan kon doen. Hij kon ook zijn collega's niet waarschuwen. Hij voelde zich machteloos. In plaats van het gesprek te beëindigen en naar buiten te lopen om versterking in te roepen, deed Räffel iets wat hij niet hoorde te doen. Hij vouwde zijn handen, leunde over de tafel en keek zijn vriend recht in de ogen.

'Max, je bent een van mijn beste vrienden. Is er iets wat je me wilt vertellen?'

Het notitieboekje dat hij in zijn handen hield was volgekrabbeld. Kenny Kjol hield erin bij op welke tijden Gunilla en Max Samuelsson hun huis verlieten en weer terugkeerden. Nu moest hij een nieuwe kolom maken voor inspecteur Räffel, die met Max mee naar binnen was gegaan. Het was de eerste bezoeker sinds lange tijd. Het voordeel van recht tegenover het echtpaar Samuelsson wonen was dat hij ze kon bespioneren, al waren er meer dan genoeg nadelen. Kenny mocht Max niet, omdat hij zijn jongensdroom over een leven met Gunilla in duigen had laten vallen. Zolang ze single was had hij hoop kunnen koesteren, al was die puur theoretisch. In de praktijk was het een utopie dat ze hem zelfs maar zou aankijken. En toen hij op een dag een gouden ring aan haar linkerringvinger ontdekte, gaf hij het op. Daarna moest hij genoegen nemen met een beleefde groet als ze elkaar op straat tegenkwamen. Het was moeilijk om haar buurman te zijn.

De haat tegen Max Samuelsson werd alleen maar sterker. Kenny wist dat de alom gerespecteerde arts een huichelaar was. Hij stond bekend als een buitengewoon genereus mens, maar Kenny had hem door. Max deed niets waar hij zelf niet iets aan kon verdienen. Bovendien had Kenny een paar gesprekken gehoord waardoor hij betwijfelde of Max zijn vermogen wel op een wettelijke manier bij elkaar had gesprokkeld. Het waren geen gewone medicijnen die hij in het geheim verkocht na werktijd, daar was hij van overtuigd. Misschien was hij nu ook wel met zoiets louches bezig. Räffel had een uitgeputte indruk gemaakt en hij had zeker behoefte aan iets kalmerends.

Kenny woonde al zo lang als hij zich kon herinneren in de Briggengatan en was verbaasd geweest toen een zo bijzonder echtpaar als de Samuelssons van alle mogelijke plekken juist hiernaartoe was verhuisd. De omgeving was niet bepaald aantrekkelijk en huizen uit de jaren tachtig waren niet erg gewild. Kenny had eerder een deftig huis aan de Måsgatan bij de zee verwacht, met een privéspeeltuin en een tennisbaan, maar nee. Toen er een huis aan de Briggengatan te koop stond, sloegen ze meteen toe en Kenny moest eraan wennen om zijn onbeantwoorde liefde de hele dag in de armen van een onaangenaam type te zien.

Al snel na de verhuizing begonnen er vreemde dingen te gebeuren. Geheimzinnige mannen kwamen op merkwaardige tijdstippen bij hen langs, midden in de nacht en vroeg in de ochtend. Kenny kon er geen wijs uit worden, maar één ding wist hij zeker. Alle bezoeken stopten op het moment dat die zwangere vrouw spoorloos verdween. En zo was het sindsdien gebleven. Toen Kenny ontdekte dat Gunilla zich niet meer liet zien, begon hij notities te maken van alles wat er bij de buren tegenover hem gebeurde. Hij dacht eerst dat Max Gunilla iets had aangedaan en deed uit bezorgdheid geen oog meer dicht.

En toen kwam ze op een dag, voor de eerste keer in twee weken weer naar buiten. Met een kinderwagen. Dat was heel erg vreemd.

Kenny was er voor negenennegentig procent zeker van dat ze nooit naar het ziekenhuis waren geweest om het kind te krijgen. Zwanger was ze wel, maar hij dacht dat bevallingen nog steeds in het ziekenhuis plaatsvonden en niet thuis. Hij haalde in elk geval opgelucht adem toen hij kon constateren dat Gunilla nog leefde.

Maar er was iets gebeurd bij de Samuelssons, dat kon je zien aan de nerveuze manier waarop Gunilla zich gedroeg. Kenny was ervan overtuigd dat hij gelijk had gehad toen hij één dag na de verdwijning de aandacht van de politie al op Max Samuelsson had gevestigd. Maar omdat de politieagent Lars Räffel bevriend was met Max, weigerde die te luisteren en probeerde hij bovendien de schuld op Kenny te schuiven. De wereld was bedroevend onrechtvaardig. Hij voelde zich nog steeds op zijn tenen getrapt na de behandeling die hij had gekregen.

Kenny was teleurgesteld. Als hij iets meer vertrouwen in de politie had gehad, zou hij zijn nieuwe verdenkingen aan hen hebben voorgelegd, maar hij had niet echt iets concreets in handen en wilde niet nog een keer vernederd worden.

Over de politie gesproken, waarom bleef de inspecteur zo lang? Hij keek op zijn horloge en rekende uit dat de deur al een uur dicht was gebleven. Het was moeilijk om voor je uit te staan staren terwijl de tijd verstreek zonder dat er iets gebeurde. Als Räffel alleen een golftas kwam afgeven of als ze zouden gaan golfen, hadden ze allang vertrokken moeten zijn, ondanks het weer. Of zaten ze er alleen koffie te drinken en te kletsen over hun nieuwste motorboten? Hij werd zo ongeduldig dat hij overal jeuk kreeg. Wat moest hij doen? Kenny wist zich geen raad, maar nieuwsgierigheid spoorde hem ertoe aan naar buiten te sluipen en de situatie te onderzoeken. Even naar Samuelssons tuin te lopen en voorzichtig door het raam naar binnen te kijken. Niet iets belangrijks. Toen hij besloten had om zijn uitkijkpost te verlaten, kwam er net een buurman voorbij. Hij deed even of hij meespeelde in een actiefilm en verborg zich snel achter het gordijn om niet gezien te worden.

De spanning begon hem te veel te worden en hij moest een borrel nemen op zijn weg naar beneden. Nu wist hij helemaal zeker dat hij erheen zou gaan, hij kon niet anders. De jeuk werd steeds erger en het voelde alsof grote oorwurmen zijn lichaam binnendrongen. Hij sloop door de tuindeur aan de achterkant en deed zijn best om geen geluid te maken. De straat was verlaten en hij rende snel naar de overkant. Toen hij in de tuin van de buren was, liep hij om het huis heen en keek door het keukenraam.

Niets interessants.

Gewoon door de deur naar binnen lopen was uitgesloten. Dat had iemand zojuist gedaan en die was niet meer naar buiten gekomen. Net toen Kenny in de woonkamer wilde kijken, klonk er een knal en hij viel achterover in een rozenperk. Het schot was zo oorverdovend dat hij eerst dacht dat hijzelf getroffen was, maar hij besefte tot zijn verbazing dat hij ongedeerd was. Hij keek om zich heen om te zien of iemand anders de knal had gehoord. Maar hij was blijkbaar de enige die zich vrijwillig in de regen bevond. De buurman die een minuut of wat geleden langs was gelopen, was vermoedelijk allang weg. Voorzichtig kwam hij overeind en hij durfde nauwelijks door het raam naar binnen te kijken. Misschien liep hij het risico om doodgeschoten te worden. Hij keek over de vensterbank heen en dacht dat hij Lars Räffel in een vreemde houding op de grond zag liggen. Zijn maag trok samen toen hij een bloedvlek op de grond en op de bank zag die steeds groter werd. Kenny vroeg zich af of hij hallucineerde of dronken was. Max was vanuit zijn positie niet te zien, wat hem nog banger maakte. Stel je voor dat die gek hem bij het raam had gezien?

Kenny reageerde bliksemsnel. In plaats van er zo snel mogelijk vandoor te gaan, rende hij naar de achterkant van het huis van de Samuelssons en voelde aan de tuindeur. Die was open.

Zo zou het dus eindigen, met een pistoolloop op zijn lichaam gericht. Meer kon Räffel niet denken voordat het schot op hem werd afgevuurd. Hij deed nog een poging om de kogel te ontwijken door zich op de grond te werpen, maar hij voelde dat hij werd geraakt. Het bloed stroomde over zijn voorhoofd. Toen hij zich omdraaide, was Max van gedaante veranderd en een perfecte kloon van de alcoholist Kenny Kjol geworden.

Het duurde even voordat hij begreep dat het in feite Kenny in hoogsteigen persoon was die daar bij de tuindeur stond en geschrokken naar hem keek. Hij registreerde dat Kjol zijn hand uitstak naar een van de drivers in de golftas.

Plotseling zag hij de arts in de kamer, nog steeds met het pistool in zijn hand. Räffel probeerde aan de kant te schuiven.

Max huilde.

'Vergeef me, maar ik kan niet anders,' zei hij en hij richtte het pistool op Räffel, die niets anders kon doen dan zijn ogen sluiten.

Hij dacht aan zijn dochters en zijn vrouw. Ze hadden het zo vaak over de risico's van zijn werk gehad en ze zouden het hem nooit vergeven als ze wisten hoe onvoorzichtig en onbezonnen hij was geweest. Max Samuelsson was de laatste persoon op aarde van wie hij ooit vermoed zou hebben dat hij de dader was. Het was ondenkbaar dat de golfkameraad met wie hij altijd uit eten ging achter de gebeurtenissen in Brantevik zat. Hij betreurde in stilte zijn naïviteit en hoopte dat hij er gauw niet meer aan zou hoeven denken. Maar het schot liet op zich wachten. Hij opende zijn ogen een klein stukje en zag hoe Kenny een golfclub recht op de arts af zwaaide. Max verloor zijn evenwicht en viel omver terwijl het ontgrendelde pistool uit zijn hand viel en naast de inspecteur terechtkwam. Räffel zag Max' wanhopige blik op hetzelfde moment dat hij het wapen stevig beetpakte.

Moeizaam kwam Räffel overeind en bond Max' handen vast met een trui die op de bank lag. Voor de zekerheid legde hij er nog een paar extra, strakke knopen in en liet zijn voormalige vriend toen voor wat hij was. Kenny zat als versteend midden op de vloer en tastte naar zijn zakflacon in de binnenzak van zijn vest. Max sloot zijn ogen en zweeg.

Het bloed op zijn voorhoofd stoorde Räffel en hij loste het probleem op door een kleedje van de tafel te pakken en in stukken te scheuren. Hij wond het rond zijn hoofd zonder te durven voelen waar de kogel naar binnen was gegaan. Daarna belde hij om versterking en vroeg of ze ambulances wilden bellen, minstens twee. Hij draaide zich naar Kenny met een beschaamde en tegelijk dankbare gezichtsuitdrukking.

'Kenny, ik moet een boel tegen je zeggen, maar eerst wil ik je nog om een dienst vragen: kun je Max in de gaten houden?'

Kenny knikte.

De inspecteur ging naar de keldertrap en bad dat het niet te laat zou zijn. Met zware stappen liep hij naar beneden en vond de lichtschakelaar. De kamer achterin was afgegrendeld en het lukte hem niet om de deur in te trappen, maar onder aan de deur zat een luikje dat afgesloten was met een haak.

Hij liep weer naar boven en schudde Max door elkaar.

'Waar is de sleutel?'

De arts knikte berustend naar zijn rechterbroekzak en Räffel stak zijn hand erin en viste er een sleutelbos uit.

'Welke?' vroeg hij en Max wees naar een sleutel met blauw plastic eromheen.

Räffel wilde nog iets zeggen, maar schudde toen alleen zijn hoofd en haastte zich terug naar de kelder. De sleutel paste en hij draaide hem om zonder een idee te hebben van wat hij zou aantreffen.

De lucht sloeg hem in het gezicht en hij moest zijn neus met zijn handen dichtknijpen. De stank van oud bloed en uitwerpselen. Wat hij zag was afschuwelijk. Hij bleef als versteend in de deuropening staan en keek naar de gebroken, vuile borden met beschimmelde etensresten. Overal bloed. In het midden van de kleine ruimte lag Agnes in foetushouding, naakt en onbeweeglijk.

Na een halfuur te hebben gewacht, begreep Gunilla dat er iets aan de hand moest zijn. Ze stond op straat voor de Norraschool zoals ze hadden afgesproken. Ze wist niet goed hoe ze de toenemende onrust in bedwang moest houden. Wat moest ze doen? Ze voelde zich verlamd, niet in staat om iets te ondernemen, maar ergens wist ze dat ze zich moest haasten. In plaats van te doen zoals ze hadden afgesproken, gewoon door te lopen en dan op de bus naar Simrishamn te stappen en te verdwijnen, liep ze naar haar huis in de Briggengatan. Er hing onheil in de lucht en met elke stap die ze zette, leek het harder te gaan waaien. Ze had bijna alles bij zich, maar geen paraplu. Toen ze naar buiten was gegaan, scheen de zon, maar het kon snel omslaan. In de motregen werd ze tegen haar zin naar huis getrokken. Nieuwsgierigheid won het van het verstand. Godzijdank sliep de baby. Ze ging steeds sneller lopen en merkte niet dat het steeds harder begon te regenen. Toen ze langs de speeltuin kwam en de Briggengatan insloeg, bleef ze staan. Automatisch draaide ze zich om en ging terug naar de speeltuin om niet recht in de val te lopen.

Het had niet zo hoeven gaan.

Tot die ongeluksdag had het leven haar toegelachen. Het kind was haar reddingslijn, de ontsnapping uit een vervelend bestaan. Zonder kind geen leven. Al die jaren dat ze hadden geprobeerd om zwanger te worden waren slopend geweest voor hun relatie. Vruchtbaarheidsproblemen waren een straf die ze zelfs haar ergste vijand niet toewenste. Er was zoveel hoop en vertwijfeling. En plotseling kregen ze een kind en haar leven was een en al rozengeur en maneschijn. De baby groeide en de echoscopie en de vruchtwaterpunctie lieten geen afwijkingen zien, hoewel ze al drieënveertig was. Ze bereidde de komst van de baby tot in het kleinste detail voor en vond het heerlijk om zich bezig te houden met de kinderkamer. Het leven was goed voor haar, tot die avond tegen het eind van haar zwangerschap toen ze een onaangename druk in haar buik voelde die niet weg wilde gaan. Max was er niet en nam zijn mobieltje niet op. Ze kon niet eens proberen hem te bereiken voordat de weeën begonnen, haar bed haalde ze ook niet. In shock bracht ze het kind ter wereld op de vloerbedekking in de slaapkamer. Het meisje was helemaal blauw en stil. Aanvankelijk schudde Gunilla haar voorzichtig heen en weer, toen steeds harder, zonder enig resultaat. Ze wist niet meer hoe lang het geduurd had voor Max thuiskwam. Ze lag daar alleen in het donker te huilen. Het verdriet sloeg om in woede toen ze aan haar lot dacht. Ze voelde zich bedrogen, omdat haar blijdschap haar was ontnomen. Het kwam door Max dat het kind was gestorven, omdat hij er niet was om het te redden. Ze herinnerde zich dat ze tegen hem zei dat hij met een oplossing moest komen. *Jij bent arts, breng haar tot leven, maak haar beter, doe iets! Geef mij mijn kind terug!*

Maar dat lukte natuurlijk niet. De razernij tegen Max werd groter. Ze moest een kind hebben. Tot elke prijs. Haar leven was een en al duisternis tot de dag waarop ze opeens een warme en levende baby in haar armen had. Als in een sprookje lag hun langverwachte liefdeskind plotseling in het bed. Max had een wonder verricht. Ze wist niet hoeveel tijd er was verstreken, alleen dat haar leven weer zin had. Max had gedaan wat ze had gevraagd en ze was euforisch. Zo was het genoeg, meer verlangde ze niet. Hij was in staat om alle problemen op te lossen en hoe hij het deed, ging haar niet aan. Het bewees dat hij alles voor haar wilde doen. Echte liefde, dacht hij. Doelbewustheid, dacht Gunilla.

Er was maar één ding mis: het kind was geen meisje. Ze verwachtten een meisje en dat wist iedereen. Ze had zich niet kunnen inhouden na de echoscopie en vervloekte zichzelf nu dat ze had rondgebazuind dat het een meisje was, en dat ze zelfs roze kleren en mutsjes had gekocht.

Tot nu toe was het goed gegaan. Ze had niet eens hoeven liegen tegen Anette, die er als vanzelf van was uitgegaan dat het een meisje was omdat ze roze kleertjes aanhad.

Gunilla verbaasde zich erover hoe goed alles was gegaan, zelfs de borstvoeding was op gang gekomen. Maar dat een onschuldige vrouw en haar ongeboren kind totaal onnodig waren gestorven, daar kon ze zich niet helemaal in vinden. De enige manier om ermee om te gaan was je ogen ervoor te sluiten. Zij en Max hadden nauwelijks gepraat over wat er eigenlijk was gebeurd, maar ze was niet zo dom dat ze niet begreep dat die arme Marie Hansen tegen hem was aangelopen. Goede vrouw op de verkeerde plek. Hetzelfde gold voor Agnes Malm.

Haar gedachten en herinneringen werden plotseling onderbroken toen ze meerdere politieauto's en ambulances af zag slaan vanaf de Fartygsgatan en voor hun huis zag stoppen. In paniek duwde ze tegen haar kinderwagen om zich uit de voeten te maken. Ze liep naar de tuin van de buurman. Ze kon haar huis nauwelijks zien. De politie en het ambulancepersoneel liepen naar binnen en iemand kwam naar buiten. Wie was dat?

Kenny Kjol.

Gunilla's hersenen sprongen op tilt, maar de adrenaline schoot door haar lichaam toen ze haar man met zijn handen op zijn rug naar buiten zag komen. Berusting en schaamte straalden van hem af. Achter hem liep een goedgebouwde man met haar tafelkleedje om zijn hoofd.

Lars Räffel, mijn God!

Nog niet zo lang geleden waren de inspecteur en zijn aardige vrouw bij hen thuis geweest om een paar exclusieve Franse wijnen te proeven. Vandaag was er geen sprake geweest van een gezellige bijeenkomst, dat was wel duidelijk. Het kleedje om Lars' voorhoofd was doordrenkt met bloed. Max leek niets te mankeren, maar hij had handboeien om.

Het ambulancepersoneel kwam naar buiten met Agnes op een brancard. Haar gezicht was ergens mee bedekt en je kon niet zien of ze nog leefde. Ze bewoog zich niet en het weinige dat Gunilla van de bleke huid van de vrouw kon zien, gaf ook geen uitsluitsel. Ze droegen haar de ambulance in en reden weg. Zonder sirene.

De angst verspreidde zich in Gunilla. Ze keek naar de verborgen kinderwagen en zag haar zoon, die onwetend in de wagen lag te slapen. Zou ze hem nu verliezen? Ze was al een kind kwijtgeraakt en kon de gedachte niet verdragen dat er nog een van haar afgenomen zou worden. Ze dacht snel na en besloot dat het het beste was om zich verborgen te houden in de tuin waarin ze stond, ervoor te zorgen dat niemand haar zag en te wachten tot de politieauto's zouden zijn vertrokken. Als ze een beetje geluk had, zou Kenny in een politieauto stappen en meerijden naar het bureau. Verder was de straat leeg.

Met pijn in het hart zag ze dat Max haar overal zocht met zijn blik terwijl hem werd verzocht plaats te nemen op de achterbank. *Vaarwel*, fluisterde ze bij zichzelf. *Dank voor alles wat je voor me hebt gedaan, nu heb ik wat ik nodig had*. Dit was de laatste keer dat ze hem zag. Ze zou Brantevik en Max verlaten en verdwijnen. Dat was de enige oplossing. Niemand zou het kind ooit van haar mogen afnemen. Ze zou alles voor hem doen.

Epiloog

Nicole wilde niet slapen. En dat was niet zo vreemd, morgen zou ze vier jaar worden. Ze deed haar ogen dicht en opende ze na vijf seconden weer.

'Ik heb geslapen, waar is de taart?'

Agnes glimlachte geduldig en legde de deken over het meisje, die ze de hele tijd van zich af schopte.

'Meisje, ga nu slapen,' smeekte ze voor de zoveelste keer.

'Beloof je dat ik dan taart krijg?'

'Morgenochtend, ik beloof het.'

Haar ogen gingen met tegenzin weer dicht en Nicole sliep eindelijk nadat ze het een uur lang geprobeerd had. Agnes haalde opgelucht adem, ze moest nog een boel dingen voorbereiden voor het feestje. In de eerste plaats moest ze de puzzel, de pop en de prinsessenjurk inpakken. Tobbe wist waar het inpakpapier was, maar hij was aan het tennissen. De halkast was een goede plek om te beginnen met zoeken. Agnes liep langs de spiegel in de hal en bleef staan. Ze zag dat de sporen van de zwangerschap compleet waren verdwenen. Er was bijna anderhalf jaar verstreken sinds de dramatische bevalling in de kelder. Ze sloot haar ogen toen de scène zich weer in haar hoofd afspeelde. Haar hart kneep zich samen toen ze zag hoe Max Samuelsson de kamer binnenkwam en Adam van haar afpakte.

Max Samuelsson zat nu achter slot en grendel, maar hij zou vast veel te vroeg worden vrijgelaten, zoals zoveel misdadigers, dacht ze met afschuw. Hij had alles afgeschoven op zijn verdwenen vrouw, beweerde dat zij hem had gemanipuleerd. Agnes wist niet wat ze moest geloven. De rechtszaak was in elk geval voorbij, dat was een enorme opluchting. De schadevergoeding zou Agnes gebruiken voor therapie en revalidatie. Als er op het eind nog iets over was, was dat alleen maar meegenomen. Maar geluk kon je niet kopen. Agnes was zich ervan bewust dat ze nog maar aan het begin stond van de lange terugreis naar een normaal leven, maar elke dag redde ze zich een beetje beter.

De rollen met het kleurige inpakpapier moesten ergens anders zijn opgeborgen.

Ze kwam langs Nicoles kamer en liep door naar die van Adam. Aarzelend bleef ze voor de deur staan en overwoog of ze over de drempel zou stappen. Ja, ze zou naar binnen gaan. Even snel als ze binnen was gekomen, wilde ze de kamer ook weer verlaten, maar ze bedacht zich, stapte naar binnen en ging in de borstvoedingsstoel zitten.

Ze durfde haar blik niet op het spijlenbed te richten. Ze hoefde eigenlijk ook niet te kijken, omdat ze al wist dat het witte dekbedovertrek met de vrolijk gekleurde fantasiedieren er op precies dezelfde manier bij zou liggen als achttien maanden geleden, toen ze zonder te weten wat haar te wachten stond het bed van de jongen had opgemaakt.

In het begin vond Agnes het afschuwelijk dat ze hem in haar armen had gehouden gedurende die paar minuten in de kelder, maar na verloop van tijd was ze blij met die waardevolle momenten die ze met haar zoon had doorgebracht. Er bestond een band tussen hen. Ze wist dat ze hem zou herkennen, maar ze durfde er niet op te hopen dat ze de geur van zijn huid weer zou mogen ruiken.

Tobbe had het zo goed opgenomen, bijna iets te makkelijk. Ze begreep niet waarom hij het niet uitschreeuwde, luid vloekte en de woning kapotsloeg, of op zijn minst een vaas. Zijn uitleg was dat hij zichzelf voor het gezin in bedwang hield. Hij vond dat zij ergere ervaringen te verwerken had. Agnes wist niet goed of zij het ermee eens was, maar hij zei de hele tijd dat hij er nog niet klaar voor was om over de jongen te praten. Misschien kwam het doordat hij bang was om eraan onderdoor te gaan. Ze was zich ervan bewust dat ze allebei voortdurend op het punt van instorten stonden.

Tobbe gaf haar de hele tijd honderd procent aandacht en steun en zei dat hij zo dankbaar was dat hij haar terug had gekregen. Adam noemde hij niet. De politie had het werk aan de zaak geleidelijk aan verminderd en Adam was nu alleen nog maar een naam op de lijst van vermiste personen. Voor Agnes betekende hij meer dan dat. Ze kon er niet mee leven dat ze niet wist wat er was gebeurd. Het was haar kind en hij had een moeder, een vader en een grote zus die naar hem verlangden.

Agnes werd elke minuut gekweld door de gedachte aan wat Gunilla Samuelsson op dit moment met háár zoon aan het doen was. Leefden ze ergens een doodnormaal burgerleven? Zaten ze in een zandbak en maakten ze samen zandtaartjes?

Misschien zei hij zelfs wel 'mama' tegen haar.

Agnes was de voorbereidingen voor de verjaardag compleet vergeten en schrok toen de buitendeur dichtsloeg. Tobbe was thuis en keek verbaasd door de deuropening. Het was de eerste keer dat ze in de kamer was sinds de ontvoering.

'Is het wel goed voor je om daar te zitten?' vroeg hij bezorgd.

Ze droogde haar tranen en keek hem aan.

'Nee, maar ik heb het gevoel dat ik aan hem moet durven denken.'

Tobbe zag er verdrietig uit en liep op haar af en omhelsde haar. Haar oog viel op de grijze haren die zich op zijn hoofd aan het verspreiden waren.

Hij gaf haar een kus op haar voorhoofd.

'Neem alle tijd die je nodig hebt,' zei hij en hij liet haar alleen.

Agnes had alle tijd van de wereld nodig. Ze kon er niet mee leven dat ze haar jongen niet terugkreeg die ze in haar buik had gedragen en ter wereld had gebracht. De politie vermoedde dat Gunilla het kind had meegenomen en naar het buitenland was gevlucht. Nu het politieonderzoek langzaamaan werd afgesloten, leek iedereen in Agnes' omgeving te denken dat ze begon te accepteren dat ze haar zoon nooit meer zou zien.

Wisten ze maar hoe fout ze het hadden. Adam moest naar huis, het was haar plicht om hem te vinden. Het laatste wat ze dacht voordat ze de kamer verliet was dat hij ooit zijn kamer zou moeten zien. Koste wat het kost. Dat was het minste wat een moeder voor haar zoon kon doen. Ze had het besluit genomen dat ze haar hoop om Adam te vinden nooit zou opgeven.

Dankwoord van de auteur

Week 36 is een verzonnen verhaal. Niet een van de mensen bestaat ergens anders dan in mijn hoofd en ik heb de vrijheid genomen om zaken uit de werkelijkheid te verdraaien, zodat ze beter in mijn verhaal pasten. Zo heb ik de Lapphörnan beschreven zoals hij eruitzag voor de renovatie in 2008, toen ze de naam ook veranderd hebben in Hörnan på Brantevik. Bovendien heeft Branterögen inmiddels het terras uitgebreid tot rond de hoek bij de haven.

Er zijn er zoveel die ik wil bedanken:

- In de eerste plaats mijn fantastische man, Tommy Sarenbrant, die mij alles heeft gegeven en nog iets meer. Onder anderen onze mooie dochters Kharma en Kenza (die gelukkig niet weten waar dit boek over gaat).
- Mijn moeder Ann Sjöstedt en mijn vader Svante Sjöstedt. Dankzij jullie kwam ik op het idee voor het boek. Niet omdat we het samen zo vreselijk hebben, maar omdat jullie een zomerhuisje in Brantevik hebben gekocht en ervoor hebben gezorgd dat mijn ogen opengingen voor het vissersdorpje. Daarnaast zijn jullie een grote steun en geweldige ouders en grootouders.
- Mijn zus Linn Sjöstedt, die heeft meegelezen, me heeft opgepept en met harde feiten is gekomen over het leven als vroedvrouw. En die de beste oppasmoeder van de wereld is voor mijn kinderen. Dank ook aan Patric Dahl voor alle vrolijke aanmoedigingen op Facebook.
- Mijn andere zus Tyra Sjöstedt omdat je me inspiratie geeft. En dank je, geweldige Patrik Rosenback Fromell, omdat je achter haar opruimt!

- Mijn broer Tom Sjöstedt, die mij samen met Maria Lindqvist positieve energie en zelfvertrouwen heeft gegeven tijdens het schrijven, onder meer door me bij één gelegenheid te laten winnen met boerenbridge.
- Marie Jungstedt omdat je tijdens een interview (half ontkleed in de kleedkamer van Friskis & Svettis) aanbood om mijn boek te lezen en daarna met positieve feedback en waardevolle inzichten bent gekomen. Je bent een voorbeeld.
- Mijn vriendin Johanna Orre, die haar man Lukas Orre uitleende voor een interview over DNA-mutaties. Ik ben er helaas niets wijzer van geworden, maar ik kwam te weten wat ik nodig had voor het boek.
- Mijn vriendin bij de alarmcentrale, Ulrika Fagerstedt, die me alles verteld heeft over de radialispols en hoe je patiënten op een brancard tilt (en die af en toe iets soortgelijks met mij moest doen toen we Frans studeerden in Montpellier).
- Snygg-Pia Printz, collega-journalist en vriendin die op eigen initiatief (heel goed) over het boek gepraat heeft bij Damm Förlag.
- Brigadier Johan Karlsson van de coördinatieafdeling van Norrort, die geduldig antwoord heeft gegeven op al mijn vragen over profielen en identificatie.
- Christina Ullsten, brigadier bij de Nationale Recherche, die haar expertise over verdwijningen met me heeft gedeeld.
- Susan Sprogøe-Jakobsen, gerechtsarts, die me belangrijke informatie over autopsies gaf.
- De zorgzame Karin Sörbring, die ik leerde kennen bij *Expressen*. Je hebt altijd in mij geloofd op een manier die me vertrouwen in mijn schrijven heeft gegeven.
- Rebecka Edgren Aldén, die me in een vroeg stadium een rechtse directe met kritiek gaf. Een dreun die ervoor gezorgd heeft dat ik erin geslaagd ben de intrige te verbeteren en een nieuwe vorm te geven.

- Mijn redacteur Maria Thufvesson en uitgever Cina Jennehov omdat jullie zo positief en prettig om mee te werken zijn.
- De hele groep van *Friskidpressen*, die naar mijn geklets over thrillers moest luisteren en me vrolijk groette toen ik met jullie werkte. Vooral dank aan Inga-Lis Grape en Lotta Westberg, die het verhaal hebben nagekeken en met waardevolle inzichten zijn gekomen.
- De officier van justitie Harriet Roswall, die appels en feiten over het politiewerk met me gedeeld heeft.
- En last but not least al mijn fantastische bloglezers op magstarkt.se, die me vreugde en kracht hebben gegeven door hun positieve commentaar.

Sofie Sarenbrant
Bromma, 14 februari 2010

Uitgeverij Querido stelt alles in het werk om op milieuvriendelijke en duurzame wijze met natuurlijke bronnen om te gaan. Bij de productie van dit boek is gebruikgemaakt van papier dat het keurmerk van de Forest Stewardship Council (FSC) mag dragen. Bij dit papier is het zeker dat de productie niet tot bosvernietiging heeft geleid.

Openbare Bibliotheek
Cinétol
Tolstraat160
1074 VM Amsterdam
Tel.: 020 – 662.31.84
Fax: 020 – 672.06.86